Nieustraszony
Reckless

CORNELIA FUNKE

Nieustraszony

TOM II

Reckless

Przekład
Agnieszka Hofmann

Na podstawie historii autorstwa
Cornelii Funke i Lionela Wigrama

Literacki
EGMONT

Tytuł oryginału: *Reckless. Lebendige Schatten*

© 2013 by Cornelia Funke und Lionel Wigram
Illustrations © 2013 by Cornelia Funke

© for the Polish edition by Egmont Polska Sp. z o.o.,
Warszawa 2013

Redakcja: Anna Jutta-Walenko
Korekta: Agnieszka Trzeszkowska, Anna Sidorek
Projekt okładki: Monika Klimowska
Zdjęcia wykorzystane na okładce:
© 2013 iStockphoto LP. iStockphoto ®
© 2013 iStockphoto LP. Vetta ®
© 2003-2013 Shutterstock, Inc.
© Graeme Purdy/Vetta/Getty Images/Flash Press Media
Koordynacja produkcji: Małgorzata Wnuk
Wydawca prowadzący: Natalia Sikora

Wydanie pierwsze, Warszawa 2013
Wydawnictwo Egmont Polska Sp. z o.o.
ul. Dzielna 60, 01-029 Warszawa
tel. 22 838 41 00
www.egmont.pl/ksiazki

ISBN 978-83-237-5655-2

Skład i łamanie: Katka, Warszawa
Druk: COLONEL, Kraków

Dla Bena,
który jest jednocześnie Jakubem i Willem.

Na wschód od Greenwich
30 40 50 60 70 80

SUOMA

BALTIKA

LATIVA

BOLANDIA

WO GOYLI

MAGYAR

Twierdza goyli

Blenhajm

Szwansztajn

Czarny Las

Terpevas

Wyspa Nimf

WOŁOSZCZYZNA

VOLNICIA

VARANGIA

MORZE BIAŁE

ANATOLIA

MAPA
ŚWIATA
ZA LUSTREM

GRANICE

+ + + Królestwo goyli
— - — - — Landesgrenze
● Stolica

Widok Weny

Widok Londry

MASSTAB
0 50 100 200 300 400 500

1
CZEKANIE

Wciąż go nie było.

Lisica starła krople deszczu z twarzy.

„Nie zostanę długo" – powiedział. U Jakuba to mogło oznaczać wszystko – czasami nie było go tygodnie, czasami całe miesiące.

Ruiny jak zwykle były opustoszałe. Przykrywająca wypalone mury cisza, a do tego deszcz sprawiały, że dygotała. Ludzka skóra dawała tyle mniej ciepła! Mimo to Lisica coraz rzadziej przybierała zwierzęcą postać. Z czasem coraz dotkliwiej odczuwała, że sierść podkrada jej lata – i Jakub wcale nie musiał jej o tym przypominać.

Na pożegnanie przytulił ją tak mocno, jakby chciał wchłonąć jej ciepło i zabrać je do świata, w którym się urodził. Czegoś się bał, ale nie chciał wyjawić czego. Wciąż jak chłopiec wierzył, że zdoła uciec przed własnym cieniem.

Zawędrowali na daleką północ, do Swerigi i Nordy, gdzie lasy nadal przykrywała gruba warstwa śniegu, a miasta nawiedzały watahy wygłodniałych wilków. Przedtem jednak zapuścili się na południe, tak daleko, że Lisica wciąż znajdowała w sierści ziarnka pustynnego piasku. Tysiące mil… Odwiedzili krainy i miasta, o których nigdy nie słyszała, wszystko rzekomo w poszukiwaniu klepsydry. Lisica jednak zbyt dobrze znała Jakuba, żeby w to wierzyć.

Pośród popękanych kamieni u jej stóp wyrastały pierwsze dzikie pierwiosnki. Perły rosy, które spłynęły z płatków, kiedy Lisica zerwała jeden z delikatnych pędów, były lodowate. To była długa zima i Lisica wciąż czuła w kościach mróz minionych miesięcy. Tyle się wydarzyło od ostatniego lata. Cały ten lęk o brata Jakuba… i o niego samego. Bezgraniczny strach, nieprzebrana miłość – przerastało ją to wszystko.

Przypięła bladożółty kwiatuszek do kubraka. Dłonie… Dzięki nim łatwiej było znosić brak ciepłej sierści – cenę, jaką płaciła za ludzkie ciało. Nosząc sierść, tęskniła za odczytywaniem świata za pomocą palców.

„Nie zostanę długo".

Błyskawicznym ruchem złapała chochlika, który wsunął jej maleńką rączkę do kieszeni kubraka. Puścił złotego talara dopiero, gdy Lisica potrząsnęła nim mocno, jak zazwyczaj robiła to z upolowanymi myszami. Złodziejaszek ugryzł ją jeszcze w palec, zanim czmychnął, złorzecząc. Jakub zawsze wtykał jej do kieszeni parę talarów, gdy odchodził. Jeszcze nie przywykł, że teraz i w świecie ludzi świetnie radziła sobie bez niego.

Czego się bał? Lisica zapytała go o to pewnego razu, kiedy od wielu dni w siodle wędrowali od jednej nędznej wioski do drugiej po to tylko, by w końcu stanąć pod uschłym drzewem granatowca należącego do nieżyjącego sułtana. Spytała o to raz jeszcze, kiedy Jakub trzy noce z rzędu topił rozpacz w kielichu po tym, jak w zdziczałym ogrodzie znaleźli tylko wyschniętą studnię.

– To nic. Nie przejmuj się – odpowiedział.

Zbył ją cmoknięciem w policzek i beztroskim uśmiechem, który przejrzała już wtedy, gdy miał dwanaście lat.

– To nic...

Wiedziała, że tęskni za bratem, ale kryło się za tym coś więcej. Lisica spojrzała na czubek zrujnowanej baszty. Okopcone kamienie zdawały się szeptać czyjeś imię. Klara. Czyżby to było to?

Serce nadal ściskało jej się na myśl o strumieniu, w którym unosiły się ciałka martwych skowronków. Ręka Jakuba we włosach Klary, jego głodne usta na jej wargach.

Może to wspomnienie sprawiło, że niewiele brakowało, a prawie by za nim poszła. Odprowadziła go aż do baszty, ale tuż przed lustrem opuściła ją odwaga. Lustrzana tafla wydała jej się ciemną bryłą lodu, w której zastygnie jej serce.

Lisica odwróciła się plecami do baszty. Jakub wróci. Zawsze wracał.

2
NIE TEN ŚWIAT

Sala aukcyjna znajdowała się na trzydziestym piętrze. Wyłożone boazerią ściany, parę rzędów ustawionych równo krzeseł, stojący w drzwiach człowiek, który z rozkojarzonym uśmiechem odhaczał nazwiska na liście zgłoszeń. Jakub wziął do ręki katalog i podszedł do jednego z okien. Zobaczył gąszcz drapaczy chmur, a w tle za nimi srebrne tafle Wielkich Jezior. Dopiero nad ranem przybył do Chicago z Nowego Jorku, pokonawszy odległość, która powozem zajęłaby mu parę tygodni. U jego stóp połyskiwały promienie słońca schwytane w ściany ze szkła i pozłacane dachy. Ten świat mógł z łatwością konkurować pięknem z tym za lustrem, ale Jakub tęsknił za domem.

Usiadł na jednym z krzeseł i zaczął obserwować otaczające go twarze. Wiele z nich znał: na aukcję przybyli handlarze antyków, kustosze, kolekcjonerzy sztuki. Łowcy skarbów, jak on, tyle że skarby tego świata nie kryły w sobie żadnego czaru oprócz czaru wieku i piękna.

W katalogu aukcyjnym, między imbrykiem chińskiego cesarza a srebrną grzechotką angielskiego księcia, znalazł butelkę, której śladem podążał aż do tego miejsca. Wyglądała tak niepozornie, że miał nadzieję, iż nikt nie będzie jej licytował. Ciemne szkło chronił pokrowiec z wytartej skóry, a szyjkę zatykała woskowa pieczęć.

„Flakonik pochodzenia skandynawskiego, wczesny XIII wiek" – informował napis pod zdjęciem. Jakub sam opisał butelkę tymi słowy, kiedy sprzedawał ją handlarzowi antyków w Londynie. Wówczas wydało mu się dość zabawne, że w ten sposób unieszkodliwił jej mieszkańca. W świecie za lustrem uwolnienie go mogło zakończyć się śmiercią, ale tutaj był tak groźny jak zamknięte w butelce powietrze – wielka nicość schowana za ciemnobrązowym szkłem.

Butelka od tamtej pory kilkakrotnie zmieniała właściciela. Jakub wytropił ją dopiero po miesiącu. Czas, którego nie miał. Jabłko będące lekarstwem na wszelkie choroby, studnia wiecznej młodości… zmarnotrawił wiele miesięcy na szukanie niewłaściwych artefaktów, a w jego piersi nadal gościła śmierć. Nadeszła pora, by zażyć bardziej niebezpieczny lek.

Ćma na sercu ciemniała z każdym dniem; pieczęć wyroku śmierci, który Czarna Nimfa wydała za wypowiedzenie jej imienia. Jej siostra wyszeptała mu go do ucha między dwoma pocałunkami. Jeszcze nigdy żaden człowiek nie został skazany w bardziej subtelny sposób. Zdradzona miłość... Krwawa czerwień okalająca odcisk ćmy przypominała, za jaki występek naprawdę umierał.

Z pierwszego rzędu uśmiechała się do niego antykwariuszka, której przed laty sprzedał karafkę z elfiego szkła (ona była przekonana, że to szkło z Persji). Dawniej Jakub przenosił przez lustro sporo artefaktów, by opłacić czesne Willa albo pokryć rachunki za leczenie matki. Oczywiście żaden z jego klientów nie domyślał się nawet, że sprzedawał im przedmioty z innego świata.

Jakub zerknął na zegarek i spojrzał niecierpliwie na licytatora.

„Pospiesz się" – ponaglił go w myślach.

Tracił tu tylko czas. Nawet nie wiedział, ile mu go zostało. Pół roku, może mniej...

Imbryk chińskiego cesarza uzyskał zawrotnie wysoką cenę, ale butelka, zgodnie z oczekiwaniami, nie wywołała większego entuzjazmu, kiedy postawiono ją na aukcyjnym stoliku. Jakub już był przekonany, że będzie jedynym licytującym, kiedy parę rzędów za nim powędrowała do góry czyjaś ręka.

Licytant był postury drobnego dziecka. Jego krótkie palce zdobiły pierścienie z brylantami, warte więcej niż wszystkie wystawione na aukcji przedmioty. Krótkie włosy były czarne jak pióra kruka, mimo że osobnik miał twarz starca. A uśmiech, jakim obdarzył Jakuba, sprawiał wrażenie, jakby ów człowiek wiedział zbyt dużo.

„Bredzisz, Jakubie".

Przed aukcją wymienił garść złotych talarów. Plik banknotów, które za nie dostał, wydał mu się więcej niż wystarczający. W końcu sam zbyt wiele na tej butelce nie zarobił. Ale ilekroć podbijał ofertę, nieznajomy też podnosił rękę i Jakub czuł, jak z każdą nową sumą wywoływaną przez licytatora serce zaczyna mu mocniej walić ze złości. Gdy oferta przewyższyła cenę cesarskiego imbryka, przez salę przebiegł pomruk. Do licytacji włączył się trzeci handlarz – ale odstąpił, gdy cena osiągnęła za wysoki dlań poziom.

„Zrezygnuj, Jakubie!".

I co potem? Nie miał pojęcia, czego jeszcze mógł poszukać, obojętne, w tym czy w innym świecie. Palce Jakuba zacisnęły się mimowolnie na złotej chusteczce, ale jej zaklęcie tutaj nie działało, podobnie jak czar flakonu.

„Raz kozie śmierć, Jakubie. Zanim się zorientują, że nie możesz zapłacić, będziesz już dawno po drugiej stronie lustra".

Ponownie podniósł rękę, chociaż gdy usłyszał kwotę, którą wywołał licytator, zrobiło mu się słabo. Słono go to będzie kosztować, nawet jeśli płacił za własne życie. Zerknął na swojego rywala. Oczy, które napotkał, były zielone jak świeżo skoszona trawa. Osobnik poprawił krawat, raz jeszcze uśmiechnął się do Jakuba – i opuścił ciężką od pierścieni dłoń.

Trzasnął młotek licytatora i Jakubowi zakręciło się w głowie z ulgi, kiedy przedzierał się przez rzędy krzeseł. W pierwszym szeregu jakiś kolekcjoner oferował właśnie dziesięć tysięcy dolarów za srebrną grzechotkę. Każdy ze światów po obu stronach lustra miał swoje skarby.

Kasjerka pociła się w czarnym uniformie, a jej nalaną twarz pokrywała zbyt gruba warstwa pudru. Jakub obdarzył ją najmilszym z uśmiechów i przesunął w jej stronę plik banknotów.

– Mam nadzieję, że to wystarczy na zaliczkę?

Dołożył do kupki trzy złote talary. Złote monety także i w tym świecie były mile widzianym środkiem płatniczym. Większość handlarzy brała go za ignoranta nieznającego wartości starych monet, a dla tych, którzy pytali o wybity na nich wizerunek cesarzowej, miał w zanadrzu odpowiednią bajeczkę. Jednak zgrzana kasjerka obrzuciła talary nieufnym spojrzeniem i zawołała jednego z licytatorów.

Butelka czekała obok na wyciągnięcie ręki, razem z innymi sprzedanymi przedmiotami. Z bliska szkło też nie zdradzało niczego o swym mieszkańcu. Przez chwilę Jakuba korciło, by nie zważając na straże przy drzwiach, czmychnąć wraz z łupem, ale czyjeś chrząknięcie przerwało te nierozsądne myśli.

– To interesujące monety, panie... umknęła mi pana godność?

Zielone oczy. Jego konkurent sięgał mu ledwie do ramienia, a w lewym uchu miał wpięty maleńki rubin.

– Reckless. Jakub Reckless.

– Ach tak. – Obcy wsunął rękę do kieszeni szytej na miarę marynarki i posłał licytatorowi uśmiech ze słowami: – Ręczę za tego pana.

Jednocześnie podał Jakubowi wizytówkę. Mówił chrapliwie, z lekkim akcentem, którego Jakub nie rozpoznawał.

Licytator pochylił z szacunkiem głowę.

– Jak pan sobie życzy, panie Earlking. – Popatrzył na Jakuba pytająco. – Na jaki adres dostarczyć butelkę?

– Zabiorę ją ze sobą.

– Bardzo proszę – odezwał się Earlking. – Zbyt długo przebywała w niewłaściwych miejscach, nieprawdaż?

Zanim Jakub zdążył cokolwiek powiedzieć, człowieczek ukłonił się.

– Proszę pozdrowić ode mnie brata – rzucił na odchodne. – Dobrze go znam, podobnie jak i matkę panów.

I odwrócił się, a potem zniknął w tłumie wytwornie odzianych gości. Jakub wbił wzrok w wizytówkę. *Norebo Johann Earlking*. Nic więcej.

Licytator wręczył mu butelkę.

---

* Earlking (ang.) – Król Olch, Król Elfów, tytuł i jednocześnie bohater ballady Johanna Wolfganga von Goethego.

3
DUCHY

Nie ten świat. Na lotnisku funkcjonariusz służby ochrony poddał butelkę tak skrupulatnym oględzinom, że Jakub najchętniej przyłożyłby mu pistolet do odzianej w mundur piersi. Samolot wylądował w Nowym Jorku z opóźnieniem, a taksówka tyle razy korkowała się w wieczornym ruchu, że zatęsknił za sennymi uliczkami Szwansztajnu. U stóp starej czynszowej kamienicy księżyc przeglądał się w brudnych kałużach, a z muru nad drzwiami gapiły się nań wykrzywione w groteskowym grymasie twarze gargulców. W dzieciństwie Will tak bardzo się ich lękał, że przechodząc tędy, za każdym razem chował głowę w ramionach. Z biegiem lat spaliny nadżarły je do tego stopnia, że niewiele różniły się od okalających je kamiennych kwiatów. Mimo to Jakub, wstępując na stopnie, dotkliwiej niż kiedykolwiek czuł na sobie ich nieruchomy wzrok. Zapewne tak właśnie musiał czuć się w dzieciństwie jego brat. Kiedy ciało Willa zaczęło zmieniać się w kamień, nie on jednak, ale maszkarony miały powód do strachu.

W holu czekał ten sam konsjerż, który wyciągał ich z windy, kiedy jako dwa smyki zbyt często bawili się, jeżdżąc nią w górę i w dół. Nazywał się pan Tomkins, teraz zestarzał się i roztył. Na kontuarze, na którym trzymał rozłożoną pocztę, wciąż stał słój pełen lizaków. Przed laty przekupywał ich słodyczami, by załatwiali za niego różne sprawunki. Kiedyś Jakub wmówił Willowi, że pan Tomkins jest ludojadem, skutkiem czego mały przez wiele dni wzbraniał się przed pójściem do przedszkola, bojąc się zbliżać do konsjerża.

Przeszłość... Gnieździła się w każdym zakątku tego starego domostwa. Była za kolumnadą w holu wejściowym, gdzie bawili się z Willem w chowanego, w piwnicach, gdzie pierwszy raz w życiu – bezowocnie – poszukiwali skarbów, a także w zakratowanej windzie, będącej w zależności od potrzeb statkiem kosmicznym lub klatką czarownicy. Dziwne, jak perspektywa własnej śmierci przywoływała duchy przeszłości – jakby każda przeżywana chwila szeptała do ucha: może to już wszystko, co było ci dane, Jakubie.

Drzwi windy zacięły się jak zwykle. Wysiadł na siódmym piętrze. Will zostawił dla niego wiadomość w drzwiach.

Poszliśmy na zakupy. Kolacja jest w lodówce. Witaj w domu! Will

Jakub schował karteczkę do kieszeni płaszcza, a potem otworzył drzwi. Zapłacił życiem za to powitanie, ale bez wahania uczyniłby to ponownie, wdzięczny za świadomość, że znowu ma brata. Nie byli sobie tak bliscy od czasów, kiedy Will co noc wślizgiwał się do niego pod kołdrę, wierząc, że konsjerże żywią się ludzkim mięsem. Jakże było łatwo stracić miłość.

Mrok, który czekał na niego za drzwiami, był zarazem obcy i swojski. Will odmalował przedpokój i zapach farby mieszał się z wonią dzieciństwa. Palce Jakuba same po omacku odnalazły włącznik światła. Żyrandol był nowy, podobnie jak komoda przy drzwiach. Stare rodzinne fotografie zniknęły, a wyblakła tapeta, nawet po wielu latach nosząca ślad po oprawionym w ramkę zdjęciu ojca, ustąpiła miejsca białej farbie. Jakub postawił torbę na wydeptanej drewnianej podłodze.

„Witaj w domu".

Czy to miejsce naprawdę mogło stać się dla niego domem, po wielu latach, kiedy jedyną rzeczą, której tu pragnął, było lustro? Na komodzie stał wazon z żółtymi różami. To z pewnością sprawka Klary. Perspektywa zobaczenia

21

jej wywołała w nim lekką nerwowość już w chwili przechodzenia przez lustro. Nie był pewien, czy serce biło mu szybciej ze względu na wspomnienia, czy na skutek nadal trwającego działania zaklęcia skowronkowej wody. Jednak okazało się, że wszystko było w porządku. Był rad, gdy zobaczył ją razem z Willem w świecie, który już od tak dawna nie był jego światem. Klara słowem nie napomknęła o skowronkowej wodzie. Jakub miał wrażenie, że to wspomnienie połączyło ich tak, jakby zgubili się w lesie i razem odnaleźli drogę do domu.

Pokój mamy pozostał niezmieniony, podobnie jak gabinet ojca. Jakub z wahaniem otworzył drzwi. Przy łóżku piętrzyło się parę pudeł z książkami Willa, a pod oknem stały oparte o ścianę rodzinne zdjęcia, które przedtem wisiały w przedpokoju.

W pokoju wciąż unosił się jej zapach. Łóżko przykrywała narzuta, którą mama sama uszyła z maleńkich łatek. Po całym mieszkaniu walały się wtedy rozmaite ścinki: materiały w kwiatki, zwierzątka, domki, statki, księżyce i gwiazdy. Cokolwiek pled mówił o swej wykonawczyni, Jakubowi nigdy nie udało się tego odgadnąć. Czasami leżeli na nim we trójkę, a ona czytała im na głos. Dziadek opowiadał im bajki zapamiętane z dzieciństwa w Europie, w których roiło się od czarownic i wróżek. W świecie za lustrem Jakub spotykał podobne do nich istoty. Za to opowieści mamy wywodziły się z Ameryki. Historia jeźdźca bez głowy, legenda o Johnnym Appleseedzie, baśń o Wilczym Bracie, opowieści o szamance lub o olbrzymie z plemienia Seneków. Jakub nie napotkał jeszcze ich śladów w świecie za lustrem, ale był przekonany, że żyli tam tak samo jak postacie z bajek dziadka.

Na nocnej szafce stała fotografia przedstawiająca mamę z synami w parku. Wyglądała na niej na bardzo szczęśliwą. I młodą. Zdjęcie zrobił ojciec. Już wtedy prawdopodobnie wiedział o lustrze.

Jakub starł kurz ze szkła. Była taka młoda... i piękna. Co takiego było w świecie za lustrem, czego ojciec nie znajdował w mamie? Jakże często w dzieciństwie dręczył się tą myślą. Wtedy uważał, że wina leży po jej stronie – i czuł gniew. Gniew z powodu jej słabości. I tego, że nie potrafiła przestać kochać ojca, że na niego czekała, choć wiedziała, iż czeka na próżno. A może czekała, aż pewnego dnia starszy syn odnajdzie go i sprowadzi z powrotem? Czyż nie to wyobrażał sobie skrycie przez wszystkie te lata? Właśnie to – że pewnego dnia wróci wraz z ojcem, a twarz mamy wreszcie rozjaśni się radością?

W świecie za lustrem istniały klepsydry zatrzymujące czas. Jakub długo szukał takiej dla cesarzowej. Gdzieś w Lombardii była karuzela, która kręcąc się, zmieniała dorosłych w dzieci, a dzieci w dorosłych. Z kolei pewien książę z Varangii miał pozytywkę, która nakręcającą ją osobę cofała w przeszłość. Jakub często zastanawiał się nad tym, czy pozytywka naprawdę odwracała bieg rzeczy,

czy też ostatecznie człowiek i tak obrałby tę samą drogę. Czy ojciec znowu przeszedłby przez lustro? I czy on sam podążyłby za nim, zostawiając Willa i matkę?

„Rany boskie, Jakubie!". Perspektywa śmierci sprawiała, że stawał się sentymentalny. Czuł się tak, jakby od miesięcy ktoś wciąż na nowo wrzucał jego serce do tygielka, niczym grudkę metalu, która nie chciała przybrać żądanej formy. Jeśli flakonik okaże się równie bezużyteczny jak jabłko lub studnia, cały trud będzie daremny, a on sam już wkrótce stanie się tylko fotografią w zakurzonej ramce, tak jak mama. Jakub odstawił jej zdjęcie na szafkę i wygładził kołdrę, jakby mama za chwilę miała przestąpić próg pokoju.

Usłyszał, że ktoś otwiera drzwi do salonu.

– Will, Jakub wrócił. – Głos Klary brzmiał niemal tak znajomo jak głos brata. – Leży tu jego torba.

– Kuba? – W głosie Willa nie było już ani krztyny kamiennej twardości, która niedawno z wolna trawiła jego ciało. – Gdzie się podziewasz?

Jakub usłyszał dobiegające z korytarza kroki i na sekundę przeniósł się w inny korytarz, w którym czekała na niego twarz Willa wykrzywiona nienawiścią.

„To już przeszłość, Jakubie, to minęło".

Nie, to nigdy nie minie. I całe szczęście. Nie chciał zapomnieć, jak łatwo stracić brata.

Will stał w drzwiach, bez złotego błysku w oczach, ze skórą znowu miękką jak jego własna, tyle że znacznie bledszą. Nie spędził przecież ostatnich tygodni w siodle, pod słońcem przeklętej pustyni.

Brat uścisnął go tak mocno jak przed laty na szkolnym dziedzińcu, kiedy Jakub ocalił mu tyłek przed skorym do bitki czwartoklasistą. Tak, to było warte zapłaconej ceny, pod warunkiem że jego brat nigdy nie dowie się o jej wysokości.

Wspomnienia Willa ze świata za lustrem były fragmentaryczne niczym odłamki, z których usiłował złożyć całość. Chyba każdy czułby się nieswojo, jak przez mgłę pamiętając jedne z ważniejszych tygodni własnego życia. Kiedy Klara opisywała Willowi twarze lub miejsca zza lustra, do Jakuba docierało, ile jego brat naprawdę tam przeszedł. Miał wrażenie, że Will zyskał przez to drugi cień, który podążał za nim jak intruz i wciąż napawał go lękiem.

Jakub nie mógł się doczekać powrotu za lustro, ale Klara nalegała, żeby został na obiedzie. A poza tym nie wiedział, czy kiedykolwiek jeszcze ich zobaczy. Uległ zatem i usiadł w kuchni przy stole, którego blat w szczenięcych latach ozdobił wyrytymi nożem inicjałami. Starał się sprawiać wrażenie beztroskiego. Jednak jego umiejętność wciskania bratu wymyślonych historii najwyraźniej gdzieś się ulotniła. Parę razy złowił jego pełne namysłu spojrzenie, kiedy swój wyjazd do Chicago usiłował uzasadnić zleceniem pewnego fabrykanta ze Szwansztajnu, który rzekomo żywił wielką namiętność do dżinów.

Lisicy nawet nie próbowałby wciskać tej bajki. Kiedy razem bez końca szukali artefaktów, które wszystkie okazały się bezużyteczne, parę razy był o krok od wyznania jej prawdy. Jednak powstrzymywała go myśl, że musiałby patrzeć jej przy tym w twarz i widzieć w niej własny strach. Kochał Willa, ale dla niego był tylko starszym bratem. Dla Lisicy był po prostu sobą. Ona doskonale znała oblicze, które ukrywał przed innymi, chociaż nie zawsze mu się to podobało i oboje z rzadka mówili o tym, co o sobie wiedzieli.

– Mówi ci coś nazwisko Norebo Earlking, Will?

– Taki niewyrośnięty? Z dziwnym akcentem? – Brat zmarszczył brwi.

– Ten sam.

– Mama sprzedała mu parę rzeczy po dziadku, kiedy potrzebowała pieniędzy. Prowadzi chyba kilka sklepów z antykami, w Stanach i w Europie. Dlaczego pytasz?

– Kazał przekazać ci pozdrowienia.

– Mnie? – Will wzruszył ramionami. – Mama nie sprzedała mu wszystkiego, czym był zainteresowany. Może zamierza ponownie spróbować szczęścia. To dziwak. Nie jestem pewien, czy mama darzyła go sympatią.

Will przesunął dłonią po przedramieniu. Często gładził skórę, jakby chciał się przekonać, że nefryt naprawdę zniknął. Klara również zauważyła ten gest. Duchy... Will wstał i nalał sobie kieliszek wina.

– Co mam zrobić, jeśli się zwróci z ofertą? W piwnicy leży pełno podobnych rupieci. Jest tak zagracona, jakby nasza rodzina niczego nie wyrzucała, odkąd zbudowano tę kamienicę. Ledwie się pomieściły obrazy, które pozdejmowaliśmy ze ścian. Ale Klara potrzebuje pokoju do pracy i... – Will nie dokończył, jakby w niezamieszkanych pokojach rodziców jego słowom przysłuchiwały się duchy.

Jakub przejechał palcem po wyrytych w blacie inicjałach. Kozik, którym je wyrzezał, kupił wtedy w tajemnicy przed wszystkimi.

– Sprzedaj, co chcesz – odparł. – Pozbądź się wszystkich rupieci. Jeśli chcecie, możecie też korzystać z mojego pokoju. Tak rzadko tu bywam, więc równie dobrze mogę spać na kanapie.

– Bzdura. Twój pokój zostanie. – Will przesunął w jego stronę kieliszek z winem. – Kiedy wracasz?

– Jeszcze dziś.

Trudniej niż zwykle było mu zignorować rozczarowanie na twarzy brata. Będzie za nim tęsknił.

– Wszystko w porządku? – Will popatrzył na niego z troską.

Tak, teraz niełatwo było go zmylić.

– Jasne. Tylko życie w dwóch światach naraz jest wyczerpujące.

Jakub chciał, by jego słowa zabrzmiały jak żart, ale twarz Willa nadal była poważna. Tak bardzo przypominał mamę. Nawet czoło marszczył jak ona.

– Powinieneś zostać tutaj. To zbyt niebezpieczne!

Jakub spuścił głowę, żeby Will nie zauważył jego uśmiechu.

„Dopiero przez ciebie zrobiło się tam naprawdę niebezpiecznie, braciszku" – pomyślał.

– Niedługo wrócę – zapewnił go. – Obiecuję.

Nadal potrafił dobrze kłamać. Prawdopodobieństwo, że istota zamieszkująca flakon nie ocali go, tylko zabije, było jak jeden do tysiąca.

„Jeden do tysiąca przeciwko tobie, Jakubie".

Podejmował już większe wyzwania.

4
NIEBEZPIECZNE ANTIDOTUM

W rócił. Deszcz, który po wyjściu z baszty siekł go po twarzy, przez moment był tym samym deszczem, który spływał po szybie w pokoju mamy. Poszukał pośród powalonych murów sylwetki Lisicy, ale pod stopami przemknął mu tylko wychudzony i wynędzniały – jak to na przednówku – skrzat domowy. Gdzie ona się podziewa?

Rzadko się zdarzało, by Lisica na niego nie czekała. Przeważnie już z wyprzedzeniem kilku dni wyczuwała, że niebawem wróci. Gdy jej nie było, natychmiast stawał mu przed oczami obraz miejscowego wieśniaka uzbrojonego we flintę i broniącego własnych kur.

„Bzdura, Jakubie".

Potrafiła lepiej uważać na siebie niż on sam. Poza tym i tak wolał, żeby nie było jej w pobliżu, kiedy otworzy butelkę.

Cisza, która otuliła go po opuszczeniu wypełnionego hałasem świata, była jeszcze bardziej nierzeczywista niż ów skrzat. Oczy Jakuba jak zawsze potrzebowały paru sekund, by oswoić się z głębszym mrokiem tutejszej nocy. W morzu świateł innego świata prędko zapominało się, jak tu ciemno. Rozejrzał się wokół. Potrzebował miejsca, w którym mieszkaniec flakonika nie będzie mógł rozrosnąć się do pułapu chmur. No i nie mógł ryzykować zniszczenia baszty i znajdującego się w niej lustra.

Jego wzrok padł na starą zamkową kaplicę. Ogień, który strawił zamek, oszczędził ją, podobnie jak basztę. Kaplica leżała na tyłach zdziczałego ogrodu, na opadającym łagodnie zboczu pagórka. Musiał szablą utorować sobie drogę przez chaszcze. Wszędzie napotykał omszałe schody, popękane kamienne statuy, studnie o marmurowej cembrowinie, w których pływały opadłe jesienią i gnijące teraz liście. Wokół kaplicy wyrastały z wybujałej trawy nagrobki: Arnold Fiszbin, Luiza Moczar, Kasia Grimm. Groby służby przetrwały, podczas gdy po mauzoleum właścicieli ziemskich pozostał tylko krąg zwęglonych kamieni.

Drewniane drzwi kaplicy były tak napuchłe od wilgoci, że z trudem udało mu się je otworzyć. Wnętrze przedstawiało opłakany widok. Kolorowe witraże były powybijane, ławki już dawno skończyły jako opał w paru niedogrzanych chatach, ale dach był nienaruszony. Strop wisiał na wysokości najwyżej czterech metrów. To powinno wystarczyć.

W chwili gdy Jakub wyjął butelkę z pokrowca, znad krawędzi pustej chrzcielnicy wychynął zafrasowany chochlik. Brązowe szkło było tak zimne, że niemal parzyło palce. Zamknięty w nim mieszkaniec nie pochodził z południa, gdzie dżiny można było znaleźć na każdym pustynnym targu. Leku, którego potrzebował Jakub, mogły dostarczyć wyłącznie nordyckie duchy. Występowały znacznie rzadziej, za to odznaczały się wyjątkową złośliwością, dlatego łowcy, którzy na nie polowali, mieli więcej blizn niż sam Chanute. Demon, którego zamierzał zaraz uwolnić, tak strasznie poturbował tego, który go dopadł, że łowca kilka godzin po walce zmarł. Jakub własnoręcznie wykopał mu grób.

Przepędził ciekawskiego chochlika na dwór, ocalając go przed pewną śmiercią, po czym zaryglował drzwi.

„Jakubie, nie wolno ci nigdy zapominać, że to mordercze istoty! – Chanute niejednokrotnie ostrzegał go przed nordyckimi dżinami. – Zamyka się je w butelkach, bo kochają zabijać. Wiedzą, że za karę do końca swego nieśmiertelnego żywota będą musiały służyć pierwszemu lepszemu głąbowi, który wejdzie w posiadanie flakonika. Napędza je jedna jedyna myśl: jak zlikwidować swego władcę, by dostać w łapy flakon".

Jakub stanął pośrodku kaplicy. Ornament wyrżnięty na szyjce flaszki krępował jej więźnia. Jakub wyrysował ten sam wzór na powierzchni swych dłoni, po czym wydobył nóż. Była tylko jedna rzecz na świecie trudniejsza od schwytania dżina: wypuszczenie go na wolność i przeżycie. Co miał do stracenia?

Szyjkę flakonika zapieczętował sędzia, który skazał demona na wieczne więzienie za brązowym szkłem. Jakub zeskrobał wosk nożem. Postawił butelkę na posadzce i prędko się wycofał.

Dym, który wydobywał się ze środka, miał srebrzystoszary odcień przypominający rybie łuski. Uformował się w palce, ramię, potem bark. Palce badały po omacku zimne powietrze, po czym zwinęły się w pięść, a z barku wyrósł karbowany jak u gada kark.

„Ostrożnie, Jakubie!".

Pochylił się, nurkując w sączący się z flakonika tuman. U góry ukształtowała się czaszka o niskim czole i skudlonych włosach do ramion. W srebrzystej tkance zarysowały się i rozchyliły usta. Jęk, jaki się z nich wydobył, wstrząsnął murami kaplicy jak bokami ogromnego zwierza. Powybijane okna eksplodowały, a Jakub wciągnął w płuca pokruszone na miał szkło. Posypał się na niego deszcz kolorowych odłamków. Demon otworzył ślepia. Były mlecznobiałe jak oczy ślepca, a źrenice przypominały czarne wloty po kulach. Kiedy dżin zatrzymał czujny wzrok na Jakubie, ten znów miał w ręku butelkę, mocno zaciskając palce na szyjce.

Potężne cielsko przycupnęło niczym gotujący się do skoku kot.

– Popatrz no. – Głos dżina zabrzmiał chrapliwie, jakby w szklanym więzieniu demon odwykł od mówienia. – Kim jesteś? I gdzie jest ten, który mnie schwytał?

Pochylił się nad Jakubem.

– Nie żyje? Pamiętam, że połamałem mu żebra. Ale to drobiazg w porównaniu z tym, co uczynię z sędzią. Przez wszystkie te lata wyobrażałem sobie, co mu zrobię. Rozerwę go na strzępy jak płatki kwiatka, wyczyszczę sobie zęby jego kośćmi, wysmarkam się w jego skórę...

Kaplica wypełniła się furią, a wyrysowany na dłoniach Jakuba ornament pokryły kryształki lodu.

– Dość tych przechwałek! – wykrzyknął Jakub. – Niczego podobnego nie zrobisz. Będziesz mi służył, aż mi się znudzisz, albo wtrącę cię do jednego z więzień, gdzie tacy jak ty leżakują niczym butelki wina.

Dżin zgarnął z czoła skołtunione włosy. Były z giętkiego szkła, materiału wartego majątek w świecie za lustrem.

– Za grosz szacunku! – wyszeptał.

Jego twarz pokrywały blizny, a lewe ucho było poszarpane. W mroźnej ojczyźnie demonów często wykorzystywano je do wojen.

– Dobrze – mruknął dżin. – Jakie są życzenia mojego nowego pana? To co zwykle? Złoto? Władza? Wrogowie leżący u twych stóp jak rozdeptane muchy?

Szkło było tak zimne, że dłonie Jakuba drętwiały, pozbawione czucia.

„Nie upuść jej, Jakubie".

– Daj mi ją! – Demon pochylił się nad nim tak nisko, że szklane włosy musnęły bark Jakuba. – Daj mi butelkę, a wystaram się dla ciebie o wszystko, czego zapragniesz. Jeśli jednak zachowasz ją dla siebie, będę dzień i noc czyhał na sposobność, by cię zabić. Zbyt długo nie oglądałem niczego poza brązowym szkłem, a twoje krzyki urozmaicą mi ciszę, wciąż dźwięczącą w uszach. – Ta wizja wyczarowała uśmiech zachwytu na poturbowanej twarzy demona.

Dżiny uwielbiały paplać niemal tak samo, jak zabijać.

– Dam ci flakon! – zakrzyknął Jakub. Smród siarki, który wionął od szarej skóry demona, był tak silny, że go zemdliło. – W zamian za kroplę twej krwi.

Kły, które obnażył demon, były tak samo szare jak jego ciało.

– Mojej krwi? – Wyszczerzył zęby w złośliwym uśmiechu. – Co cię zabija? Trucizna? Choroba? A może klątwa?

– A co ci do tego? – skontrował Jakub. – To jak, dobijemy targu?

Uśmiech stał się morderczy. Dżiny z upodobaniem odgryzały głowy nieszczęśnikom, którzy zdecydowali się oddać im butelkę. Jakub słyszał o dwóch łowcach skarbów, którzy skończyli w ten sposób. Dżiny miały mocne zęby.

„Musisz być szybki, Jakubie. Bardzo szybki".

– W takim razie zgoda. – Demon wyciągnął rękę; jego mały palec był większy od ludzkiego ramienia.

Jakub mocno zacisnął pięść wokół butelki, choć szkło parzyło mu naskórek.

– O nie. Najpierw krew.

Demon obnażył kły i pochylił się z szyderczym wyrazem twarzy.

– To może chodź i ją sobie weź?

Jakub na to właśnie czekał. Chwycił kosmyk szklanych włosów i szybko się po nim podciągnął. Demon sięgnął po niego, ale zanim zdążył go złapać, Jakub wetknął mu butelkę do nosa. Dżin zawył, próbując ją wyjąć niezgrabnymi paluchami.

„Teraz, Jakubie".

Wskoczył na bark demona i naciął nożem poszarpany koniuszek ucha. Trysnęła czarna krew. Jakub wtarł ją sobie w skórę, podczas gdy demon na próżno usiłował wyciągnąć flaszeczkę z nosa. Jego sapanie i jęki powodowały, że w powietrzu tańczyły kryształki lodu.

Jakub zeskoczył mu z ramienia. Niemal połamał sobie nogi, lądując na pokrytej szronem posadzce.

„Pędź, Jakubie!".

Dach kaplicy roztrzaskał się na kawałki, gdy dżin z furią naparł nań kolczastym grzbietem. Jakub puścił się biegiem w stronę drzwi.

„Śmigaj, Jakubie".

Pędził ku rosłym świerkom na tyłach kaplicy, ale zanim zdążył się schronić pod ich gałęziami, dosięgły go lodowate paluchy i uniosły w powietrze. Jakub czuł, jak pękają mu żebra. To było niebezpieczne antidotum.

– Wyciągnij ją!

Jakub wrzasnął z bólu, gdy dżin ścisnął mocniej. Ogromne paluchy podniosły go wyżej, by mógł wsunąć rękę do monstrualnego nozdrza.

– Nawet jeśli ją upuścisz – wyszeptał demon – będę miał dość czasu, by połamać ci kości!

Prawdopodobnie miał rację. Tyle że demon i tak zamierzał go zabić, nawet gdyby mu oddał butelkę.

„Nie masz nic do stracenia".

Jakub wymacał palcami szyjkę i zacisnął je na zimnym szkle.

– Wy-ciąg-nij... ją! – Głos dżina otulił go lodowatą chmurą przesiąkniętą żądzą mordu.

Jakub się nie spieszył. W końcu to były może ostatnie chwile jego życia. Na szczycie wzgórza widział basztę odcinającą się od wciąż ciemnego nieba, u jego stóp kuna skubała świeże pąki drzewa. Nadchodziła wiosna.

„Życie lub śmierć, Jakubie".

Jakby to było coś nowego.

Wyciągnął butelkę z nozdrza dżina i z całej siły cisnął nią o kalenicę kaplicy.

Wściekły ryk demona sprawił, że kuna zastygła bez ruchu. Szare palce tak mocno ścisnęły ciało Jakuba, że wydało mu się, iż słyszy, jak pękają mu kości. Poprzez ból dotarł do niego brzęk tłuczonego szkła. Paluchy puściły – a Jakub runął w dół.

Spadał długo. Uderzenie o ziemię pozbawiło go oddechu. Wysoko nad sobą zobaczył, jak ciało dżina eksploduje, jakby zostało nafaszerowane materiałem wybuchowym. Szara tkanka rozerwała się na tysiąc strzępów, opadając na niego brudnym śniegiem. Leżał tak i zlizywał z ust czarną krew. Miała słodki smak i paliła w język.

Dostał, czego chciał. I nadal żył.

5
ALMA

W rozświetlonych blaskiem gazowych latarni uliczkach Szwansztajnu od lat nie było już prakty-
kujących czarownic. Czarownice stanowiły symbol zamierzchłych czasów, a mieszkańcy miasta stawiali na
przyszłość. Woleli chodzić do przybyłych z Weny me-
dyków, zamiast polegać na czarach i gorzkich ziół-
kach. Jednak gdy nowoczesna medycyna zawodziła,
ciągnęli do wioski położonej na wschód od zamkowe-
go wzgórza.

Dom Almy Lancetnik stał tuż za cmentarzem, ale zwykle udawało jej się uchronić klientelę przed zbyt wczes-
nym spoczęciem za płotem. Oficjalnie prowadziła zwykły

gabinet lekarski. Tak samo jak medycy z miasta zakładała szyny na złamane ręce i nogi. Czasem nawet przepisywała te same pigułki. Ale Alma z jednakową dbałością udzielała pomocy ludziom, bydlętom i domowym skrzatom. Jej suknie zmieniały kolor w zależności od pogody, a źrenice były wąskie jak u kota.

Gabinet był jeszcze zamknięty, gdy Jakub zapukał do tylnych drzwi. Długo trwało, zanim otworzyła. Widać było, że miała za sobą ciężką noc, ale na jego widok się rozpromieniła. Tego poranka wyglądała dokładnie tak, jak wyobrażał sobie czarownicę mały chłopiec. Jakub widywał już różnorakie oblicza Almy i spotykał ją pod różnymi postaciami.

– Przydałbyś mi się minionej nocy – oznajmiła, a jej kotka powitała go mruczeniem. – Biesun zamieszkujący ruiny na wzgórzu próbował uprowadzić dziecko. Nie mógłbyś go wreszcie stamtąd przegnać?

Biesun… pierwsza istota, którą spotkał w świecie za lustrem. Jakub nadal miał blizny na ręku po żółtych zębach stwora. Już dziesiątki razy próbował go schwytać, ale ten należał do istot nader przebiegłych i krył się po mistrzowsku.

– Spróbuję. Słowo.

Jakub wziął mruczącą kotkę na ręce i podążył za Almą do surowej izby, w której czarownica praktykowała pradawną i nowoczesną medycynę. Kiedy zdjął płaszcz, pokręciła ze zmęczeniem głową na widok czarnej krwi na jego koszuli.

– A to co znowu? – zapytała. – Nie mógłbyś choć raz przyjść do mnie z grypą albo zatruciem? Do końca życia będę sobie wyrzucać, że cię nie odwiodłam od pójścia na nauki do Alberta Chanutego.

Alma nigdy nie przepadała za starym łowcą skarbów i jak wszystkie czarownice nie miała dobrego mniemania o jego profesji. Jakub niejednokrotnie szukał u niej schronienia po pobiciu przez Chanutego. Ich pierwsze spotkanie miało miejsce przy ruinach. Alma zaklinała się, że w tym miejscu rosną najlepsze zioła. Nie przejmowała się tym, co ludzie o nich plotą.

„Przeklęte? Pół świata jest przeklęte – mawiała. – A klątwy ulatują prędzej niż niepiękny zapach. Tam są tylko zgliszcza".

Nie wypytywała, co sam jak palec dwunastolatek robi wśród ruin starego zamku. Nigdy nie zadawała takich pytań, może dlatego, że z góry znała odpowiedź. Przygarnęła go, dała ubranie, które nie przyciągało zdumionych spojrzeń, i ostrzegła przed chochlikami i złotymi krukami. Przez pierwsze lata za lustrem zawsze mógł liczyć na ciepłą strawę i miejsce do spania pod jej dachem. Alma opatrzyła go, kiedy pierwszy raz ugryzł go wilk, nastawiła mu złamaną rękę, kiedy próbował ujeździć znarowionego zaklęciem konia, i tłumaczyła, których mieszkańców tego świata lepiej unikać.

Potarła palcem smugę czarnej krwi na jego skórze i powąchała.

– Krew północnego dżina. – Popatrzyła na Jakuba z niepokojem. – Do czego ci to potrzebne?

Położyła mu dłoń na sercu. Potem rozpięła koszulę i przejechała palcem po śladzie ćmy.

– Głupcze! – Pchnęła go sękatą pięścią w pierś. – Wróciłeś do nimfy! Czy nie ostrzegałam cię, żebyś trzymał się od niej z dala?

– Potrzebowałem jej pomocy!

– Ach tak? A dlaczego nie zwróciłeś się do mnie?

Otworzyła szafę, w której przechowywała instrumenty potrzebne do uprawiania mniej nowoczesnej sztuki lekarskiej.

– To klątwa nimfy! Nie zdołałabyś mi pomóc.

Nie było takiej czarownicy, która znałaby antidotum na czar nimfy.

– Chodziło o mojego brata – dodał.

– Czy twój brat wart jest tego, byś przypłacił to własnym życiem?

– Tak.

Alma przyglądała mu się przez chwilę w milczeniu. Potem wyjęła z szafy nóż i ucięła Jakubowi pasmo włosów. Kosmyk zajął się ogniem, gdy tylko potarła go w palcach. Czarownice gołymi rękoma potrafiły zapalać większość przedmiotów.

Alma wpatrzyła się w popiół, który przywarł do koniuszków palców – a potem przeniosła wzrok na Jakuba. Jej palce były białe jak śnieg. Nie musiała mu tłumaczyć, co to znaczy. Już raz uwolnił się od klątwy. Wtedy kiedy poprosił Almę o sprawdzenie, czy zdołał złamać zaklęcie, popiół na jej palcach był czarny. Krew dżina nie zadziałała. Zapiął koszulę.

„Jesteś martwy, Jakubie".

Czy Czerwona Nimfa śledziła przez cały czas, jak każda jego nadzieja okazuje się płonna? Czy obserwowała go i teraz? Nimfy znały wiele sposobów, by widzieć rzeczy, które chciały zobaczyć. Prawdopodobnie czekała na jego śmierć od momentu, gdy wyszeptała mu do ucha imię siostry.

„Nie, Jakubie. Odkąd ją opuściłeś".

– Ile czasu mi zostało? – zapytał.

Współczucie w oczach czarownicy było gorsze od gniewu.

– Dwa, trzy miesiące, może mniej. W jaki sposób rzuciła klątwę?

– Zmusiła mnie do wypowiedzenia na głos imienia jej Czarnej Siostry.

Kotka Almy otarła się o jego nogi, jakby chciała go pocieszyć. Nie sprawiała wrażenia, że dla gościa, który jej się nie spodobał, potrafiła być niebezpieczna.

– Sądziłam, że wiesz o nimfach więcej ode mnie. Zapomniałeś, jaką tajemnicą otaczają własne imię?

Alma podeszła do starej aptekarskiej szafy, której przegródki wypełniały wszelkie lecznicze specyfiki dostępne w świecie za lustrem.

43

– Imię jej siostry wypowiadałem mnóstwo razy.

– Co z tego? Z Czarną jest inaczej.

Korzeń, który Alma wyjęła z jednej z szufladek, wyglądał jak blady pająk z podkulonymi odnóżami.

– Jest potężniejsza od innych nimf, ale żyje poza obrębem wyspy i z dala od jej chroniącej mocy. Dlatego łatwiej ją zranić. Nie może sobie pozwolić na to, by ktokolwiek znał jej imię. Przypuszczam, że nie wyjawiła go nawet swojemu kochankowi!

Alma roztarła korzeń w czarce i przesypała proszek do woreczka.

– Jak długo nosisz ćmę na piersi?

Jakub wsunął dłoń pod koszulę. Ślad był ledwie wyczuwalny.

– Czerwona Nimfa uratowała mi życie.

– Zadała sobie ten trud tylko po to, żebyś umarł tak, jak zaplanowała. – Uśmiechnęła się z goryczą. – Nimfy uwielbiają igrać z życiem i śmiercią… I jestem pewna, że zemstę dodatkowo osłodził jej fakt, iż uczyniła potężną siostrę mimowolną wspólniczką tego przedsięwzięcia. – Podała Jakubowi woreczek z rozdrobnionym korzeniem. – Proszę. To wszystko, co mogę zrobić. Weź szczyptę proszku, kiedy nadejdzie ból. A nadejdzie nieuchronnie.

Napełniła miskę zimną wodą zaczerpniętą ze studni za domem. Jakub zmył krew dżina, żeby nie wytrawiła mu naskórka. Woda zabarwiła się szarością demona.

W swoje ostatnie urodziny spisał na kartce wszystkie skarby, które chciał znaleźć w życiu. To były jego dwudzieste piąte urodziny.

„Więcej ich nie będzie, Jakubie".

Dwadzieścia pięć.

Alma podała mu pachnący miętą ręcznik. Nie chciał umierać. Kochał życie, które miał. Nie chciał innego, pragnął jedynie, by potrwało odrobinę dłużej.

– Możesz mi powiedzieć, jak to się stanie?

Alma otworzyła okno, by wylać wodę z miski. Dniało.

– Czarna Nimfa użyje pieczęci siostry, by odzyskać imię. Ćma na twym sercu ożyje. To nie będzie miłe. Gdy oderwie się od twego ciała i odleci, będziesz martwy. Może zostanie ci jeszcze kilka minut, może godzina... ale ratunku już nie będzie. – Odwróciła się raptownie. Nie lubiła, gdy patrzono na jej łzy. – Chciałabym móc coś zrobić, Jakubie – dodała cicho. – Ale nimfy są potężniejsze ode mnie. To cecha wszystkich nieśmiertelnych.

Kotka wbiła w niego wzrok. Pogłaskał ją po czarnej sierści. Siedem żyć. Zawsze wierzył, że ma co najmniej tyle samo.

6
I CO TERAZ?

Wszystkie groby na cmentarzu za domem Almy pochodziły z czasów, gdy Austrazję zamieszkiwały liczne trolle szukające tu schronienia przed srogą zimą w ich rodzimych krajach. Ich magiczne zdolności do posługiwania się drewnem większości z nich przyniosły majątek, toteż nagrobki trolli często były pozłacane.

Jakub nie wiedział, ile czasu tak stał, wpatrując się w kunsztowną snycerkę uwieczniającą chlubne czyny jakiegoś dawno zmarłego trolla. Mijali go spieszący do pracy mężczyźni, kobiety, dzieci. Wózki podskakiwały z hurgotem na wyboistym bruku za cmentarną bramą. Jakiś pies obszczekiwał chodzącego po domach zbieracza szmat.

Jakub stał ze wzrokiem utkwionym w nagrobkach, wciąż nie mogąc zebrać myśli.

Był tak pewny, że znajdzie sposób, by się uratować. Nie było takiej rzeczy, której nie zdołałby znaleźć. To przekonanie nie opuszczało go od chwili, gdy podjął naukę u Chanutego. Najlepszy łowca skarbów wszech czasów... Odkąd skończył trzynaście lat, nie miał innego celu ani innego określenia dla siebie samego. Okazało się, że potrafił znajdować wyłącznie przedmioty pożądane przez innych. Co mu było po szklanym pantofelku zapewniającym wieczną miłość, co po kiju-samobiju, na co mu była gęś znosząca złote jaja albo muszla, dzięki której można było podsłuchiwać wroga? Chciał być człowiekiem znajdującym te magiczne przedmioty, nikim więcej. I naprawdę wszystkie je zdobył. Ale ilekroć szukał czegoś dla siebie, szukał nadaremno: tak było z ojcem i tak jest z zaklęciem ratującym mu życie.

„Miałeś pecha, Jakubie".

Odwrócił się plecami do nagrobków i ich pozłacanych rzeźbień. Większość z nich przedstawiała sceny karczemnych bójek i zawodów w piciu – czyny napełniające dumą trolle rzadko bywały chwalebne. Niektóre jednak dowodziły, co zmarły potrafił rzeźbić z drewna: żywe marionetki, śpiewające stoły, chochle same mieszające w garnku.

„A co twój nagrobek opowie o tobie, Jakubie?".

Jakub Reckless, urodzony w innym świecie, zabity klątwą nimfy... Pochylił się i poprawił maleńki nagrobek, pod którym był pochowany domowy duszek.

Dość tego użalania się nad sobą. Jego brat odzyskał ludzkie ciało. Przez jedną chwilę tak bardzo życzył sobie, by Will nigdy nie przeszedł na drugą stronę lustra, że niemal go zemdliło.

„Znajdź klepsydrę, Jakubie. Odwróć bieg czasu i nie jedź do nimfy. Albo rozbij lustro, zanim Will podąży twoim śladem".

Jakaś kobieta otworzyła zardzewiałą furtkę w cmentarnym murze i złożyła na grobie parę kwitnących gałązek. Może to jej widok przywiódł mu na myśl obraz Lisicy składającej kwiaty na jego mogile. Tyle że ona przyniesie mu raczej bukiet dzikich kwiatów. Fiołków albo pierwiosnków. To były jej ulubione kwiaty.

Odwrócił się i poszedł w kierunku bramy. Nie. Nie będzie szukał klepsydry. Nawet gdyby cofnął czas, wszystko potoczyłoby się tak samo. I wszystko by się dobrze skończyło, przynajmniej dla brata.

Jakub otworzył bramę i spojrzał na wzgórze, na którym wznosiła się baszta zrujnowanego zamku, odcinająca się od porannego nieba. Może powinien wrócić i powiedzieć Willowi, jak sprawy stoją?

Nie. Jeszcze nie. Najpierw musi odnaleźć Lisicę. To jej przede wszystkim winien był prawdę.

7
NA PRÓŻNO

Czarna Nimfa cofnęła się. Jakub Reckless. Nie chciała więcej na niego patrzeć. Cały ten lęk i ból... Śmierć, którą przyniosło mu jej imię, kaleczyła jej białą skórę.

To nie była jej zemsta, choć sadzawka, w której oglądała jego strach, była tą samą sadzawką, przy której zamienił jej skórę w korę.

Jej siostra – Czerwona Nimfa – na pewno oglądała te same obrazy w jeziorze, które zrodziło je obie. Co sobie obiecywała po jego śmierci? Że załagodzi ból zadany zdradą, ukoi zranioną dumę? Jak niewiele jej siostra wiedziała o miłości...

Staw pociemniał tak samo jak niebo, które się w nim odbijało. Na pomarszczonej tafli drgało jej własne odbicie. Woda zniekształcała je, rozmywała jej urodę. I cóż z tego? Kamien i tak nie chciał jej już oglądać. Wpatrywał się wyłącznie w nabrzmiały brzuch swojej ludzkiej żony.

Odgłosy miasta wdarły się w spowity mrokiem ogród. Czarna Nimfa odwróciła się. Nie chciała oglądać ani siebie, ani niewiernego kochanka siostry. Czasem pragnęła, by znów pokryła się liśćmi i korą, które na nią zesłał.

Był tak różny od swego brata. Ćma, która usiadła jej na ramieniu, wyglądała jak strzępek nocy na tle białej skóry. Teraz nawet i noc należała do innej. Kamien coraz częściej spędzał je z księżniczką o twarzy lalki.

Po co jej siostrze cały ten lęk i ból? Nie wrócą jej przecież miłości.

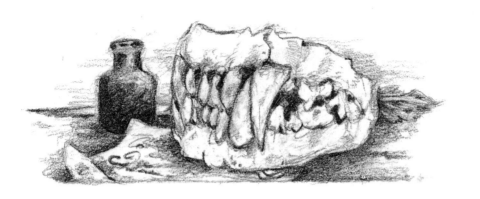

8
CHANUTE

Na gościniec do Szwansztajnu wylegli już robotnicy zmierzający ku bramom przędzalni. Syreny wołały na poranną zmianę. Jakub z trudem uspokajał pożyczonego od Almy konia, gdy wycie, konkurujące z kościelnymi dzwonami o ciszę poranka, zmieszało się z ich dźwiękiem. Zalękniona klacz strzygła uszami, jakby obawiała się powracających smoków, a przecież słyszała tylko zwiastuny nowych czasów – wycie syren, tykanie zegarów, maszyny prześcigające się w pracy.

Niejeden ze zziębniętych robotników czekających u wrót przędzalni odprowadził go wzrokiem, kiedy mijał ich na grzbiecie wierzchowca. On, łowca skarbów, z kieszeniami zawsze wypełnionymi złotem, który przychodził i odchodził, jak mu się podobało, i nie znał mozołu i monotonii, zatruwających życie. Każdego innego dnia zrozumiałby zazdrość malującą się na ich twarzach, ale tego ranka chętnie zamieniłby się z każdym z nich, nawet za cenę czternastogodzinnego dnia pracy i dwóch miedziaków dniówki. Jakiekolwiek życie było lepsze od śmierci, prawda?

Ranek był tak boleśnie piękny. Obsypane pąkami drzewa, świeża zieleń... nawet sierść starej szkapy zdawała się pachnieć wiosną. Co za ironia losu... Może zimą byłoby mu łatwiej umierać. Jakub wątpił, czy zostało mu jeszcze tyle czasu.

Na skraju drogi spał chłopiec, z brudnym zawiniątkiem mocno przyciśniętym do piersi, chroniąc skromny dobytek przed złodziejskimi chochlikami. Jakub miał mniej więcej tyle samo lat, gdy po raz pierwszy przybył do Szwansztajnu – za to był lepiej odżywiony, dzięki Almie.

Spiczaste szczyty dachów wyglądały wówczas jak żywcem wyjęte z ilustracji w pożółkłych książkach z bajkami dziadka. Wisząca w powietrzu sadza pachniała przygodą, inaczej niż spaliny w świecie, z którego przybył. Wszystko pachniało tu przygodą: skórzana uprząż powozów, nawet końskie jabłka na zabrudzonym bruku i odpady z ubojni, w których grzebały wygłodzone skrzaty. Parę miesięcy później spotkał Alberta Chanutego i bez reszty zanurzył się w świecie za lustrem.

Jakub przywiązał szkapę Almy przy wejściu. Okiennice karczmy Pod Ludojadem były jeszcze zamknięte, tylko te w jego izbie stały otworem, tak jak je zostawił. Pod jego nieobecność czasem nocowała tu Lisica. Przez całą drogę Jakub układał w myślach słowa, które chciał jej powiedzieć. Żadna z wersji nie brzmiała dobrze.

W izbie jadalnej nowy kucharz Chanutego zmywał brudne naczynia z nocy. Karczmarz zatrudnił byłego żołnierza, bo zbyt wielu gości uskarżało się na jedzenie, które sam pichcił. Tobiasz Wencel stracił w bitwie z goylami lewą nogę i nieco zbyt często zaglądał do kieliszka, za to przyrządzał wyśmienite posiłki.

– Jest na górze – zakomunikował, gdy zobaczył podchodzącego do szynku Jakuba. – Tylko uważaj: bolą go zęby, a w dodatku goyle podnieśli podatki.

Goyle rządzili w Austrazji już ponad pół roku, ale nikomu w Szwansztajnie nawet nie wpadło na myśl, że bracia Recklessowie mieli w tym swój udział. Przypuszczalnie i tak nikogo by to nie obeszło. Mężczyźni powrócili z wojny (o ile przeżyli), goyle budowali nowe fabryki i ulice, co ożywiało handel, poza tym jednak niewiele się zmieniło – nawet burmistrz był ten sam. Stolicą wstrząsały zamachy bombowe i formował się ruch oporu, ale reszta kraju zaakceptowała nowego władcę. Zasiadająca na tronie córka cesarzowej spodziewała się potomka kamiennego męża.

– Czego? – Chanute odpowiedział poirytowanym warknięciem na pukanie Jakuba do drzwi. Jego alkierz był jeszcze bardziej napakowany pamiątkami z czasów, gdy parał się poszukiwaniem skarbów, niż główna izba. – No popatrz – mruknął, przykładając dłoń do spuchniętego policzka. – Myślałem, że tym razem nie wrócisz.

Ból zębów nie należał w świecie za lustrem do przyjemnych dolegliwości. Jakub raz, w Wenie, musiał się poddać wyrwaniu zainfekowanego zęba. Walka z ludojadem wymagała mniejszej odwagi.

– No i jak? – zagaił Chanute, spoglądając na niego przymrużonymi oczami. – Odnalazłeś flakon?

– Tak.

– A widzisz! Mówiłem ci, że to drobiazg.

Chanute wytarł stalówkę o drewniany kikut ręki i wbił wzrok w leżący przed nim arkusz papieru. Spisywał swoje memuary, od chwili gdy jakiś pijany klient nakładł mu do głowy, że mógłby zbić na nich majątek.

– Owszem, znalazłem go... – Jakub zbliżył się do okna – ...ale krew nie zadziałała.

Chanute odłożył pióro na bok. Z wielkim trudem próbował ukryć troskę, ale nie był dobrym aktorem.

– Szlag by to – mruknął. – Mówi się: trudno. Wymyślisz coś innego. A co z jabłkiem? Tym z jabłoni rosnącej w zaklętym ogrodzie sułtana?

Jakub już miał na końcu języka odpowiedź, ale prędko przygryzł wargi, bo staruszek wyglądał jak struchlały. Jeśli powiedziałby mu prawdę, Chanute pewnie sam wskoczyłby w siodło, by szukać antidotum. Stary bardzo posunął się w latach. Coraz rzadziej nosił protezę, przysparzała mu bowiem tylko większego bólu. Jego słuch pogorszył się tak bardzo, że raz o mały włos nie wpadł na targu pod dorożkę. Jakub wprawdzie nadal czuł na ciele razy wymierzane jego kościstymi dłońmi, ale przecież wszystko, co osiągnął w tym świecie, zawdzięczał Albertowi Chanutemu i przekazanym przez niego tajnikom fachu. Winien mu był to kłamstwo.

– Jasne – odparł. – Jabłko. Jak mogłem o nim zapomnieć?

Chanute rozciągnął swą brzydką twarz w uśmiechu ulgi.

– No widzisz. Poradzisz sobie. A w razie czego jest jeszcze studnia.

Jakub odwrócił się plecami, by stary nie mógł wyczytać prawdy z jego twarzy.

– Jasny gwint! Wolałbym, żeby ludojad odgryzł mi łeb, a nie rękę. – Chanute przycisnął dłoń do bolącego policzka. – Masz jeszcze korzeń grzęzawca?

Spożycie korzenia grzęzawca tłumiło ból. Jednak potem chory przez wiele dni nie mógł opędzić się od wrażenia, że spowija go chmara błędnych ogników. Jakub wyjął z plecaka puszkę służącą mu za podręczną apteczkę: były w niej korzeń grzęzawca, zioła przeciwgorączkowe, maść na gojenie ran, którą ukręciła mu Alma, jodyna, aspiryna i trochę antybiotyków z innego świata. Wyłowił ze środka korzeń i podał go Chanutemu. Wyglądał jak zasuszona gąsienica i smakował obrzydliwie.

– Gdzie jest Lisica? U ciebie?

Lisica już od dawna wyczuwała, że coś jest nie w porządku, ale dopóki Jakub miał choć cień nadziei, łatwo sobie wmówił, że nie powinna znać prawdy. Nie mógł się doczekać, kiedy ją zobaczy.

Chanute jednak potrząsnął głową, wsuwając jednocześnie kawałek korzenia do wykrzywionych bólem ust.

– Nie – burknął. – Od tygodni już jej nie ma. Karzeł chciał cię zatrudnić, żebyś mu zdobył pióro człowieka-łabędzia, a ponieważ cię nie było, Lisica zaoferowała się, że je dla niego zdobędzie. Jest ostrożniejsza od ciebie i mądrzejsza niż my dwaj razem wzięci. Udało jej się zdobyć pióro, ale łabędź zranił ją w rękę. To nic poważnego. Jest pod opieką karła i się kuruje. Krasnolud za złoto, które rodzi mu twoja jabłonka, kupił sobie jakieś podupadłe zamczysko. Lisica przekazuje ci adres.

Uniósł szczękę ludojada, służącą mu za przycisk do listów, i wręczył Jakubowi kopertę. Wybity na niej herb był pokryty złotem płatkowym. Jabłonka, którą dostał jako zapłatę za doprowadzenie do twierdzy goyli, uczyniła Evenaugh Valianta bardzo bogatym karłem.

– Skoro będziesz się z nią widział, przekaż jej, proszę, to. – Chanute przesunął w stronę Jakuba owinięty w jedwab pakunek. – Powiedz Lisicy, że to od Ludovika Rensmana. Jego ojciec ma kancelarię adwokacką za kościołem. Ludovik to dobra partia. Trzeba ci było widzieć jego minę, gdy mu oznajmiłem, że wyjechała. – Przewrócił drwiąco oczami.

Ostatnią kobietą, z którą związał się Chanute, była pewna miejscowa bogata wdowa. Nie spodobały jej się wypchane wilcze łby, które powiesił w salonie.

– Aaaach! – jęknął z ulgą, osuwając się na łóżko. – Korzeń grzęzawca smakuje wprawdzie paskudniej niż wiedźmie ziółka, ale za to działa niezawodnie!

Nadal spał pod wysłużonym pledem, który zawsze zabierał ze sobą w dzikie ostępy. Może dzięki niemu śnił o dawnych przygodach.

Do palców Jakuba przykleiły się płatki złota z listu od Lisicy. Jej pismo było staranne, znacznie bardziej czytelne niż jego własne, mimo że to on nauczył ją pisać. List zawierał tylko krótkie pozdrowienie i opis, jak do niej dojechać.

Naprawdę nie było go w tym świecie długo.

– Gallberg – mruknął. – To więcej niż dziesięć dni konno. Po co karłowi zamek na takim odludziu, gdzie diabeł mówi dobranoc?

– A bo ja wiem? – Oczy Chanutego zaczęły zasnuwać się mgiełką. – Może go ciągnie do matki natury? Wiesz przecież, jak sentymentalne stają się karły na starość.

Owszem, ale raczej nie Evenaugh Valiant. Karzeł pewnie odkrył żyłę srebra pod zamkiem. Jakub schował list Lisicy do plecaka. Pióro człowieka-łabędzia było niebezpiecznym trofeum, ale Chanute miał rację. Lisica znała się na poszukiwaniu skarbów niemal tak dobrze jak on.

– Wiesz co, idź się upij! – wybełkotał Chanute, odpędzając rękami nieistniejące błędne ogniki. – Jabłko ci nie uciknie! – Zachichotał jak dzieciak. – A jeśli ono nie pomoże, weźmiesz moją listę i odhaczysz punkt po punkcie!

Jego lista. Wisiała w izbie szynku pod wiekową wyszczerbioną szablą: spis wszystkich magicznych przedmiotów, których szukał i których nigdy nie znalazł. Jakub znał ją na pamięć i nie było na niej niczego, co mogłoby go uratować.

– Pewnie – zgodził się i położył staruszkowi jeszcze jeden kawałek korzenia koło poduszki. – A teraz śpij.

Czekało go kolejne dziesięć dni w siodle. Przeklęty karzeł. Jakub miał tylko nadzieję, że Alma ma rację i zostało mu jeszcze trochę czasu. Jeśli śmierć przyjdzie po niego, zanim ostatni raz zobaczy się z Lisicą, nie będzie mógł nawet skręcić Valiantowi jego tłustego karku.

9
GDZIE DIABEŁ
MÓWI DOBRANOC

Dziesięć dni w siodle... Odnalazłszy trasę podróży na poplamionej mapie Chanutego, Jakub zdecydował się pojechać pociągiem. Zamczysko Valianta leżało w tak niedostępnym miejscu, że koń tylko połamałby sobie nogi na wyboistym trakcie. Na szczęście karły przez ostatnie lata z zapałem budowały tunele i niedaleko znajdowała się stacja kolejowa.

Pociąg jechał przez cztery dni i cztery noce. To długo jak na podróż ze śmiercią w bagażu. W każdym tunelu Jakub miał takie trudności z oddychaniem, jakby ktoś przysypywał mu pierś grudami ziemi. Usiłował rozerwać się trochę, czytając wspomnienia łowcy skarbów, który na zlecenie pewnego księcia szukał w Varangii ptaków ognistych i szmaragdowych migdałów. Jego oczy czepiały się wydrukowanych literek, ale widziały inne obrazy: krew na koszuli, kiedy goyl przestrzelił mu serce, Valiant nad świeżo wykopanym grobem i nieustannie powracająca wizja Czerwonej Nimfy szepczącej mu do ucha imię siostry. Cztery długie dni...

Z sennej stacyjki, na której wysiadł, kolejka linowa prowadziła na skalisty, pokryty jeszcze śniegiem szczyt, skąd wyrastały mury zamku Valianta. Jakub raz jeszcze przeklął w myślach karła, kiedy musiał zapłacić wieśniakowi całego złotego talara za gryzącego osła, by pokonać resztę stromej drogi.

Zamek nie wyglądał zbyt imponująco. Lewa baszta się zapadła, pozostałe były mocno posiekane kulami. Mimo to Valiant powitał Jakuba u zbutwiałych wrót z uśmiechem dumy, jakby stał się właścicielem cesarskiego pałacu.

– Nieźle, co? – zawołał w jego stronę, pozwalając, by mrukliwy kamerdyner odebrał Jakubowi podróżną torbę. – Jestem panem na włościach! Tak, wiem. Remont trochę się przeciąga – dodał, gdy przybysz zmierzył wzrokiem przestrzelone baszty. – Są pewne trudności z dostarczeniem materiałów. Poza tym... – rzucił spojrzenie na służącego i dokończył ciszej: – ...jabłonka sprawia pewne kłopoty. Od jakiegoś czasu rodzi wyłącznie śluzowaty nektar.

– Naprawdę? – Jakub z trudem powstrzymywał satysfakcję, bo sam również nie miał szczęścia do tego drzewka. Valiant wygładził wąsik pod nosem. Wprawdzie wąs ten przypominał przylepioną do wargi stonogę, ale każdy karzeł, który nosił większy zarost, uchodził za beznadziejnie staroświeckiego.

– Co u ciebie? Poszukujesz teraz jakiegoś artefaktu? – Valiant obrzucił Jakuba badawczym spojrzeniem. – Coś blado wyglądasz!

„Ogarnij się, Jakubie".

Jeszcze tego brakowało, żeby karzeł odgadł jego prawdziwy stan.

– Ze mną wszystko w porządku – zapewnił go. – Szukałem czegoś, ale nie znalazłem.

Najlepszym kłamstwem jest to, które nie odbiega zbytnio od prawdy. Służący, który otworzył przed nimi drzwi do zamku, był człowiekiem. Żaden karzeł nie dosięgnąłby klamki, a poza tym nic tak nie manifestowało zamożności Valianta jak ludzki służący. Kamerdyner wziął od Jakuba pokryty skorupą zlodowaciałego śniegu płaszcz, a w tym czasie Valiant wyliczał cenę każdego mebla stojącego w przestronnym holu, po którym hulał przeciąg. Wszystkie bez wyjątku sprzęty były wykonane dla ludzi – karły chętnie ignorowały własne rozmiary. Jakub nie miał głowy do mauretańskich wazonów ani gobelinów przedstawiających sceny koronacji ostatniego króla karłów.

– Lisica jest na górze – oznajmił Valiant, widząc jego spojrzenie. – Wezwałem wczoraj medyka, by do niej zajrzał. Prawdę mówiąc, nie chciała go widzieć. Spędzacie ze sobą stanowczo zbyt dużo czasu. Zrobiła się tak samo uparta jak ty. Ale za to jakież fantastyczne pióro zdobyła! Nie udałoby ci się dostarczyć lepszego.

Valiant zakwaterował Lisicę w najlepiej zachowanej baszcie. Spała, kiedy Jakub wszedł do jej komnaty. Łóżko było wprawdzie ogromne jak dla karła, ale ona ledwie się w nim mieściła. Miała sporo szczęścia. Łabędź rozciął jej tylko mięsień. Jakub podniósł zakrwawioną koszulę leżącą na podłodze przy łóżku. Należała niegdyś do niego. Lisica nauczyła się od Klary, że męskie ubrania są znacznie bardziej praktyczne.

Jakub przykrył jej obandażowany bark. Jak bardzo się zmieniła przez ostatnie miesiące... Niewiele w niej zostało z dziewczyny, która pięć lat temu ukazała mu się po raz pierwszy w ludzkiej postaci. Zwierzęca postać postarzała ją w takim tempie, że nieustannie upominał ją, by nie przeistaczała się zbyt często. Pewnego dnia będzie musiała wybrać między sierścią a szansą na długie życie w ludzkiej skórze. Zawsze sądził, że będzie przy niej w czasie podejmowania tej decyzji, ale teraz widoki na to były marne.

Odgarnął jej z czoła rude włosy. Na nocnej szafce przy łóżku leżało pióro. Jakub wziął je do ręki i uśmiechnął się. Zatrzymała jedno dla siebie. Właśnie to powtarzał mu Chanute: „Czegokolwiek szukasz na zlecenie klienta, postaraj się to zdobyć i dla siebie". To był nieskazitelny okaz. Chyba nigdy nie zdarzyło mu się widzieć piękniejszego. Najprościej było podebrać pióro z gniazda, ale nawet to było niebezpiecznym przedsięwzięciem. Ludzie-łabędzie odznaczali się wyjątkową zapalczywością. Na skutek niewyobrażalnej tragedii zostali przemienieni w łabędzie i tylko istota z nimi spokrewniona mogła ocalić je i przywrócić im ludzką postać. Odnalezienie upierzonego syna pewnej piekarzowej Jakub niemal przypłacił utratą oka. Wszystko, czego dotknęło pióro człowieka-łabędzia, natychmiast znikało i pojawiało się dopiero tam, gdzie położyło się pióro. Chanute przetransportował w ten sposób niezliczone skarby. Jednak ta metoda nie zawsze działała – niektóre przedmioty dotknięte piórem znikały na zawsze.

– Nawet o tym nie myśl. Pióro jest moje.

W oczach Lisicy przebłyskiwały jeszcze resztki snu. Usiadła i drgnęła, wsparłszy się na zranionym ramieniu.

Jakub odłożył pióro na szafkę.

– Od kiedy to na własną rękę szukasz skarbów? – Chciał dodać, jak bardzo za nią tęsknił, ale jej spojrzenie było chłodne, jak zawsze, kiedy wyjeżdżał na zbyt długo.

– To nie było trudne zadanie. A poza tym znudziło mi się czekać.

Stała się kobietą, a on nawet tego nie zauważył. W jego oczach zawsze była piękna, nawet jako chudzina, która niechętnie wysupływała z włosów rzepy. Urzekała urodą stworzenia dzikiego i wolnego... Teraz piękno malowało się także na ludzkiej skórze.

– Nadal zbyt często zmieniasz postać – zarzucił jej. – Jeśli nie zachowasz ostrożności, niedługo będziesz starsza ode mnie.

– I co z tego? – odparła, odrzucając kołdrę. Miała na sobie przypominającą lisią sierść suknię, z którą nie rozstawała się nawet w nocy w obawie przed kradzieżą. – Przestań się o mnie martwić. Kiedyś cię to nie obchodziło.

„Tak, Jakubie, po co ci to? Zobaczysz, ona poradzi sobie i bez ciebie". Tyle że on już tego nie zobaczy.

Wyjął z plecaka pakunek, który dał mu Chanute.

– Nie mówiłaś, że masz w Szwajnsztajnie bogatego adoratora.

Lisica odwinęła papier i uśmiechnęła się. W środku była chusta. Pogładziła zielony aksamit i położyła prezent koło pióra.

– A co u ciebie? – Spojrzała na niego pytająco. – Znalazłeś to, czego szukałeś?

– I tak, i nie.

– Co to znaczy? – zapytała, obciągając rękaw na zabandażowane ramię. – Czy zdradzisz mi wreszcie, czego szukasz?

„Wyrzuć to z siebie, Jakubie. Przecież chcesz jej to powiedzieć. Jest jedyną istotą, której naprawdę chcesz to wyznać".

Jak bardzo za nią tęsknił! Miał dosyć ukrywania lęku. Rozpiął koszulę.

– Szukałem lekarstwa.

Czerwona obwódka wokół ćmy wyglądała, jakby ktoś obrysował ją świeżą krwią. Lisica wciągnęła gwałtownie powietrze.

– Co to jest? – zapytała głosem bardziej chrapliwym niż zazwyczaj. Odpowiedź wyczytała z twarzy Jakuba. – A zatem to była cena, którą zapłaciłeś. – Starała się, by jej głos brzmiał spokojnie. – Wiedziałam, że twój brat nie odzyskał swej skóry za darmo. – Łzy napłynęły jej do oczu, brązowych jak pokryte patyną złoto. Nie wiedziała, czy urodziła się z takimi oczami, czy też lisia postać nadała im tę barwę. – Która to była nimfa?

„Powiedz coś, Jakubie. Cokolwiek, byle ją pocieszyć".

Tylko co? Podszedł do niej i otarł jej łzy z policzka.

– Od zawsze zdradę karały śmiercią. A ja zadarłem z obiema naraz.

Lisica zarzuciła mu ramiona na szyję.

– Jak długo jeszcze? – wyszeptała.

– Nie wiem. Nic już nie wiem.

To było tylko częściowe kłamstwo. Jakub zanurzył twarz w jej włosach. Nie chciał myśleć o niczym. Pragnął, by powróciły czasy, kiedy wraz z nią szukał zaginionej magii i czuł się nieśmiertelny, był panem świata. Chciał marzyć o tym, że kiedyś będzie tak sędziwy jak Chanute, o kupieniu zamku w kraju Etrusków albo wyławianiu pirackiego złota z Morza Białego. Dziecięce fantazje. Miał nadzieję, że będzie je snuł w swe setne urodziny. Zamiast tego musi rozstrzygnąć, w którym świecie ma zostać pochowany.

Rozległo się pukanie do drzwi. Valiant nie czekał na zaproszenie. Lisica uwolniła się z objęć Jakuba, kiedy karzeł wszedł do środka. Zastana scena zapewne tylko pobudziła wyobraźnię Valianta, ale Jakub nie miał zamiaru zdradzać mu prawdziwego powodu jej łez.

– Co powiecie na kolację? – zaproponował Valiant z lubieżnym uśmieszkiem. – Będzie pieczeń z kozicy. Wiem, nie brzmi to zbyt zachęcająco, ale mam kucharza z Weny, który potrafi przyrządzić delikatesy nawet z osła! Zapytaj ją, jeśli mi nie wierzysz – dodał, wskazując ręką Lisicę.

Na jej twarzy pojawił się wymuszony uśmiech.

– Powinieneś spróbować tej pieczeni.

10
GŁĘBOKO
POD ZIEMIĄ

W sali jadalnej wiało tak samo jak w pozostałych częściach zamku. Lisica była wdzięczna za kubrak, który Jakub zarzucił jej na ramiona. Okrycie nie umniejszało jednak jej strachu, podobnie jak ogień, który służący Valianta karmili wilgotnawymi szczapami.

Stół, krzesła, talerze, szklanice, nawet sztućce – wszystko to miało gabaryty dostosowane do ludzi, ale krzesła były wyposażone w drabinki, tak by karzeł bez skrępowania mógł się na nie wspiąć, nie każąc kamerdynerowi się podsadzać. Valiant tryskał humorem, a milczenie Jakuba na szczęście składał na karb zmęczenia podróżą.

„Stracisz go, Lisico".

Ta myśl żelazną obręczą ściskała jej serce. Zdjął ją wstyd, że sądziła, iż to ze względu na Klarę nie było go tak długo. Po tylu latach powinna przecież znać go lepiej. Ale czuła się taka zmęczona – zmęczona całą tą bezradną miłością, pragnieniem i tęsknotą za nim. Dobrze jej zrobił wyjazd ze Szwansztajnu i trochę samotności, co pozwoliło jej poczuć własną siłę. By móc być szczęśliwa bez niego. Doskwierało jej, że kochała zbyt mocno, zwłaszcza kogoś, kto uczucia brał za stan odurzenia, który należało odespać i zapomnieć. Parę razy przyszło jej nawet na myśl, by w ogóle nie wracać do Szwansztajnu. Wszystko się jednak zmieniło. Jakże mogłaby zostawić go teraz samego?

Valiant zapytał, jak im smakuje mięso kozicy. Właśnie, jak? Nawet pieczeń na jej talerzu opowiadała o śmierci. Lisica nadziała na widelec kawałek mięsa i zerknęła na Jakuba. Kiedy się bał, jego twarz wyglądała tak młodzieńczo. I tak krucho.

„Obiecałaś, że będziesz go ochraniać – szeptało nieustannie jej serce. – Wtedy gdy uwolnił cię z wnyków".

I cóż z tego? Obietnice stawały się bezużyteczne w obliczu śmierci, która była niczym głodny wilk pośrodku puszczy. Rodzonego ojca śmierć zabrała Lisicy tuż po jej narodzinach. Nie pamiętała jego twarzy. Trzy lata później ofiarą stała się jej jedyna siostra.

„Ale nie Jakub! Proszę, niech to nie będzie Jakub".

Valiant po raz trzeci napełnił sobie talerz i założył się z Jakubem, że goyle w następnej kolejności zaatakują Lotaryngię, a nie Albion. Kogo to obchodziło? Albo czy córka cesarzowej naprawdę urodzi potomka królowi goyli? Wiatr za oknami zawodził jak głodne zwierzę, a noc była zimna niemal tak jak jej strach.

– Wiem, wiem. Głosowałem w radzie karłów przeciwko temu! – perorował Valiant, mocno podpity. Po kielichu stawał się jeszcze bardziej gadatliwy. Wykałaczka, którą wydłubywał spomiędzy zębów włókna mięsa, była oczywiście pozłacana. – Kierowali się pazernością, ryjąc w ziemi tak głęboko, ale obecnie nic nie przynosi większych zysków od kopalni rud żelaza. – Karzeł odczekał, aż służący uprzątną brudne naczynia, i pochylił się przez stół w stronę Jakuba. – Oni wcale nie zamierzali dokopywać się do Nekrogrodu. Te głąby zorientowały się dopiero wtedy, gdy trafiły na wrota!

– Naprawdę? – mruknął Jakub.

Ledwie tknął jedzenie. Lisica rzuciła kości z talerza dwóm dogom wylegującym się przy kominku. Jej zwierzęca połowa wiedziała, jak wyśmienicie smakują. Valiant nie lubił psów. Były tak ogromne, że przewyższał je ledwie o dłoń, ale kupił je wraz z zamczyskiem.

– Powinni byli zasypać wrota furą kamieni i zapomnieć o wszystkim. – Valiant odłożył wykałaczkę na dłoń kamerdynera. – Wiesz przecież, że nie trzeba mnie długo prosić o udział w lukratywnym przedsięwzięciu. Powstaje jednak pytanie, komu oni zechcą to sprzedać, jeśli mimo wszystko dostaną się do środka?

Jakub nalał sobie nędzne resztki wina pozostawione przez Valianta.

– Do środka czego? – wtrąciła Lisica, która podobnie jak Jakub większość gadaniny karła puszczała mimo uszu.

– Do krypty! A jak myślisz, o czym ja cały czas mówię? – Valiant rzucił Lisicy pełne wyrzutu spojrzenie.

Przypuszczalnie już z dziesięć razy opowiadał jej szczegółowo całą historię. Ale ona była myślami gdzie indziej, nie mając najmniejszej ochoty na wysłuchiwanie niekończących się tyrad o przeszłości karłów i ich polityce. Jeden z psów podszedł do niej i powąchał jej dłoń. Może wyczuwał lisa pod ludzką skórą.

Valiant zniżył głos.

– To grobowiec tego króla o imieniu, na którym można połamać sobie język. Gwizydor czy jakoś tak. No wiesz… ten, który wsławił się jatką czarownic.

Jakub dopił wino.

– Gizmund?

– Tak. Niech będzie. Ale to, co powiem, jest ściśle tajne. – Valiant przywołał gestem kamerdynera i wskazał pustą butelkę. – Jak ci się wydaje, co to jest? – fuknął na niego. – Przynieś następną!

Kiedy służący oddalił się w pośpiechu, Valiant szepnął do Jakuba:

– Wielu winiarzy dodaje ostatnio elfi pyłek do czerwonego wina! Zastanawiam się, dlaczego nie wpadli na to wcześniej. Trzymają elfy w klatkach. W setkach klatek. Fantastyczne! – Chwycił kielich i wzniósł toast. – Za nowe czasy!

Jakub zajrzał do kielicha, jakby miał w nim ujrzeć uwięzione elfy.

– Czy krypta została splądrowana? – zapytał tak obojętnym tonem, jakby pytał o krawca, u którego Valiant szył ubrania.

Karzeł wzruszył ramionami.

– Znasz przecież radę karłów. Oszczędzają nie na tym co potrzeba. Z posłanych do krypty łowców skarbów nie powrócił ani jeden. A ja wam mówię: i bardzo dobrze się stało! Po co komu broń, która zakończy wojnę jednym strzałem? Jak tu na tym zarobić?

Karzeł rozprawiał dalej. Lisica wyczuła, że Jakub szuka jej wzrokiem. Nie była pewna, co dojrzała w jego spojrzeniu, nadzieję czy może obawę. Gizmund, Rzeźnik Czarownic. Próbowała sobie przypomnieć, co łowcy skarbów wiedzieli na jego temat. Jedyne, co przychodziło jej do głowy, to fakt, że na każdym cmentarzu czarownic można było znaleźć kamień przeklinający jego osobę.

– Czy możesz mnie zaprowadzić do krypty?

Valiant wychwalał akurat niezrównane profity, jakie mogła przynieść wojna. Pytanie Jakuba sprawiło, że urwał raptownie. Rozciągnął usta w złośliwym uśmiechu, tak szerokim, że jego błazeński wąsik opadł na złote zęby.

– A jednak. Już prawie udało ci się mnie przekonać, że masz sumienie. Koniec końców zawsze chodzi o interesy, nieprawdaż?

Jakub wyjął mu z ręki kielich.

– Czy możesz mnie tam zaprowadzić? Odpowiedz mi, zanim pijany spadniesz z krzesła.

Valiant odebrał mu szklanicę.

– Komu chcesz to sprzedać? Goylom? A może dla odmiany zamierzasz uszczęśliwić ludzkiego króla i w ten sposób odkupić winę za to, co zrobiłeś dla kamiennych twarzy w katedrze? Łowca skarbów Jakub Reckless rozstrzyga, kto ma rządzić światem.

Jakub pobladł jeszcze bardziej. Niechętnie wspominał Krwawe Wesele i rolę, jaką w nim odegrał.

– Pomagałem nie goylom, tylko bratu – odezwał się zachrypniętym z gniewu głosem.

Valiant drwiąco przewrócił oczami.

– Tak, oczywiście. Jesteś święty. Mimo to powinieneś się cieszyć, że goyle trzymają w tajemnicy, kto uratował ich kamienne tyłki podczas Krwawego Wesela. Są znienawidzeni jak nigdy dotąd. Zamachy w Wenie to nic w porównaniu z kłopotami, jakie mają w północnych prowincjach. W Prusji i Holsztynie zamachy są na porządku dziennym, a Albion dostarcza broń rebeliantom. Cały świat to beczka prochu. Lilie nimf i igły czarownic... – prychnął pogardliwie – ...to towary przedpotopowe! Handel bronią, to jest przyszłość. A rączki karłów potrafią budować bardzo zmyślne bomby!

W uśmiech na jego obliczu wkradł się taki zachwyt, jakby karzeł patrzył na wrota raju.

– Co się znajduje w tej krypcie? – Lisica spojrzała pytająco na Jakuba.

Valiant wytarł serwetą umoczone w winie wąsy.

– Kusza. Najbardziej śmiercionośna kusza, jaką kiedykolwiek skonstruowano. – Język z każdym słowem ciążył mu coraz bardziej. Lisica ledwo rozumiała jego bełkot. – Jeden bełt w pierś generała i cała armia zmienia się w stertę trupów. Nieźle... nawet goyle nie mają niczego, co by się z tym równało.

Lisica wpatrywała się w Jakuba, nic nie rozumiejąc. O co mu chodziło? Czyżby chciał zmarnować czas, który mu pozostał, na szukanie jakiegoś skarbu?

– Mój udział to pięćdziesiąt procent – zażądał Valiant. – Nie... sześćdziesiąt. Albo zapomnij o całej sprawie.

– Dam ci sześćdziesiąt pięć – zgodził się Jakub. – O ile wyruszymy jutro rano.

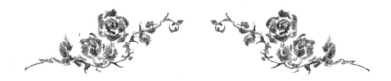

11
RAZEM

Elfi pyłek i czerwone wino. Gdy Jakub zaprowadził Lisicę do jej komnaty, Valiant, rozparty na zbyt dużym krześle, z nogami opartymi o za duży stół, pogrążył się w rozmowie z gobelinami – sam w śmiesznie wielkim, rozpadającym się zamku. Każdy gonił za jakimiś dziecięcymi marzeniami.

Lisicę bolał bark, choć starała się tego nie okazywać. Jakub odszukał w kuchni zaspanego sługę i kazał mu zagrzać trochę wody. Dziób człowieka-łabędzia nie był najczystszym orężem, więc Jakub na wszelki wypadek dodatkowo nałożył na ranę trochę maści sporządzonej przez Almę.

Ugryzienia, rany kłute, poparzone palce... Lisica pewnie tak samo jak on straciła rachubę, ile już razy opatrywali sobie rany. Znał jej ciało niemal jak własne, ale od jakiegoś czasu przyłapywał się na tym, że dotykał jej z zawstydzeniem. Była mu bliska jak cień, jak młodsza siostra, najlepsza przyjaciółka. Kochał ją tak bardzo, że ta druga, inna miłość wydawała mu się czymś, przed czym musiał ją chronić. Była jak nienasycona gra, którą lepiej zakończyć, zanim przerodzi się w coś zbyt poważnego. Żałował, że nie trzymał się tej zasady w przypadku nimfy.

Lisica nie odezwała się ani słowem, kiedy zmieniał jej opatrunek. Milczenie często było wyrazem łączącej ich zażyłości, która nie potrzebowała słów. Ale nie tym razem. Jakub otworzył okno i wylał w mrok czerwoną od krwi wodę. Do komnaty wpadło parę płatków śniegu.

Lisica podeszła bliżej i uwięziła w dłoni parę śnieżynek.

– Co planujesz? Zamierzasz zaproponować Czarnej Nimfie kuszę w zamian za swoje życie? – Wychyliła się przez okno, chłonąc zimne powietrze, jakby mogło przegnać jej obawy.

– Paręset tysięcy zabitych za własną skórę? Odkąd to masz o mnie tak kiepskie mniemanie?

Popatrzyła na niego.

– Zrobiłbyś to dla brata. Wszystko byś zrobił dla niego. Dlaczego nie dla siebie?

„No właśnie, Jakubie. Dlaczego?".

Bo wyrósł w przeświadczeniu, że życie Willa było droższe od jego własnego? Cóż za różnica.

– Nie zamierzam wymieniać ani sprzedawać kuszy – zapewnił ją. – Rzeźnik Czarownic użył jej trzykrotnie. Pierwszy bełt zabił generała Albionu i przyniósł śmierć pięćdziesięciu tysiącom ludzi. Drugi trafił generała dowodzącego Lotaryngią i unicestwił siedemdziesiąt tysięcy. Parę tygodni później Gizmund koronował się na króla obu krain.

– Chyba wiem, co było dalej. Całkiem zapomniałam o tej historii. Zawsze napawała mnie strachem. – Lisica wystawiła rękę na śnieg. Płatki zakwitały lodowym kwieciem na jej skórze. – Pewnego dnia... – powiedziała w mrok, jakby wydobywała słowa z ciemności – ...najmłodszy syn Gizmunda leżał na łożu śmierci. Miał na imię Garumet, zdaje się. Otruła go czarownica, by zemścić się na jego ojcu za to, że uśmiercił setki jej sióstr. Syn cierpiał tak straszliwe męki, że Gizmund nie mógł tego znieść. Wystrzelił z kuszy bełt, który trafił syna w serce. On jednak nie skonał, tylko został uleczony. Podobno znienawidził ojca, ale żył jeszcze wiele lat.

Zamknęła okno i odwróciła się.

– To tylko bajka, Jakubie – dodała.

– I co z tego? Wszystko w tym świecie brzmi jak bajka. Umieram, bo wypowiedziałem na głos imię nimfy! – Podszedł do niej i strzepnął płatki śniegu z jej włosów. – Dlaczegóż miałoby nie być broni, która użyta w nienawiści przynosi śmierć, ale daje życie, jeśli ktoś użyje jej z miłości?

Lisica potrząsnęła głową.

– Nie.

Oboje wiedzieli, kto musiałby wypuścić bełt. Jakub ujął jej dłonie.

– Słyszałaś, co mówił Valiant: nikt nie wyszedł z krypty żywy. Przecież wiesz, że nam by się to udało. A może wolisz, żebyśmy razem czekali na nadejście śmierci?

Cóż mogła na to odpowiedzieć?

12
ŻYWE CIENIE

Górska dolina, w której karły natrafiły na kryptę, niczym nie zdradzała, że niegdyś słynęła z kwitnących zboczy. Rosnące tu zwierciadlaki sprawiały, że nawet najbrzydsza twarz przez parę godzin jaśniała nieodpartym pięknem. Ruda żelaza zapewniała jednak szybsze zyski niż magiczne rośliny.

Dolina leżała w stromych górach Helwecji, niecały dzień drogi od zamku Valianta. Helwecja była państewkiem tak tycim, że przyjazne nastawienie sąsiadów kosztowało ją sporo starań i złota. Niegdyś była częścią Lotaryngii, ale wywalczyła sobie niepodległość dzięki armii najemnych olbrzymów. Od czasu gdy pewien biesun wykradł ostatniemu królowi jedynego syna, państewkiem rządził parlament. Utrzymywał on pokojowe stosunki z goylami i zezwalał na transport oddziałów przez helweckie góry. Na pytanie Jakuba, ile karły musiały zapłacić za zgodę na budowę kopalni w kwitnących dolinach Helwecji, Valiant tylko uśmiechnął się z politowaniem. Kraj potrzebował tuneli, jeśli tak jak jego sąsiedzi chciał mieć kolej i szybsze drogi, a nikt tak dobrze nie rył podziemnych korytarzy jak karły.

Jakub, wysiadłszy z powozu Valianta, ugrzązł po kostki w śniegu. Po chatach przycupniętych wokół kopalnianych budynków nie było widać, że wydobywano tu spod ziemi bogactwa. Dym unoszący się z kominów wypisywał na niebie brudną przyszłość.

Wejście do klatek zjeżdżających w głąb ziemi okupowała dzieciarnia. Karle smyki zapuszczały się w podziemne korytarze głębiej niż ktokolwiek z ludzi i nie lękały się kopalnianych koboldów, winnych temu, że górnictwo w świecie za lustrem było jeszcze bardziej niebezpieczne.

– A zatem teraz to nazywasz dobrym interesem? – zwrócił się Jakub do karła, kiedy mijali bladolice dzieciaki. – Dzieci wykorzystywane do kopania w ziemi?

– I co w tym złego? Robiłyby to i beze mnie – odparł niewzruszony Valiant. – Życie jest brutalne!

Lisica obrzuciła wzrokiem kobiety rozładowujące tendry pełne rudy wydobytej z podziemnych korytarzy.

– Wiesz, że właściciel pewnej kopalni w Austrazji został sprzedany przez górników koboldom? – szepnęła do karła.

Valiant rzucił Jakubowi ostrzegawcze spojrzenie.

– Lepiej na nią uważaj! – rzucił półgłosem, odtrącając z obrzydzeniem jedno z dzieci, które wyciągnęło brudną rączkę w stronę jego palta z podpinką z wilczego futra. – Gada jak jedna z tych anarchistek wypisujących hasła na fabrycznych murach.

– Podobałeś mi się bardziej, gdy prowadziłeś brudniejsze interesy – skwitował Jakub i pomógł malcowi wstać. – No już, pokaż nam tę kryptę, zanim ktoś nas napadnie na tym mrozie, żeby zwinąć ci futro.

Za rdzewiejącym ogrodzeniem z siatki stały trzy budynki o kalenicach obitych miedzianą blachą dla ochrony przed kopalnianymi duchami. Do tego tory kolejowe, kominy, kanał odpływowy... Nic nie wskazywało, że karły znalazły tu coś więcej niż rudę.

Lisica rozejrzała się wokół.

– Czy widać stąd Nekrogród?

Valiant potrząsnął głową i machnął ręką na zachód.

– Chyba że potrafisz przejrzeć przez tę górę.

Rzeźnik Czarownic kazał wznieść to miasto, kiedy dzięki magicznej kuszy zjednoczył Albion, Austrazję i Lotaryngię w jedno królestwo, a Helwecja znalazła się w jego sercu. Miasto nazwał Srebrnym Grodem, ale dziś nikt

83

nie mówił już inaczej niż Nekrogród, ponieważ Gizmund w chwili śmierci zabrał na tamten świat wszystkich mieszkańców. Powiadano, że ich twarze jak skamieliny spoglądały ze zrujnowanych murów. Jakub nigdy nie widział ruin na własne oczy, nawet Chanute unikał bowiem Nekrogrodu. Mimo że minęły już cztery wieki, wkraczanie na opuszczone ulice uchodziło za szkodliwe dla zdrowia.

Valiant otworzył furtę w zardzewiałym parkanie. Łańcuch wisiał luzem, a ślady stóp w brudnym śniegu prowadziły do szybów wind.

– Myślałam, że zamknęliście kopalnię? – odezwała się Lisica.

Valiant wzruszył ramionami.

– Od czasu do czasu zagląda tu brygadzista, by dopilnować spraw. Ostatniego łowcę skarbów wysłano na dół przed tygodniem. – Uśmiechnął się z zadowoleniem. – Postawiłem trzy uncje złota, że bęcwał nie wróci.

Jakub pchnął bramę.

– Trzy uncje złota? Brzmi nieźle. Ile postawiłeś na mnie?

Uśmieszek Valianta stał się słodki jak miód.

– Masz mnie za idiotę?

Lisica poświeciła górniczą lampą w głąb szybu, nad którym wisiały klatki wind. Valiant obejrzał się z niepokojem, ale żaden z nadzorców pilnujących robotników za ogrodzeniem nie zwracał na nich uwagi.

– Dobra, jeszcze raz, żeby potem nie było nieporozumień – wyszeptał karzeł. – Przyprowadziłem was tutaj…

– ...żeby zasięgnąć rady Jakuba – dokończyła za niego Lisica, wsiadając do rozkołysanej klatki. – Powtarzałeś to już tyle razy, że nawet twoje psy nauczyły się tekstu na pamięć. Tylko że zapomniałam, co było dalej. My kradniemy kuszę, a ty zostajesz porwany przez koboldy, zanim zdążysz nas powstrzymać? A może to one kradną kuszę, a my porywamy ciebie?

– Bardzo śmieszne! – warknął Valiant. – Chyba nie zdajesz sobie sprawy z tego, jak ja się narażam! Rada karłów każe mnie rozstrzelać, jeśli nabierze choć cień podejrzenia! Nikt spoza rady nie wie o krypcie!

– Nikt prócz członków rady, ich sekretarzy, żon, górników, którzy natknęli się na kryptę... – Jakub podsadził karła do windy. – Nie dam głowy, że wasz sekret jest jeszcze sekretem. A co do rozstrzelania, to niezły pomysł. Kto jak kto, ale ja wiem o tym najlepiej. Już z dziesięć razy chciałem cię zastrzelić.

Klatka opuszczała się w otchłań bez końca. Wreszcie natrafiła na twarde podłoże, a światło lamp wyłuskało z ciemności topornie ociosane ściany sztolni, która rozgałęziała się na kilka korytarzy. Drewniane dźwigary podpierały niskie sklepienie. Pośród hałd gruzu leżały kilofy i szpadle. Na płaskim głazie ułożono zwyczajową ofiarę dla koboldów: ziarna kawy, skrawki skór, monety. Kiedy znikały, górnicy mogli odetchnąć z ulgą. Jednak jeśli nadal leżały na skale, z ciemności rychło zaczynały

85

dobiegać przenikliwe okrzyki, nadlatywały rzucane kamienie i wyłaniały się chude jak patyki palce wpijające się w uszy i oczy.

Valiant wybrał tunel prowadzący w kierunku zachodnim, tam gdzie wysoko nad ich głowami leżał pośród górskich łańcuchów Nekrogród. Prymitywna wiertarka, na którą się natknęli, w świecie Jakuba od dawna odpoczywałaby w muzeum, Valiant jednak zaprezentował ją z dumą jako najnowsze osiągnięcie sztuki inżynierskiej karłów. Kamienne wiertło jakiś czas temu odsłoniło w skalnej ścianie łuk bramy. Za nią znajdowały się szerokie, opadające stromo schody, okolone wypalonymi pochodniami. Żelazne uchwyty na łuczywa były okopcone sadzą. Na końcu schodów rozpościerała się rozległa komnata. Blade światło zapomnianych karbidówek tworzyło na skalnej posadzce jasną wyspę, a pośrodku niej chrapał w najlepsze olbrzymiel, ubrany w mundur armii karłów. Dopiero gdy Valiant kopnął go brutalnie w bok, wartownik dźwignął się chwiejnie na nogi.

– Ty to nazywasz pilnowaniem? – naskoczył na niego karzeł. – Za co płacimy wam trzy razy więcej niż ludzkim wartownikom?

Olbrzymiel podniósł z ziemi hełm i spłoszony stanął na baczność, choć Valiant nie sięgał mu nawet do rzepki kolanowej.

– Nie było żadnych incydentów! – wyjąkał ze sztywnym od snu językiem. – Mam rozkaz, by nikogo...

– Tak, tak, wiem! – przerwał mu niecierpliwie Valiant. – Przywożę przybyłego z daleka eksperta. Tu jest pełnomocnictwo.

Koperta, którą wyjął z kieszeni, była tak tycia, że niezgrabne paluchy ledwie zdołały ją utrzymać. Valiant mrugnął porozumiewawczo do Jakuba, gdy olbrzymiel bezradnie wpatrywał się w malutki świstek.

– No co? – fuknął na niego Valiant. – Popatrz na mnie! Wiem, dla was wszystkie karły wyglądają tak samo, ale lepiej by było, gdybyś przypomniał sobie moją twarz. Jestem jednym z właścicieli tej kopalni.

Olbrzymiel stłumił ziewnięcie i poprawił hełm. Potem wsunął miniaturową kopertkę do kieszeni munduru i odstąpił o krok. Drzwi, które ukazały się ich oczom zza potężnego korpusu, były ozdobione fryzem z czaszek. Szczeliny w kości nad nasadą nosa zdradzały, że były to czaszki czarownic.

Gizmund, Rzeźnik Czarownic... Chanute przed laty opowiadał o nim Jakubowi, kiedy nocowali w jakiejś zapyziałej oberży. Stary łowca skarbów był tak pijany, że z trudem wybełkotał imię władcy.

„Gizmund... taaaak... nie było drugiego takiego człowieka, co znałby się na czarach lepiej niż on. Wiesz, jak go nazywano?".

Jakub usłyszał we wspomnieniach własny głos – dźwięczny i chłopięcy:

„Rzeźnik Czarownic".

W przydomku tym kryło się wszystko, co nęciło go tak bardzo, że zdecydował się pójść w ślady starego awanturnika: niebezpieczeństwo, tajemnica i obietnica magicznych skarbów, które mogły ozłocić życie po drugiej stronie lustra, jakże nudne i wypełnione tęsknotą za przygodą.

Chanute nie musiał chłopcu wyjaśniać, w jaki sposób Gizmund zasłużył na swój przydomek. Po żadnej stronie lustra ludzie nie rodzili się z magicznymi umiejętnościami, ale tutaj istniał sposób na ich zdobycie. Barbarzyński sposób, ale Gizmund nie był pierwszym, który go wybrał: polegał na wypiciu ciepłej jeszcze krwi czarownicy.

„Ile czarownic zamordował?".

Chanute raz jeszcze dolał sobie piekącej gorzałki, która była winna tego, że stracił rękę, a także – o mały włos – rozum.

„Któż to wie? Setki. Tysiące... Nikt ich nie zliczył. Podobno wypijał garniec krwi tygodniowo".

Jakub przyjrzał się pozostałościom po herbie widniejącym na okutych złotem drzwiach: wilk w koronie, garniec pełen krwi, a obok kusza... Za ich plecami olbrzymiel oparł się o skalną ścianę. Lisica obrzuciła go pełnym namysłu wzrokiem.

– Wasz wartownik jest podejrzanie senny – zauważyła.

– Elfi pyłek – wyjaśnił karzeł. – Te wyrośnięte przygłupy trzymają go po kieszeniach. Nie da się tego wyplenić.

Jakub nadstawił ucha, ale jedynym dobiegającym go dźwiękiem był ciężki oddech olbrzymiela. Elfi pyłek? Być może. Wyjął z kieszeni parę rękawiczek. Dostał je w prezencie od Lisicy, kiedy zaklęcia ochronne w pewnej krypcie niemal pozbawiły go palców. Ona sama, jak wszystkie zmiennokształtne, była odporna na działanie takich czarów.

Valiant jednak wbił w Jakuba zaniepokojone spojrzenie.

– Po co te rękawiczki?

– Jeśli nie będziesz niczego dotykał, nie będą ci potrzebne. Naprawdę idziesz z nami?

– Pewnie – potwierdził karzeł, nie do końca przekonany, ale w końcu chodziło o wyjątkowo cenny łup, a to przyćmiewało nawet strach przed martwym czarownikiem.

Jakub wymienił porozumiewawcze spojrzenia z Lisicą i przyłożył rękę do wilka w koronie. Nie musiał mocno pchać, by otworzyć wierzeje. Wyczuwało się, że już wielu tędy przed nimi przechodziło.

Zapach, który wionął w ich kierunku, ledwie dał się wyczuć. Groboździki były prostym sposobem ochrony zmarłych przed pazernością żywych. Ich trujący pyłek potrafił przetrwać stulecia. Jakub zatrzymał Valianta, a Lisica odczepiła od paska sakiewkę. Każdemu dała po parę ziarenek, nie większych od pestek jabłka.

– Jedz! – nakazała Valiantowi, który zerknął na nią podejrzliwie. – Chyba że chcesz po paru dalszych krokach wyglądać jak spleśniały chleb.

– Uważaj, gdzie stąpasz! – wyszeptał do niego Jakub. – Niczego nie dotykaj i trzymaj gębę na kłódkę, zwłaszcza jeśli ktoś będzie cię o coś pytał.

– Kto? O co pytał? – zapytał Valiant, wsuwając do ust ziarenka i z wytężeniem wbijając skonsternowany wzrok w leżący przed nimi korytarz.

Wzdłuż ścian ciągnęły się grobowe nisze. Lisica w ostatniej chwili złapała karła, zanim zawadził plecami o zmumifikowane zwłoki.

– Jak ci się wydaje, dlaczego pochowani zostali akurat tutaj? – syknęła w jego stronę, podczas gdy Jakub pchnął mumię z powrotem do niszy. – To krypta czarownika! Jestem pewna, że łatwo ich zbudzić.

Człowiek, którego znaleźli parę kroków dalej, był martwy zaledwie od kilku dni. Groboździki pokrywały go dywanem śmiertelnego zielonkawego kwiecia. Lisica przeszła nad zwłokami i w tym samym momencie rozległ się szept.

– Kim jesteście? – Głosy dobiegały z grobowców.

Valiant zatrzymał się przerażony, ale Jakub pchnął go, by szedł dalej.

– Nie odpowiadaj! – wyszeptał. – Są nieszkodliwe, o ile nie wdasz się z nimi w rozmowę.

Mumie miały bandolety i napierśniki, spod których wystawało postrzępione ubranie. Większość rycerzy Gizmunda poszła na śmierć razem z nim, ale jeśli wierzyć przekazom kronikarzy, tylko nieliczni zrobili to z własnej woli.

Znaleźli pięć kolejnych świeżych trupów: byli to zaginieni łowcy skarbów. Niektórzy oprócz kożucha z groboździków mieli rany od miecza – ich również otaczały szepty zmarłych. Jakub jeszcze nigdy nie widział na twarzy Valianta takiej paniki. Wnętrze krypty przyprawiało o bladość nawet Chanutego. Na Jakubie nie robiło wrażenia. Doświadczenie nauczyło go, że żywi są o wiele bardziej niebezpieczni. Niemniej jednak, mijając grobowe nisze, czuł na piersi lodowaty dotyk ćmy.

„Przypatrz im się, Jakubie. Ty również będziesz wkrótce tak wyglądał. Będziesz miał martwą, zrogowaciałą skórę i wyszczerzone zęby, a twoje oczodoły będą zamieszkiwać pająki".

Valiant oddychał z wielkim trudem, zwracając na siebie uwagę Lisicy. Minęła go bez słowa i poszła przodem, jakby chciała wziąć na siebie śmierć kiwającą do nich z zagłębień w ścianach.

Tunel skręcił w bok. Ciężki zapach groboździków unosił się w powietrzu i przywierał do skóry jak perfumy. Nagle dalszą drogę zatarasowała im zasłona z nieboszczyków. Ze sklepienia zwisało dwunastu zmumifikowanych rycerzy. Jedno z trucheł było nieco krótsze od pozostałych i kończyło się na żebrach. Widać ktoś paroma chlaśnięciami szabli odciął resztę. Niezbyt elegancki, ale za to skuteczny sposób na utorowanie sobie drogi przez kurtynę ze zwłok. Okazuje się, że karły nie zwerbowały samych durniów.

Valiant zaklął, zdjęty odrazą, mimo że jako jedyny mógł przejść pod okaleczonym ciałem bez schylania się. Za makabryczną przeszkodą czekała nagroda: kolejne drzwi ze złotym konterfektem mężczyzny.

Korona wskazywała, że był królem, peleryna podbita kocim futrem – że człowiekiem i czarownikiem. Na ramieniu siedział mu złoty kruk – symbol niezmierzonych bogactw, a na nogach miał siedmiomilowe buty, odpowiednie dla monarchy władającego tak ogromnym mocarstwem. W prawym ręku trzymał kuszę. W zamian za nią Rzeźnik Czarownic rzekomo zaprzedał duszę diabłu. Bajki... Ale w świecie za lustrem Jakub zbyt często był świadkiem, jak bajki stają się rzeczywistością, by nie wierzyć, że i ta mogła być prawdziwa.

Wierzeje ze złotą podobizną Gizmunda były lekko uchylone. Łowca skarbów, którego zwłoki leżały tuż za progiem, dotarłszy do upragnionego celu, musiał chyba zapomnieć, że pułapki zawsze wabiły otwartymi drzwiami. Ciało, o ile Jakub dobrze widział przez szczelinę we wrotach, nie miało żadnych widocznych obrażeń, ale przerażenie na woskowej twarzy mówiło samo za siebie. Lisica zerknęła mu przez ramię.

– Zaklęcie cienia? – szepnęła.

Prawdopodobnie tak. Jakub postawił lampę na ziemi i wyjął nóż. Żywica, którą posmarował klingę, wydzielała drzewny zapach, mieszający się z zaduchem krypty. Lisica zmieniła postać. Niekiedy zmysły zwierzęcia przydawały się bardziej niż dodatkowy pistolet.

„Zapomnij, że chodzi o twoje życie, Jakubie. Ciesz się polowaniem".

Ożyło znajome podniecenie, pomieszane z obawą i chęcią przezwyciężenia strachu. Nieodparte uczucie. Lisicy nie musiał tego tłumaczyć. Wśliznęła się w szparę przed nim. Krypta była ogromna. Dzięki ciemnościom panującym w niej, odkąd powstała, freski na ścianach nadal jarzyły się soczystymi barwami. Przedstawiały obrazy piekła, namalowane w tak mistrzowski sposób, że niemal czuło się żar ognia na skórze. Na jednej ze ścian sam Gizmund w zbroi rycerza galopował przez płomienie. Diabeł, ku któremu zmierzał, tylko rogami przypominał diabły, które Jakub znał ze swojego świata. Poza tym wyglądał jak zwykły człowiek odziany w szaty bogatego kupca. Malowidła na sklepieniu przedstawiały pole bitwy, na którym dusze bladym konduktem opuszczały martwe ciała. Kolumny wspierające strop wykonane były z tego samego ciemnego marmuru co sarkofag królujący pośrodku krypty. Wokół niego klęczało czterech kamiennych rycerzy. Opierali się o miecze, czarne jak trumna, której pilnowali.

Jakub usłyszał, jak za ich plecami Valiant zaklął z rozczarowaniem. Sarkofag był otwarty. Spóźnili się.

Jakub obejrzał się na Lisicę. W zwierzęcej postaci niełatwo było rozpoznać jej uczucia, ale znał ją nie od dziś. Rozpacz wyzierająca z jej oczu była większa niż jego własna. Nadzieja na możliwy ratunek nie trwała długo.

Pokrywa sarkofagu leżała strzaskana między klęczącymi aniołami. Pośród gruzu leżał wartownik, dla którego Jakub spreparował nóż: był to cień Gizmunda, bez twarzy i tak wielki, jakby rzucało go na ziemię zachodzące słońce. Kałuża krwi, w której się znajdował, świadczyła, że powołało go do życia zaklęcie znane wyłącznie czarownicom – albo tym, którzy pili ich krew.

Cień mordował bezgłośnie, jak bezgłośnie podążał za życia za swoim panem. Jakub pochylił się nad nim. W jego szyi tkwił nóż. Pachniał żywicą. Jeśli ktoś popełni błąd i wyciągnie klingę, cień natychmiast obudzi się do życia. Ktokolwiek go zabił, dobrze o tym wiedział. Jakub wyprostował się. Przez moment sądził, że słyszy kroki dochodzące spomiędzy filarów, ale gdy się obrócił, zobaczył tylko stojącą za nim Lisicę.

– Elfi pyłek! – Obrzuciła Valianta wzgardliwym spojrzeniem.

Jakub nachylił się ku niej.

– Czy on tu jeszcze jest?

Uniosła pysk, węsząc. Potem potrząsnęła głową.

„Szlag by to" – zaklął w myślach.

Wsunął nóż za pas. Niewielu łowców skarbów wiedziało, jak bez szwanku minąć olbrzymiela albo jaką żywicą unieszkodliwiało się cień zmarłego. Łowcy nie wchodzili sobie w drogę, polując na skarby, a Jakub znał ich wszystkich, przynajmniej z imienia. Który z nich go uprzedził?

– Przeklęty łajdak. – Valiant stał na pogruchotanych pozostałościach po płycie nagrobka i wpatrywał się w otwarty sarkofag. – I koronę też zabrał! – utyskiwał. – I kto mu kazał wycinać serce? Czyżby Szarobrodzi z rady karłów zbratali się z czarnoksięskimi siłami?

Zwłoki w sarkofagu nie były dotknięte rozkładem, ale brakowało im prawej dłoni i głowy, a w miejscu serca ziała dziura. Rana jednak, podobnie jak szyja i kikut ręki, zapieczętowana była złotem, co dowodziło, że zwłoki złożono już do grobu w tym stanie. Valiant wyciągnął rękę po leżące przy boku berło, ale Jakub odciągnął go bezceremonialnie.

– Widzisz te zwiędłe liście, na których umoszczono ciało? Są zaczarowane, w przeciwnym razie zwłoki strawiłby rozkład.

Rozejrzał się wokół. Podłoga krypty była wyłożona zielonym marmurem, od filarów zaś biegły cztery pasy alabastru jak wskazówki kompasu zbiegające się promieniście przy sarkofagu. Jakub wziął karbidówkę, którą karzeł postawił przy trumnie, i przeszedł alabastrowym szlakiem. W kamieniu inkrustowane były litery z białego złota, ledwie widoczne na jasnym tle.

HOUBIT WESTARHALP

Każdy łowca skarbów znał ten język. Język czarownic. Lisica śledziła wzrokiem Jakuba, który przemierzał drugi i trzeci promień.

HANDU SUNDARHALP

HERZA OSTARHALP

Nietrudno było przetłumaczyć napisy:

GŁOWA NA ZACHODZIE

RĘKA NA POŁUDNIU

SERCE NA WSCHODZIE

Być może ta misja wcale nie dobiegła jeszcze końca. Jakub zbliżył się do czwartego promienia. Napis na nim był znacznie dłuższy niż na pozostałych.

NIUWAN ZISAMANE BISIZZANT HWAZ

THERO EINAR BIGEROT. FIRBORGAN

HWAR SI ALLIU BIGANNUN

– Od czego masz rękawiczki? Zabierz mu berło! – kwękał Valiant. – Na palcu drugiej ręki ma poza tym sygnet z pieczęcią.

Jakub zignorował go. Wpatrywał się w napis.

POSIADAJĄ RAZEM TO,

CZEGO PRAGNIE KAŻDY Z OSOBNA.

UKRYTE TAM, GDZIE WSZYSTKO SIĘ ZACZĘŁO.

Nie. Tamten wcale nie znalazł kuszy. Jeszcze nie.

– Jakubie.

Lisica nadal pozostawała w zwierzęcej postaci. Dobiegł go odgłos kroków… ledwie słyszalny. Jakub uniósł lampę. Wydawało mu się, że dostrzegł między kolumnami jakąś sylwetkę, ciemną jak kamień, za którym usiłowała się skryć.

Lisica wystrzeliła w jej kierunku, zanim zdążył ją powstrzymać. Jej instynkt myśliwski sprawiał, że była lekkomyślna. Popędził za nią, przeklinając się w myślach, że nie przeszukał krypty. Usłyszał jej skomlenie i niewiele brakowało, a wpadłby na nią. Zmieniała postać, jednocześnie podnosząc się z ziemi między kolumnami. W tym samym momencie z tyłu dobiegło ich wołanie karła o pomoc.

Osobnik, który odepchnął karła, odziany był w jaszczurczą skórę, a jego czarną onyksową skórę przecinały ciemnozielone żyłki. Goyl. Jakub wycelował w niego, ale Valiant, zataczając się, wszedł mu w linię strzału. Goyl, pomachawszy szyderczo, zamknął za sobą drzwi krypty. Valiant wrzasnął i potykając się, rzucił się w ich stronę. Wbił paznokcie we fryz z czaszek i potrząsał z całej siły, aż pod naciskiem jego palców kruszyły się kości.

– Dlaczego go nie zastrzeliłeś? – zawołał. – Zdechniemy w tej krypcie! Tak sobie wyobrażasz piękną śmierć?

Czoło Lisicy zalewała krew. Jakub z troską odgarnął jej włosy, ale rana, która ukazała się jego oczom, nie była zbyt głęboka.

– Dlaczego go nie wyczułaś?

– On nie miał zapachu – odparła gniewnie.

Była zła na siebie i na intruza, któremu dała się zaskoczyć.

Brak zapachu. Jakub powrócił wzrokiem do cienia z posmarowanym żywicą nożem w gardle. Goyl znał się na rzeczy.

– Zagłodzimy się na śmierć! – Valiant rzucał wokół nerwowe spojrzenia jak szczur w pułapce.

Jakub cofnął się do alabastrowych promieni i zbadał wzrokiem napisy.

– Raczej się podusimy.

Lisica dołączyła do niego.

– Znajdę jego trop – zapewniła go szeptem. – Obiecuję.

Ale Jakub potrząsnął głową.

– Zapomnij o goylu. On nie ma kuszy.

Spojrzał na litery. To tu był trop, którym musieli podążyć.

„Umieranie...".

Jeszcze nie teraz.

– Co wy tam, do diabła, wyczyniacie? – Głos karła wypełniał kryptę paniką. – Zróbcie coś wreszcie! To chyba nie pierwsza krypta, w której was zamknięto!

Karzeł miał rację. Jakub wrócił do sarkofagu i dłonią chronioną rękawiczką sięgnął po berło. Budowniczowie królewskich krypt często wierzyli, że ich władca tylko śpi i zbudzi się pewnego dnia. Dlatego do trumny zawsze wkładali klucz. Nawet wtedy, gdy przebudzenie bezgłowego króla było jeszcze mniej prawdopodobne niż innych monarchów.

Wrota krypty otworzyły się, kiedy Jakub berłem napisał w powietrzu imię Gizmunda. Valiant z ulgą wytoczył się na zewnątrz. Jakub zatrzymał się jednak przy martwym łowcy skarbów, leżącym przed wejściem, i nadstawił uszu.

Wiszący rycerze kołysali się lekko i miarowo. Zdało mu się, że w oddali słyszy kroki.

– Skąd goyl wiedział o krypcie? – warknął Valiant. – Jeśli rada karłów najęła go za mymi plecami, to...

– Bzdura. Po co miałby zadawać sobie trud odurzenia olbrzymiela, skoro działał na zlecenie rady? – przerwał mu Jakub. – Nie. – Rozebrał martwego z kubraka. – Nazywają go Bastardem. To jedyny goyl, który ma pojęcie o poszukiwaniu skarbów.

– Bastard... ależ oczywiście! – Valiant przejechał dłonią po twarzy. Strach nadal rosił mu czoło kropelkami potu. – Podobno lubi obcinać konkurencji palce.

– Palce, język, nos... Ciągnie się za nim ponura sława. – Jakub owinął berło w kubrak nieboszczyka.

– Nie uważasz, że byłoby słuszne i sprawiedliwe przekazać to mnie? – wymruczał Valiant, posyłając mu najbardziej niewinny z uśmiechów. – Za całą moją gościnność i nieocenioną pomoc?

– Czyżby? – Lisica wyjęła Jakubowi z ręki zawiniątko z berłem. – Jesteś mi jeszcze winien drugą połowę zapłaty za pióro, ale dostaniesz upust, jeśli załatwisz nam konie i prowiant na drogę.

– Prowiant, po co? – Niewinny uśmiech zniknął z oblicza karła.

I tak pasował doń jak wypryski do buzi niemowlęcia.

– Wróć do krypty, skoro tak cię to interesuje. Jestem pewien, że Bastard nie był tak zaślepiony.

Jakub zatrzymał się przy drzwiach i obrzucił wzrokiem złoty wizerunek Gizmunda. Pozostawało mu tylko mieć nadzieję, że goyl nie rozwiąże zagadki Rzeźnika Czarownic tak szybko jak on.

Wszystko układało się wręcz znakomicie. Jakby mało było tego, że ścigał się już ze śmiercią.

13
TEN DRUGI

Sala, w której przyjął ich Koślawy, była pogrążona w tak głębokim mroku, że Nerron ledwie widział własne ręce. Granatowe portiery z brokatu zatrzymywały światło wpadające przez wysokie okna, a płomienie świec palących się wokół tronu nie drażniły nawet oczu goyli. Król Lotaryngii był roztropnym władcą. Czynił wszystko dla dobrego samopoczucia swych kamiennych gości, wiedząc, że zadowolenie usypia czujność.

Karol Lotaryński już wiele lat temu kazał wyprostować sobie plecy za pomocą gorsetu z zaklętych rybich ości, ale przydomek pozostał. Ku wielkiemu ubolewaniu Koślawego, był bowiem człowiekiem próżnym. Powiadano, że srebrnym proszkiem uszlachetniał siwiznę w zaroście i włosach, a zmarszczki, wyżłobione wiekiem i zamiłowaniem do tytoniu oraz przedniego wina, przyprawiały go o ból głowy.

Lord Onyks kroczył w jego stronę z pochyloną głową. Na lotaryńskim dworze gardzono staromodną napuszoną etykietą, tak cenioną przez przedstawicieli rodu Onyksów. Żadnych dygnięć, a uniformy tylko przy oficjalnych okazjach. Koślawy polecił oddać do demobilu gronostaje i brokatowe żupany swoich przodków. Sam wolał odzienie z czarnego jedwabiu, skrojone wedle najnowszej mody, a ostatnio upodobał sobie także cienkie tytoniowe rurki, rozpowszechnione na dworze przez ambasadora Albionu. Również teraz trzymał jedną w palcach. Cygaretki. Już sama nazwa brzmiała w uszach Nerrona jak kąsający owad. Podobno Koślawy dlatego lubił otaczać się chmurą dymu, by nikt nie mógł ujrzeć wyrazu jego twarzy. Karol Lotaryński był cwanym kocurem, który chętnie podawał się za wegetarianina, podczas gdy z ust wystawał mu koniuszek mysiego ogona. Spowijająca króla szara mgła była tak gęsta, że przybysz musiał powstrzymać kaszel, kiedy zatrzymał się w odpowiedniej odległości od tronu.

– Wasza królewska mość – odezwał się stary Onyks.

W jego głosie nie było słychać pogardy, jaką żywił do wszystkich ludzi. Jego ciemne oblicze bez trudu maskowało nienawiść i bezgraniczny głód władzy. Na imię miał

Nia'sny, co oznaczało mrok i trafnie oddawało zarówno jego powierzchowność, jak i to, co miał w sercu. Kazał Nerronowi pozostać w ukryciu, póki go nie wezwie. Nic prostszego. W końcu Bastard miał wprawę w zlewaniu się z ciemnością.

– Twój łowca skarbów niewiele wskórał, podobnie jak zwerbowani przez karły ludzie. Jestem ogromnie rozczarowany. – Koślawy przywołał gestem stojącego za tronem kamerdynera ze srebrną popielniczką. – Wydaje mi się, że przesadziłeś, zachwalając jego przymioty.

Nerron najchętniej zgasiłby mu na czole rozżarzonego peta.

„Spokojnie, Bastardzie. On jest monarchą" – zmitygował się.

Nigdy nie umiał poskramiać emocji. I nie był pewien, czy chciał posiąść tę umiejętność.

– Zgodnie z przyrzeczeniem udało mu się otworzyć kryptę i zapewniam, że odnajdzie także i kuszę! Wasza królewska mość pozwoli sobie przypomnieć, że gdyby nie nasi szpiedzy, w ogóle nie dowiedzielibyście się o istnieniu krypty. Karły oddają się iluzji, że podziemia to ich żywioł, ale to goyle są panami każdej podziemnej tajemnicy.

Nie. Stary lord nie potrafił ukryć buty. Onyks zawsze był najszlachetniejszym rodzajem skóry, jakim mógł poszczycić się goyl – do chwili gdy królem mianował się goyl z rodu Karneoli. Onyksowie nienawidzili Kamiena z żarem, który niemal topił ich kamienną skórę. By go obalić, zdradzali nieprzyjacielowi pozycje wojsk goyli, a zaklęty worek, dzięki któremu Koślawy pozbywał się wrogów, tak długo karmili szpiegami, aż ten w końcu odmówił posłuszeństwa. To cud, że król goyli w ogóle jeszcze żył. Nerron wiedział co najmniej o tuzinie skrytobójców, których Onyksowie nasłali na znienawidzonego władcę, ale ochrona Kamiena znała się na rzeczy. Choć nefrytowy goyl zniknął... A poza tym Kamien nadal miał po swojej stronie Czarną Nimfę.

Stary Onyks odwrócił się. No wreszcie. Pora na występ Bastarda. Nerron oderwał się od kolumny, za którą się krył, i podszedł do władcy. Powiadano, że oparcie jego tronu było wyrzeźbione ze szczęki olbrzyma. Tak czy owak, opowieści tego rodzaju to tylko kolejny przejaw nieudolnej próby udowodnienia, że władcami tego świata byli ludzie. Księgi historyczne goyli mówiły jednak co innego. W porównaniu z elfami, nimfami i czarownicami rasa ludzka znajdowała się w powijakach. Pierwsza lepsza salamandra w ziemnej norze miała dłuższą historię niż oni.

Koślawy mierzył go tak lekceważącym wzrokiem, że Nerron, podchodząc bliżej, wyobrażał sobie, jak wbija mu między żebra ości zaczarowanego gorsetu. Nie chodziło o to, że nie przywykł do takich spojrzeń. Nic go przed nimi nie chroniło – nie posiadał ani urody, ani szlachetnego urodzenia. Jako dziecko wmawiał sobie, że z marmuru nocy stworzyła go nimfa, a zielone żyłki na jego skórze były śladami po liściach, których użyła.

Malachit pokrywający jego skórę odziedziczył po matce. Oficjalnie Onyksowie łączyli się w pary wyłącznie z innymi Onyksami, ale większość z nich miała wielki apetyt na to, co nie było ich własnością. I dlatego od bękartów oczekiwali innych zdolności niż od synów z prawego łoża. Nerron pojął to bardzo wcześnie. Każdy bękart, by przeżyć, musiał się płaszczyć i wić niczym wąż. To od węży nauczył się też innych cennych umiejętności: sztuki mimikry i iluzji. Umiał uderzyć z cienia.

Nerron skłonił nisko głowę, tak jak przed chwilą uczynił to stary Onyks. Po obu stronach Koślawego stali gwardziści straży przybocznej. Ich wzrok był zimny jak sadzawki, z których się wywodzili. Jeśli chodziło o własną obstawę, król Lotaryngii preferował wodników. Ich skóra była niemal tak samo odporna jak skóra goyli, a dzięki trzem parom oczu byli wręcz stworzeni do takich zadań.

– A zatem? – Spojrzenie, którym Koślawy obrzucił Nerrona, było niewiele cieplejsze od wzroku jego wodników. – Skoro naprawdę byłeś w krypcie, dlaczego nie przynosisz mi kuszy?

Monarchowie zawsze przemawiali w ten sam sposób, obojętne, czy ich skóra była miękka jak u ludzi, czy twarda jak z kamienia. Żywili się władzą i nieustannie pragnęli więcej, więcej i więcej.

– Nigdy jej tam nie było. – Głos Nerrona nie brzmiał aksamitnie jak głosy Koślawego i lorda Onyksa, lecz był chrapliwy i szorstki jak mundur żołnierza.

– Ach tak? Gdzie w takim razie jest?

– W Nekrogrodzie, w zamku Gizmunda.

Koślawy strzepnął parę płatków popiołu z czarnych spodni.

– Nie bredź. Zamek już nie istnieje. Zniknął w dniu jego śmierci wraz z tysiącami poddanych. Już niańki opowiadały mi tę historię, Gizmund wszak był jednym z moich przodków. Co masz mi do zaoferowania oprócz bajek obieżyświatów?

Ach, gniew goyli... Nerron czuł go jak gorący olej wypełniający mu żyły. W Lotaryngii, w zamierzchłych czasach, gdy zima nie chciała się kończyć, monarchów rzucano na pożarcie smokom.

„Twoje uwędzone w dymie mięso na pewno by im posmakowało, koślawy królu".

„Nerronie!" – zmitygował się znowu i zmusił do uśmiechu.

– Zwłokom Gizmunda brakuje serca, głowy i dłoni, a to oznacza, że użyto starego zaklęcia czarownic. Trzy różne części całości chowa się w trzech oddalonych od siebie miejscach, by zniknęło z powierzchni ziemi to, co chce się ukryć. Tym czymś musi być Zaginiony Zamek. Wskazówki w krypcie są jednoznaczne. Jakaż inna kryjówka byłaby bezpieczniejsza? Zamek ukaże się po skompletowaniu ciała.

No proszę. W oczach mierzących go spod ciężkich powiek pojawił się cień szacunku.

– I co? Wiesz, gdzie szukać tych brakujących części ciała?

– Moja praca polega na odnajdywaniu zaginionych rzeczy.

I naprawdę je znajdzie. O ile Jakub Reckless go nie ubiegnie. Ze wszystkich łowców skarbów na świecie akurat ten musiał pojawić się w krypcie! A Nerron jeszcze usłużnie sprzątnął mu z drogi cień Gizmunda. Gdyby Reckless przybył choć parę godzin później, napisy na posadzce stałyby się nieczytelne. Nerron już trzymał w ręku flaszeczkę ze żrącym kwasem. Przykra sprawa. Bardzo przykra.

Ich ścieżki skrzyżowały się już parokrotnie. Reckless pokonał Nerrona podczas poszukiwań szklanego pantofelka. To jego podobizna widniała na pierwszych stronach gazet. Wyciął ją i spalił w nadziei, że to przyniesie pecha rywalowi. Od tamtej pory Jakub Reckless zyskał jeszcze większą sławę i gdy ktoś pytał o najlepszego łowcę skarbów na świecie, nieuchronnie padało jego imię.

„Do czasu, Nerronie".

Tym razem zamierzał go pokonać.

Ciemne oczy Koślawego przypominały pawi jaspis. Świat był mysią dziurą, a on kocurem przycupniętym u wejścia i czyhającym na łup.

„Pozwól mu sądzić, Nerronie, że jesteś tylko myszą. Wtedy pozwoli ci samemu stać się myśliwym".

Koślawy szepnął coś jednemu z wodników do pokrytego łuską ucha. Nerrona zawsze zdumiewała ich zwinność na lądzie. Gdy wodnik oddalił się przez wysokie drzwi, do ciemnej sali wsączyło się na chwilę pasmo światła. Karol Lotaryński przyglądał się swoim paznokciom, jakby porównywał je z pazurami goyli.

– Kusza – zaczął – dałaby Lotaryngii broń, która mogłaby przyhamować agresję waszej rasy. Z pewnością rozumiecie, że nie mogę powierzyć poszukiwań wyłącznie goylowi.

Goylowi. Wypowiedział to słowo w sposób charakterystyczny dla wszystkich istot o miękkich ustach: jakby miał na języku zepsuty kęs, który utkwił w gardle i musi zostać wypluty.

Twarz Nia'snego przypominała maskę z czarnego kamienia. Właśnie za to Onyksowie nienawidzili Kamiena najbardziej – za jego bratanie się z miękkoskórymi. Już sam zapach ludzi przyprawiał Nia'snego o mdłości, ale jego głos nie zdradzał tego ani trochę.

– Oczywiście, wasza królewska mość – powiedział z mistrzowsko udawaną czołobitnością. – Kto, zdaniem waszej królewskiej mości, powinien wesprzeć misję?

Wrócił wodnik. Szepnął coś panu na ucho, po czym zajął miejsce za tronem. Karol Lotaryński zmarszczył miękkie czoło. Ludzka skóra była bezbronna jak naskórek robaka wijącego się w słońcu. To cud, że nie wysychali na wiór.

– Mój syn Louis – podjął król, a w jego głosie pobrzmiewała irytacja pomieszana z niechętną miłością – przebywa, jak się dowiaduję, na polowaniu, jednak gdy tylko powróci, wszystko będzie gotowe do wyjazdu. To zadanie znakomicie przygotuje przyszłego następcę tronu do przejęcia odpowiedzialności.

Louis Lotaryński. Nerron skłonił głowę. A na cóż on mógł polować? Na dziewki garderobiane? Nerron słyszał już co nieco o księciu i w tych opowieściach raczej nie było nic dobrego.

– Trudno będzie zagwarantować mu bezpieczeństwo. – Z głosu Nerrona przebijała złość: działał w pojedynkę, zawsze i bez wyjątku, a to była misja jego życia.

Stary Onyks rzucił mu ostrzegawcze spojrzenie. O co mu chodzi? Ten, kto znajdzie kuszę, zdobędzie sławę najlepszego! Władza. Terytoria. Złoto... Było wiele rzeczy, za które Onyks i Koślawy sprzedaliby własne żony i dzieci. On zaś pragnął tylko jednego: chciał być niedościgniony w swym fachu. Niczego na świecie – ani pod ziemią, ani na ziemi – nie pożądał bardziej. Nie znajdzie ani Zaginionego Zamku, ani kuszy, jeśli będzie musiał robić za niańkę książątka. Zwłaszcza przy takiej konkurencji. Nerron nie wspomniał Onyksowi o Recklessie. Ta rywalizacja była zbyt osobista. Wystarczy, że po skończonym polowaniu dowiedzą się o porażce rywala.

Spojrzenie Koślawego stało się zimne jak skóra jego wodników. Jak wszyscy królowie wychodził z założenia, że towarzystwo jego syna to wielki honor, nawet jeśli sam nie miał o nim zbyt dobrego mniemania.

– To ty masz zagwarantować mu bezpieczeństwo. Kazałem rozstrzelać najlepszego łowczego, kiedy przywiózł z polowania Louisa draśniętego pociskiem. – Kocur w koronie pokazywał pazurki. – Przydzielę Louisowi najlepszą ochronę.

Cudownie. Niech książę weźmie na misję również swojego krawca. Albo kamerdynera, który zadba o to, by nie zabrakło mu elfiego pyłku. Krążyły pogłoski, że Louis miał do niego wielką słabość.

Nerron skłonił głowę, wyobrażając sobie, jak pleśniowe kwiecie z krypty Gizmunda pokrywa zielonym kożuchem skórę Koślawego. Pokona Jakuba Recklessa, tak czy siak.

14
TYLKO WIZYTÓWKA

Biegł bez końca. Nie miał już stóp, tylko brnął, potykając się, na krwawych kikutach, na przełaj przez knieję, mroczniejszą od lasu, w którym spotkał Krawca. W niekończącej się pogoni za człowiekiem, który był jego ojcem, choć nie odwrócił się ani razu. Czasami chciał go tylko dogonić. A czasem zabić. To był mroczny las.

– Jakubie! Obudź się.

Zerwał się z posłania. Jego koszula była mokra od potu, a on marzł w chłodnym powietrzu nocy. Przez moment nie wiedział, gdzie jest. Nawet nie miał pewności, w którym świecie się właśnie znajduje, dopóki nie spostrzegł wśród gałęzi dwóch księżyców, a u swego boku klęczącej Lisicy.

„Flandria, Jakubie".

Podmokłe łąki, wiatraki. Szerokie rzeki. W ostatnim zajeździe niemal pożarły ich pluskwy, dlatego kolejną noc postanowili spędzić pod gołym niebem. Zmierzali ku wybrzeżu, gdzie chcieli dostać się na prom do Albionu.

– Wszystko w porządku? – Lisica wpatrywała się w niego z troską.

– Tak. Miałem tylko zły sen.

W koronie dębu nad ich głowami zakrzyczała sowa. We wzroku Lisicy nadal czaił się niepokój.

„Oczywiście, Jakubie. Odkąd zna prawdę, każde twoje kichnięcie brzmi jak zapowiedź śmierci".

Ujął jej dłoń i przyłożył sobie do serca.

– Czujesz? Bije mocno i miarowo. Może klątwy nimf działają tylko na tych, którzy urodzili się w tym świecie.

Lisica próbowała się uśmiechnąć, ale nie wyszło jej to zbyt przekonująco. Oboje wiedzieli, o czym myślała: jego brat nie pochodził z tego świata, a mimo to pokrył się nefrytową skórą.

Wyruszyli z kopalni cztery dni temu i od tamtej pory prawie nie zatrzymywali się na odpoczynek. Jakub był niemal pewien, co znaczyły napisy na posadzce krypty, ale do końca przekona się wtedy, gdy weźmie kuszę do ręki. Oboje rozumieli, że zmarłemu odjęto głowę, dłoń i serce, by coś ukryć – to było rozpowszechnione zaklęcie. Ale to, że nie chodziło o ukrycie kuszy, zdradziły dopiero słowa inkrustowane w alabastrze. Razem z Lisicą obracali je na wszelkie możliwe sposoby i oboje byli zgodni, że mogły oznaczać tylko jedno.

Rzeźnik Czarownic miał troje dzieci. Jego najstarszy syn, Feirefis (albo Pięść Ognia, jak się później przechrzcił), zażądał korony Albionu, kiedy ojciec leżał na łożu śmierci. Albion leżał na zachodzie. Jego młodszy brat, Garumet, zgodnie z legendą uratowany dzięki kuszy, został królem Lotaryngii, najbardziej na południe wysuniętej części monarchii. Natomiast jedyna córka Gizmunda, Orgeluza, założyła dynastię cesarzy austrazyjskich, wychodząc za jednego z rycerzy ojca i wydając na świat dwóch synów. Austrazja leżała na wschodzie.

GŁOWA NA ZACHODZIE
RĘKA NA POŁUDNIU
SERCE NA WSCHODZIE

Feirefis otrzymał głowę ojca. Garumet – rękę. Orgeluza dostała jego serce.

POSIADAJĄ RAZEM TO,
CZEGO PRAGNIE KAŻDY Z OSOBNA.

Nietrudno odgadnąć, że chodziło tu o kuszę.

UKRYTE TAM, GDZIE WSZYSTKO SIĘ ZACZĘŁO.

Wszystkie dzieci Rzeźnika Czarownic urodziły się w zamku, który Gizmund kazał wznieść ponad Nekrogrodem. Tyle że teraz w miejscu, w którym stał, od dnia jego śmierci były pustkowia. By ukryć kuszę, Gizmund sprawił, że z powierzchni ziemi zniknął cały zamek, zawierzając dzieciom makabryczny klucz do rozwiązania zagadki. Jeśli trawiony obłędem u schyłku życia sądził, że w ten sposób zaprowadzi pokój między nimi, to jego życzenie się nie spełniło. Rodzeństwo gardziło sobą tak samo jak ojcem. Powiadano, że ich matką była czarownica i to stąd wzięła się nienawiść Gizmunda do wszystkich wiedźm. Krążyły też jednak pogłoski, jakoby to jego druga żona była czarownicą, i to ona zdradziła mu sposób na zostanie czarownikiem. Gdziekolwiek kryła się prawda, dzieci Gizmunda wojowały przeciw sobie, nigdy nie rozwiązawszy zagadki ojca i zapewne nigdy nie przeczytawszy inskrypcji w krypcie. Bastard ją jednak przeczytał. Jakub nie miał złudzeń – goyl z pewnością rozszyfrował napisy. Pozostawała tylko kwestia, który z nich, szukając trzech kluczy, będzie szybszy.

Głowa, ręka, serce. Zachód, południe, wschód.

Lisica zaproponowała, by najpierw pokonać najdalszą drogę. A to oznaczało Albion. Przy odrobinie szczęścia mogli tam dotrzeć za dwa dni – o ile będą kursować promy. Tak wczesną wiosną zdarzało się, że sztormy nie pozwalały na wypłynięcie z portu.

„Dwa, trzy miesiące. Może mniej".

Może mu zabraknąć tego czasu, nawet jeśli Bastard nie uprzedzi go i nie zdobędzie makabrycznej spuścizny Gizmunda.

Lisica wyjęła z juków futrzaną suknię.

– Jak myślisz, dla kogo pracuje Bastard?

Wciąż każdej nocy zmieniała postać, choć dobrze wiedziała, że sierść skraca jej życie. W jednym miała rację: nie miał prawa jej pouczać. Nie zrezygnował z przechodzenia przez lustro ani dla matki, ani dla Willa, a już na pewno nie zrobiłby tego dla perspektywy bezpieczniejszego i być może dłuższego życia. Istniały rzeczy, których serce pragnęło tak mocno, że rozum stawał się bezradnym widzem. Serce, dusza czy jak to zwał...

– O ile wiem, zawsze pracował dla Onyksów – powiedział, wyjmując z juków blaszany talerz, który nieraz już uratował go przed nocą spędzoną o głodzie. – Jego ojciec był jednym z najwyżej postawionych lordów. Jeśli to on znajdzie kuszę, goyle rychło będą mieli nowego króla.

Jakub potarł talerz rękawem i natychmiast pojawił się na nim chleb i ser. Tak naprawdę nie odczuwał głodu, ale bał się zasnąć i znowu znaleźć w lesie, w którym potykając się, gonił za ojcem. Rozsądek nie dopuszczał do siebie tej myśli, a jednak gdzieś była, natrętna i cicha: „Naprawdę umrzesz, nie zobaczywszy go znowu, Jakubie".

Lisica zamieniła ludzkie ubranie na futrzaną suknię. Ta jak druga skóra rosła wraz z nią i nadal połyskiwała jedwabiście, tak jak wtedy, gdy Jakub ujrzał ją pierwszy raz.

– Jakubie...

– Tak? – Oczy same mu się zamykały.

– Połóż się spać. Od wielu dni niemal w ogóle nie odpoczywaliśmy. Prom i tak odpływa dopiero nad ranem.

Miała rację. Sięgnął po plecak. Gdzieś miał jeszcze parę tabletek na sen, z innego świata. O ile dobrze pamiętał, pochodziły z nocnej szafki matki. Zażywała je całymi latami, nigdy nie mogąc zasnąć bez nich. Podniósł wizytówkę, która wysunęła się z plecaka na pobielałą od szronu trawę. *Norebo Johann Earlking.* Dziwny obcy, który poręczył za niego po aukcji i wykazywał nadmierne zainteresowanie przykurzoną spuścizną jego rodziny.

Lisica zmieniła postać i zaczęła lizać sobie sierść, jakby chciała pozbyć się ludzkiego zapachu. Na moment przytuliła się do Jakuba jak niegdyś, gdy była chowającym się pod futrem dzieckiem. Oboje byli jeszcze dziećmi, kiedy znalazł ją uwięzioną we wnykach. Jakub pogłaskał ją między spiczastymi uszami. Była taka piękna. W obydwu postaciach.

– Uważaj na siebie. Myśliwi wylegli już w las – ostrzegł, jakby musiał jej o tym przypominać.

Chwyciła go zębami za dłoń – w ten sposób na swój lisi sposób okazywała mu miłość – i zniknęła między drzewami, bezgłośnie, jakby jej łapy nie nosiły żadnego ciężaru.

Jakub wpatrywał się w wizytówkę, którą wciąż trzymał w ręku. Miał poprosić Willa, by dowiedział się czegoś więcej o tajemniczym mecenasie. O czym on myślał?

„No właśnie, Jakubie, o czym? Śmierć siedzi ci na karku. Norebo Johann Earlking musi zaczekać. Nawet jeśli nie podoba ci się kolor jego oczu".

Rzucił wizytówkę na trawę.

„Dwa, trzy miesiące...".

Przeprawa promem potrwa dwa dni, a kto wie, ile czasu zajmie im odnalezienie głowy w Albionie. Potem powrót do Lotaryngii i Austrazji, gdzie będą szukać ręki i serca. Setki mil ze śmiercią na karku. Być może jego ostatnia szansa pojawiła się za późno.

Wiatr przenikający przez mokrą od potu koszulę przywiał smród pobliskich mokradeł. Dwa księżyce zniknęły za ciemnymi chmurami, a świat wokół na moment stał się mroczny i obcy, jakby chciał mu przypomnieć, że nie jest jego domem.

„Gdzie wolałbyś umrzeć, Jakubie? Tutaj czy tam?".

Parę gnanych wiatrem suchych liści wpadło do ognia, a wraz z nimi wizytówka Earlkinga. Nie zapaliła się. Liście, na których spoczęła, rozsypały się na popiół, a kartonik trwał nietknięty, taki, jaki Earlking wetknął mu do ręki. Jakub chwycił za szablę i klingą wypchnął wizytówkę z płomieni. Ujął śnieżnobiały kartonik w palce.

Wizytówka była zaczarowana. Jak przedostała się do tamtego świata?

„Głupie pytanie, Jakubie. A jak przedostał się tam dżin?".

Kto mógł przenieść wizytówkę przez lustro? A przede wszystkim – czy Earlking wiedział, co mu wtyka do ręki? Zbyt wiele było tych pytań. Jakub miał niejasne poczucie, że odpowiedzi na nie by mu się nie spodobały.

Odwrócił kartonik. Natychmiast wypełnił się słowami, a gdy Jakub przejechał po nich palcem, poplamił go sobie atramentem.

Dobry wieczór, Jakubie.
Żałuję, że nasze spotkanie było tak krótkie, ale mam nadzieję, że w przyszłości będziemy stykać się o wiele częściej. Niewykluczone, że kiedyś będę mógł okazać Ci pomoc w czekającej Cię misji. Oczywiście nie całkiem bezinteresownie, ale obiecuję, że cena nie będzie wygórowana.

Pismo wyblakło, gdy tylko Jakub przeczytał ostatnie słowo, a wizytówka na powrót pokazywała tylko wydrukowane nazwisko Earlkinga.

Szmaragdowozielone oczy. Czyżby Earlking był leprechaunem? A może jednym z gliniemów, lepionych – jeśli wierzyć legendom – przez czarownice w Suomie i budzonych do życia ich śmiechem? Gliniem w Chicago? Nie. To musiała być jakaś tania sztuczka, żart staruszka, który przez przypadek stał się posiadaczem magicznego przedmiotu. Jakub zwalczył pokusę, by wyrzucić wizytówkę, owinął ją w złotą chusteczkę i schował z powrotem do kieszeni. Lisica miała rację. Potrzebował snu. Ułożywszy się przy dogasającym ogniu, usłyszał strzały. Leżał i nasłuchiwał w ciemnościach, aż wreszcie po paru godzinach dobiegło go ciche stąpanie lisich łap, a chwilę później Lisica umościła swój pled obok niego.

Już wkrótce oddychała głęboko i miarowo, co dane jest wyłącznie śpiącym. Jakub, czując przy sobie jej ciepło, zapomniał o czekających go snach, zapomniał o wizytówce, która przyniosła mu słowa z tamtego świata, i wreszcie zasnął.

15
RAPORT PAJĄKA

Powozy i konie wyścigowe – Karol, król Lotaryngii, kolekcjonował je tak samo jak portrety aktorek. Powóz, którym podróżował Nerron, pomalowany był w narodowe barwy Lotaryngii i miał drzwi wysadzane diamentami. Koślawy wykazywał się znacznie lepszym gustem przy wyborze ubrań. Nerron długo szukał zakamarka, w którym nie byłby obserwowany ani przez szpiegów króla, ani przez agentów Onyksa, ponieważ to, czego zamierzał się dowiedzieć, nie było przeznaczone dla niczyich uszu.

Gdzie był Jakub Reckless? Mały psikus z drzwiami z pewnością nie zatrzymał go w krypcie zbyt długo.

Pierwsza złota reguła łowcy skarbów (dająca się rozciągnąć na wszystkie dziedziny życia) brzmiała: nigdy nie lekceważ przeciwnika. A zatem – gdzie on był?

Medalion, który Nerron wyciągnął spod jaszczurczej koszuli, stanowił jedną z jego największych kosztowności. Ze środka wypełzł pająk – ukradł go w swoje piąte urodziny i tym samym ocalił własne życie. Onyksowie wszystkie swoje bękarty pomiędzy piątym a siódmym rokiem życia zapraszali do pałacu położonego na brzegu podziemnego jeziora, które było tak głębokie, że żyjące w nim mureny osiągały podobno długość stu metrów. Nerron nie pojmował, dlaczego jego matka ani trochę nie cieszyła się z tego zaszczytu. Nie odzywała się ani słowem, kiedy on z otwartą buzią podziwiał cuda podziemnego pałacu. Do tej pory dom był dla niego grotą w skalnej ścianie, z niszą do spania i stołem, przy którym matka szlifowała malachit, podobny do jej skóry. Nerron nie był ani postawny, ani piękny – cechy, do których Onyksowie przywiązywali wielką wagę – a jego matka wiedziała, co to oznacza. Lordowie z rodu Onyksów skąpili swojej krwi. Odrzucone podczas oględzin bękarty topiono w jeziorze. Pięciolatek, który czekając na wyrok w bibliotece, zdołał ukraść kosztowne szpiegowskie narzędzie, rokował, że w przyszłości okaże się przydatny.

Pająk poruszał się niemrawo, ale gdy Nerron dźgnął go pazurem w brzuch, rozpoczął swój taniec. Bliźniacze pająki. Były rzadkie i cenne. Potrzebował wielu miesięcy, by zrozumieć, co wypisywało osiem pajęczych nóżek na jego dłoni. Niemy taniec przypominał taniec pszczół wskazujący towarzyszkom drogę do obiecujących kwiatów. Tyle że pająk opowiadał nie to, co zobaczył on sam, lecz to, co widział jego bliźniaczy brat. Drugi pająk wśliznął się w załomki ubrania Jakuba w krypcie Gizmunda. Głowa. Ręka. Serce. Czego Reckless poszuka najpierw? Słowa wypisywane przez pająka brzmiały jak strzępki rozmowy: „...stary przyjaciel... nie wie... dawno temu... dwie, trzy godziny do promu...".

Prom... To mogło oznaczać wyłącznie Albion, a zatem zachód. Znakomicie. Już na samą myśl o Wielkim Kanale Nerronowi robiło się niedobrze. Wilgotne lęki goyli... Jeśli głowa spoczywała w Albionie, to Reckless, znajdując ją i przywożąc na kontynent, oddawał mu wielką przysługę.

Pająk tańczył dalej, ale jego bliźniaczy brat był okropnie gadatliwy i powtarzał jak papuga wszystko, co zasłyszał. Kogo, u diabła, obchodzi, jaki kolor ma niebo, które oglądał Reckless, jaki zapach unosi się w powietrzu i czy śpi pod gołym niebem, czy w hotelu?

„No, dalej!".

Dokąd udawał się Reckless? Wiedział już, gdzie szukać ręki i serca? Ale pająk powtarzał tylko zawartość karty dań w jakiejś flandryjskiej gospodzie. Do diaska, gdybyż te bestie miały choć odrobinę rozumu!

– Czy to ty jesteś goylem, który towarzyszy księciu? – rozległ się czyjś głos będący zaledwie wilgotnym szeptem.

Za oknem powozu stał wodnik, łuskowaty jak jaszczurki, z których wykonana była odzież Nerrona. Jego sześcioro oczu było tak samo bezbarwne jak woda, którą koniuszowie Koślawego poili konie.

„Goyl, który towarzyszy księciu. No i znakomicie...".

– Książę czeka. – Każde słowo wodnika brzmiało jak groźba.

Pięknie. Niech sobie książę czeka, aż mu pod jego królewskimi pachami urośnie mech. Nerron schował pająka w medalionie.

Podążył przez zamkowy dziedziniec za wodnikiem, którego uniform marszczył się, jakby ciało strażnika wzbraniało się przed strojem. Żyjąc w bajorach, wodniki przykrywały skórę wyłącznie glonami i mułem. Na lądzie nie grzeszyły czystością. Niewiele było stworzeń, które wzbudzały w goylu większe obrzydzenie.

Książę i wodnik.

„Na łajno salamandry..." – zaklął w duchu Nerron i splunął, łowiąc jednocześnie ganiące spojrzenie bezbarwnych oczu. Pocieszył się, że wodniki nie uchodziły za zbyt rozmowne, i miał cichą nadzieję, że jako książęca obstawa odstępowały od zwyczaju zaciągania każdej co ładniejszej dziewczyny do bajora.

„Książę czeka".

Nerron przeklinał go z każdym krokiem, który zbliżał go do niego. Louis Lotaryński oczekiwał ich u wrót stajni, gdzie jego ojciec trzymał konie do polowania. Miał na sobie strój podróżny, który niechybnie zwabi każdego rozbójnika w promieniu stu mil. Jedyna nadzieja, że po kilku dniach będzie sztywny z brudu, a brylantowe guziki rozkradną chochliki. Następca tronu wyraźnie jadł zbyt dużo i zbyt dobrze. Platynowoblond kędziory opadały nieuczesanymi strąkami na nalane, mleczne oblicze, jakby panicz przed chwilą został wyciągnięty z łóżka przez służących. Jednego Louis zabrał z sobą: sługus sięgał mu ledwie do piersi i w czarnym sztywnym surducie przypominał chrząszcza. Wzrok, którym taksował Nerrona, był tak zdumiony, jakby jeszcze nigdy w życiu nie widział na oczy goyla. Nerron odwzajemnił ponure spojrzenie.

„Wszystko, co słyszałeś o goylach, to prawda, żuczku".

Wodnik, książątko i żuk… Jakub Reckless, widząc to, zacierałby dłonie.

– Czego my konkretnie szukamy? – odezwał się Louis opryskliwie, jak przystało na rozkapryszonego królewskiego bachora.

Niedawno obchodził siedemnaste urodziny, ale jego niewinne oblicze wprowadzało w błąd. Powiadano, że nie były przed nim bezpieczne ani pokojówki matki, ani jej srebra, które regularnie zastawiał, żeby pokryć długi hazardowe lub opłacić krawców.

– Ojciec waszej wysokości przekazał mi, że chodzi o Gizmunda, Rzeźnika Czarownic. – Głos Żuka zabrzmiał, jakby metalowe oprawki okularów ściskały mu nos. – Wasza wysokość z pewnością przypomina sobie lekcję o przodkach. Najmłodszy syn Gizmunda jest jednym z twoich pradziadów, panie, aczkolwiek nie w linii prostej.

Fakt, potomkom w linii prostej lud Lotaryngii pościnał głowy, pomyślał Nerron.

– Przez kuzyna z nieprawego łoża – dodał Żuk i zamknął usta, przyklepawszy przerzedzone włosy, jakby chciał powinszować sobie własnej erudycji.

Nauczyciel. Koślawy na misję poszukiwawczą syna posyłał nauczyciela. Nerron zapragnął znaleźć się gdzieś bardzo, bardzo daleko. Nawet piekło brzmiało zachęcająco.

Louis, znudzony, wzruszył ramionami, odprowadzając wzrokiem podkuchenną, która akurat przemierzała dziedziniec. Oby naprawdę okazał się takim głupcem, na jakiego wyglądał. To ułatwiłoby utrzymanie pewnych spraw w tajemnicy.

– Możemy przynajmniej wziąć nowy powóz? – zapytał. – Ten, do którego nie trzeba zaprzęgać koni. Mój ojciec kazał sprowadzić jeden z Albionu.

„Zignoruj go, Nerronie. Albo zatłuczesz go na śmierć najpóźniej drugiego dnia".

– Ruszamy za godzinę – odezwał się do wodnika. – Konno – dodał, przenosząc wzrok na Louisa. – Ale najpierw, panie, poznam bliżej twojego nauczyciela.

Złapał Żuka za kołnierz, co jego ucznia zgodnie z oczekiwaniami nie obeszło ani trochę, po czym pociągnął ku sobie.

– Arsene Lelou. Podróżuję nie tylko w charakterze nauczyciela Louisa! – wyjąkał Żuk. – Jego ojciec zlecił mi misję utrwalenia przygód syna dla potomności. Niektóre gazety wyraziły nawet zainte…

Nerron przerwał mu cmoknięciem. Onyksowie byli świetnymi nauczycielami, jeśli chodzi o szykanowanie poddanych.

– Zakładam, że wiesz to i owo o najmłodszym synu Rzeźnika Czarownic?

Na gładkiej twarzy Żuka zakwitł cień pobłażliwego uśmiechu.

– Wiem o nim wszystko. Oczywiście nie dzielę się wiedzą o rodzinie królewskiej z każdym…

– Z każdym kim? Posłuchaj mnie, Arsenie Lelou! – wyszeptał do niego Nerron. – Zabicie cię przyjdzie mi z większą łatwością niż przetrącenie karku chochlikowi. Obaj wiemy, że twój uczeń nie kiwnie dla ciebie palcem. Może powinieneś zatem rozważyć, czy jednak nie podzielić się ze mną swoją wiedzą. – Nerron obdarzył go uśmiechem, z którym byłoby do twarzy niejednemu wilkowi.

Arsene Lelou poczerwieniał, jakby zamienił się w karneol.

– Co chcesz wiedzieć? – rzucił przez nos. Bardzo się starał uchodzić za dzielnego żuczka. – Mogę podać daty

127

i miejsca jego najważniejszych zwycięstw. Znam na pamięć większą część jego korespondencji z siostrą Orgeluzą na temat dziedzictwa tronu Austrazji, tekst umów rozjemczych z bratem, które zostały parokrotnie pogwałcone przez Feirefisa, jego...

Nerron machnął niecierpliwie ręką.

– Wiesz coś na temat odciętej ręki, którą Rzeźnik Czarownic zostawił w spadku Garumetowi?

„Uszczęśliw mnie, Żuczku. Powiedz tak".

Ale Lelou tylko ściągnął usta z niesmakiem.

– Żałuję, ale pierwsze słyszę o tak groteskowym spadku. Czy to wszystko?

Jego cofnięty podbródek drżał, nie wiadomo, ze strachu czy upokorzenia. Skłonił się sztywno i już się zbierał do odejścia, ale przystanął po dwóch krokach.

– Chociaż był pewien incydent – Lelou poprawił okulary z tak przemądrzałą miną, że Nerron najchętniej zrzuciłby mu je z nosa jednym ciosem – dotyczący ulubionego sługi wnuka Garumeta. Uduszono go odciętą ręką.

„Trafiony".

– Co się stało z tą ręką?

Lelou wygładził kamizelkę wyszywaną herbami Lotaryngii.

– Wnuk Garumeta kazał wytoczyć jej regularny proces, w którym została skazana na śmierć.

– To znaczy?

– Przekazano ją katu, poćwiartowano i pochowano u stóp ofiary.

– Gdzie?

– Na cmentarzu opactwa w Fontevaud.

Fontevaud. To oznaczało sześć dni w siodle – o ile książątko nie zechce zbyt często zatrzymywać się na popas. Reckless na pewno do tego czasu zabawi w Albionie. „Głowa na zachodzie. Ręka na południu".

Nerron uśmiechnął się. Był przekonany, że zdobędzie rękę, zanim Reckless w ogóle zdoła się dowiedzieć, gdzie jest głowa. Poszło łatwiej, niż się spodziewał. Może to wcale nie był najgorszy pomysł, by zabrać na misję uczonego Żuka. Nerron sam nie był za pan brat z książkami, w przeciwieństwie do Recklessa, o którym powiadano, że znał każdą bibliotekę między Morzem Białym a Lodową Krainą i spędzał całe tygodnie pochylony nad starymi zwojami, gdy tylko zwęszył trop jakiegoś skarbu. Nie, to nie jego świat. On wolał szukać tropów w więzieniach, gospodach albo na skraju drogi. Ale taki uczony Żuk... Nerron poklepał Lelou po wątłym ramieniu.

– Nieźle, Arsene – pochwalił go. – Właśnie znacznie zwiększyłeś swoje szanse na przeżycie tego przedsięwzięcia.

Lelou popatrzył nań, jakby nie był pewien, czy te słowa naprawdę mają go uspokoić. Przy stajni Louis dyskutował z wodnikiem, ile koni będą potrzebować do przetransportowania jego podróżnego ekwipunku.

– Nikomu ani słowa, o czym rozmawialiśmy! – szepnął Nerron w stronę Lelou, kiedy wracali w ich kierunku. – I zapomnij o gazetach, nawet jeśli Louis chętnie widziałby swe oblicze na pierwszych stronach. Chcę widzieć najpierw każdą napisaną przez ciebie sylabę i oczekuję, co oczywiste, że moja rola w tej przygodzie zostanie przedstawiona w jak najkorzystniejszy sposób.

16
GŁOWA NA ZACHODZIE

Większość statków stojących w porcie Dunkierki potrzebowała wiatru w żaglach, by przebyć morza świata za lustrem. Wiatr świszczący między ich masztami przyprawiał powietrze tym, co przywoziły z najdalszych zakątków tego świata: srebrnym pieprzem, szeptodrzewem, egzotycznymi zwierzętami przeznaczonymi dla książęcych ogrodów zoologicznych w Lotaryngii i Flandrii... Lista nie miała końca. Jednak promy kursujące do Albionu miały już zamiast masztów kominy i pogardliwie pluły wiatrowi w twarz brudną parą.

Prom, na który dostali się Jakub z Lisicą, potrzebował na pokonanie Wielkiego Kanału dzielącego Albion od kontynentu więcej niż trzech dni. Morze było niespokojne, a kapitan co rusz dławił moc silników, by rozglądać się za gigantyczną kałamarnicą, która parę tygodni wcześniej wciągnęła w głębiny inny prom.

Jakub miał wrażenie, że czas przecieka mu między palcami. Lisica stała przy relingu i wpatrywała się we wzburzone fale, jakby mogła myślami przywołać wybrzeże. Niechęć Jakuba do statków była niemal tak wielka jak u goyli. Lisica natomiast stała na chybotliwych deskach pokładu, jakby się na nich urodziła. Była córką rybaka. Tylko tyle zdradziła Jakubowi o swym pochodzeniu. Nadal niechętnie, jeszcze bardziej niż on sam, opowiadała o przeszłości. Jedyne, co o niej wiedział, to że urodziła się w wiosce na północy Lotaryngii, a ojciec zmarł niedługo po jej narodzinach. Matka wkrótce ponownie wyszła za mąż i wydała na świat trzech synów.

Kredowe skały, które czwartego dnia wreszcie wyłoniły się z szarej kipieli, wyglądały tak samo jak w świecie Jakuba. Tyle że z białego wybrzeża Albionu spoglądało na nadchodzące statki siedmiu królów i jedna królowa. Każdy z wizerunków był tak ogromny, że w pogodne dni widoczne były z odległości wielu mil. Słone powietrze pożerało ich oblicza równie bezlitośnie, jak spaliny pożerały pomniki w innym świecie. Twarz panującego aktualnie króla zakryta była rusztowaniem, gdzie tuziny kamieniarzy uwijały się, by odnowić wąsy, dzięki którym władcy nadano przydomek Mors.

Lisica taksowała wzrokiem wybrzeże Albionu jak wrogi ląd. Na widowniach tutejszych teatrów frenetycznie oklaskiwano zmiennokształtnych, którzy na scenie zmieniali się w osły lub psy. Za to na lisy polowano pośród zielonych wzgórz z taką namiętnością, że Jakub wymógł na niej obietnicę, iż nie będzie nosić lisiej sukni na wyspie. Albion... Chanute twierdził, że niegdyś żyło tu więcej magicznych stworzeń niż w Lotaryngii i Austrazji razem wziętych. Teraz jednak fabryki prędzej wyrastały na ciężkich od deszczu łąkach niż w Szwansztajnie. Kiedy Jakub prowadził konia, lawirując między powozami oczekującymi na kei, wydawało mu się, że na okolicznych wzniesieniach widzi miasta rozrastające się niepohamowanie jak w innym świecie. Ale nie, pagórki jeszcze pokrywały zaklęte lasy, o wiele bardziej przemawiające do jego serca niż ulice i parki, pośród których wychowywał się wraz z Willem. Jakub często się zastanawiał, czy ojciec kochał tutejszy świat bardziej za jego dzikość czy za to, że mógł tu podawać wynalazki z innego świata za własne.

Ruszyli jedną z mniej uczęszczanych dróg na północny zachód. Trakt wił się pośród pól i pastwisk, które kazały zapomnieć o tym, że chochliki i biesuny stanowiły w Albionie już taką samą rzadkość jak hoby, tutejszy wariant domowych skrzatów, albo pokryte łuskami konie wodne, jeszcze parę lat temu pasące się nad każdą rzeką. Ostatni złoty kruk sztywniał wypchany w jakiejś muzealnej gablocie, jednorożce zdobiły wyłącznie królewskie herby, a Albion budował w Londrze, swojej starej stolicy, pałace oddające hołd nowej magii: nauce i sztuce inżynierskiej. Celem Jakuba było jednak inne miasto.

Pendragon był położony zaledwie czterdzieści mil w głąb lądu, liczył niemal tyle samo wież co Londra i był tak stary, że rok jego założenia stanowił przedmiot niekończących się dysput. Miasto było ponadto siedzibą najstarszego uniwersytetu Albionu. Jego centrum znaczył ogromny głaz wypolerowany dotykiem niezliczonych dłoni. Lisica również ściągnęła wodze, by pogładzić jego powierzchnię, zanim ruszyła dalej. Powiadano, że to z tego kamienia Artur Pendragon wyciągnął magiczny miecz i w ten sposób stał się królem Albionu – na długo zanim nastał Gizmund. Żadnego innego króla w świecie za lustrem nie spowijała tak gęsta plątanina prawd i mitów jak króla Artura. Podobno zrodziła go nimfa, a ojcem był olchowy elf, przedstawiciel legendarnego i nieśmiertelnego ludu olch, stworzeń znienawidzonych przez nimfy, które wytępiły je tak skutecznie, że nie pozostał po nich najmniejszy ślad. Artur dał Pendragonowi nie tylko nazwę, ale też uniwersytet, który sam założył, tchnąwszy w kamień węgielny tak silną magię, że stare mury nadal świeciły nocami jasnością, która wszelkie latarnie czyniła zbędnymi.

Gmachy uczelni leżały za kutym z żelaza ogrodzeniem otaczającym je niczym pozostałości zaklętego miasta. Bramę zamykano o zachodzie słońca. Lisica nasłuchiwała chwilę odgłosów nocy, po czym zwinnie przeskoczyła górą. Straże pilnujące terenu po zmroku czyniły swą powinność już od tak wielu lat, że właściwie dawno należało przenieść je w zasłużony stan spoczynku. I tak jedyne, czego doglądały, były to niezliczone ilości starych ksiąg i zapach przeszłości, który niespiesznie mieszał się z wonią postępu.

Wieże z szarawego kamienia i spadziste dachy, ciemne okna łowiące światło dwóch księżyców – Jakub kochał uczone labirynty Pendragonu. Spędził w Wielkiej Bibliotece nieskończone godziny, wysłuchiwał w aulach wykładów o leprechaunach i starych dialektach lotiańskich wiedźm, w hali szermierczej przyswoił parę (zdumiewająco brudnych) fint... by wciąż na nowo łapać się na tym, jak bardzo pragnie zrozumieć ten świat, w przeciwieństwie do tych, którzy się w nim urodzili. Wszystkie te lata spędzone na tropieniu zaginionych magicznych skarbów napełniły go poczuciem, że stał się obrońcą przeszłości, zaniechanej przez mieszkańców tego świata.

Większość okien Wydziału Historii była ciemna, podobnie jak w innych budynkach. Tylko na drugim piętrze paliło się jeszcze światło. Robert Lewis Dunbar uwielbiał pracować do późna.

Nawet nie podniósł głowy, kiedy Jakub przestąpił próg jego gabinetu. Biurko miał tak zawalone książkami, że ledwie go było widać zza ich stert, a Jakub zadał sobie pytanie, po którym stuleciu błądzi akurat uczony. Niełatwo być synem czystej rasy FirDarriga i zdolnym historykiem jednocześnie. Dunbar musiał wykazywać się większą błyskotliwością od kolegów rasy ludzkiej, ale przychodziło mu to z łatwością, mimo iż odziedziczył po ojcu szczurzy ogon i gęsto porośniętą sierścią skórę. Dunbar nie odziedziczył spiczastego pyszczka. Dzięki urodzie matki miał twarz uchodzącą za w miarę przystojną. Większość FirDarrigów pochodziła z sąsiadującej z Albionem wyspy Fianny. Potrafili stawać się niewidzialni, a także, o czym wiedzieli tylko nieliczni, mieli fotograficzną pamięć.

– Jakub... – odezwał się Dunbar, nadal nie podnosząc głowy. Odwrócił przeczytaną stronę i podrapał się po owłosionym policzku. – Pozostaje jedną z zagadek tego uniwersum, dlaczego zwierzchnictwo uniwersytetu zatrudnia strażników, których głuchota dorównuje ślepocie. Na szczęście nie da się pomylić twego pirackiego chodu z niczyim innym. Ciebie oczywiście nie słyszałem, Lisico! – Podniósł wzrok i obdarzył ją uśmiechem. – Na miecz Pendragona, Lisica wydoroślała! I nadal z nim wytrzymujesz? – Zatrzasnął księgę i rzucił Jakubowi kpiące spojrzenie. – Czego szukasz tym razem? Koszuli bogini Habetrot? Podkowy gryfona? Powinieneś zmienić zawód. Żarówka, bateria, aspiryna, to są słowa, które brzmią magicznie w dzisiejszych czasach.

Jakub podszedł do biurka i otaksował książki, w których Dunbar co noc zanurzał się niczym w papierowym pejzażu.

– *Historia Mauretanii, Latające dywany* i *W królestwie czarodziejskich lamp*. Wybierasz się w podróż?

– Być może.

Dunbar złapał muchę i dyskretnie włożył ją sobie do ust. Żaden FirDarrig nie mógł się oprzeć przelatującemu owadowi.

– Co ma począć historyk w kraju, który myśli wyłącznie o przyszłości? Co dobrego może przynieść świat dyrygowany wskazówkami i trybikami?

Jakub otworzył jedną z ksiąg i przyjrzał się ilustracji latającego dywanu, który unosił dwa konie wraz z jeźdźcami.

– Uwierz mi, to dopiero początek.

Dunbar porozumiewawczo mrugnął do Lisicy.

– Lubi zgrywać proroka, prawda? Ale jak pytam, co dokładnie widzi w przyszłości, wymiguje się od odpowiedzi.

– Może zdradzę ci coś pewnego dnia.

Nie było nikogo, komu Jakub chętniej opowiedziałby o innym świecie. Za każdym razem kiedy go widział, wyobrażał sobie, jak uczony otwiera krótkowzroczne oczka na widok drapacza chmur albo odrzutowca. I mimo że Dunbar krytycznie przyglądał się postępowi w swoim świecie, Jakub nie znał nikogo, kto dorównywałby mu wiedzą, mądrością, a jednocześnie nienasyconą dziecięcą ciekawością.

– Nie odpowiedziałeś na moje pytanie – przypomniał mu Dunbar, odnosząc stertę książek do jednego z regałów z ciemnego drewna, wypełniających drukowaną wiedzą każdy kąt jego pracowni. – Czego szukasz?

137

Jakub odłożył tom o latających dywanach na biurko. Chciałby szukać teraz podobnie niewinnego magicznego artefaktu.

– Szukam głowy Gizmunda, Rzeźnika Czarownic.

Dunbar stanął jak wryty, a jedna z książek wymsknęła mu się z ramion. Schylił się, by ją podnieść.

– W takim razie najpierw musisz odnaleźć jego kryptę – odparł niezwykle chłodnym jak na niego tonem.

– Znalazłem ją. Zwłokom Gizmunda brakuje głowy, serca i prawej ręki. Myślę, że kazał wysłać głowę do Albionu. Do najstarszego syna.

Dunbar, nie mówiąc ani słowa, umieścił książki na półce, każdą z osobna. Potem odwrócił się i oparł o ich skórzane grzbiety. Jak zwykle miał na sobie długi surdut, który skrywał szczurzy ogon. Tylko jaskrawa czerwień stroju zdradzała FirDarriga. Niemal nigdy nie nosili innego koloru.

– Chodzi o kuszę, prawda? Wiem, że jestem ci coś winien, ale w tym ci nie pomogę.

Przed laty Jakub obronił Dunbara przed paroma pijanymi żołnierzami, którzy zabawiali się przypalaniem mu sierści.

– Nie przybyłem tu po to, żeby odbierać długi. Ale muszę znaleźć tę kuszę.

– Dla kogo? – Dunbar zjeżył się jak szykujący się do ataku pies. – Chłopi orzący pługami pola bitwy nadal wydobywają z ziemi ludzkie kości. Czyżbyś sprzedał sumienie za trzos złota? Czy ty w ogóle zastanawiasz się czasem, co robisz? Wy, łowcy skarbów, uczyniliście z magii tego świata towar, na który stać tylko najmożniejszych!

– Jakub nie zamierza spieniężać tej kuszy!

Dunbar puścił jej słowa mimo uszu. Wrócił za biurko i nerwowym ruchem zaczął wertować notatki.

– Nic nie wiem o głowie – rzekł, nie patrząc na Jakuba. – I nie chcę wiedzieć. Jestem pewien, że zapytasz innych, ale mam nadzieję, że nikt nie będzie w stanie udzielić ci odpowiedzi, której szukasz. Ten kraj na szczęście stracił zainteresowanie czarną magią. Przynajmniej jakiś postęp. A teraz wybacz. Jutro muszę wygłosić odczyt o roli Albionu w handlu niewolnikami. Kolejny smutny rozdział w historii.

Usiadł za biurkiem i otworzył jeden z leżących przed nim woluminów. Lisica rzuciła Jakubowi bezradne spojrzenie. Chwycił ją za rękę i pociągnął do drzwi.

– Przepraszam – zwrócił się do Dunbara. – Nie powinienem był przychodzić.

Dunbar nie podnosił wzroku znad księgi.

– Lepiej, by pewne rzeczy pozostały nieodnalezione, Jakubie – odparł. – Nie jesteś jedynym, który chętnie o tym zapomina.

Lisica chciała zaoponować, ale Jakub pospiesznie wypchnął ją z pokoju.

– Zapominam rzadziej, niż myślisz, Dunbarze – zapewnił go, po czym zamknął za sobą drzwi.

I co teraz? Powiódł wzrokiem wzdłuż ciemnego korytarza. Lisica miała wypisane na twarzy to samo pytanie. I tę samą obawę.

Na końcu korytarza pojawił się rozkołysany kaganek. Dzierżący go strażnik był prawie tak stary jak ten gmach. Jakub zignorował jego zdumione spojrzenie i minął go bez słowa.

Noc była pogodna, a dwa księżyce plamiły dachy rdzawą i srebrną poświatą. Lisica odezwała się dopiero wtedy, gdy dotarli do żelaznej bramy.

– Zawsze masz plan awaryjny. Wyjawisz mi go?

Tak, Lisica dobrze go znała.

– Muszę zdobyć krwawe szkiełko.

Chciał przeskoczyć przez bramę, ale Lisica chwyciła go za ramię i pociągnęła szorstko z powrotem.

– Nie.

– Co nie?

Nie chciał być tak obcesowy. Ale czuł bezgraniczne zmęczenie, a w dodatku miał serdecznie dosyć uciekania przed śmiercią.

„Zapomniałeś o czymś, Jakubie. O strachu. Ty się boisz".

– Muszę odnaleźć głowę, a nie mam pojęcia, gdzie jej szukać, o ręce i sercu nie wspominając. Jedyna osoba, co do której miałem nadzieję, że mi pomoże, ma mnie za idiotę bez sumienia, więc wszystko wskazuje na to, że najpóźniej za trzy miesiące sam spocznę w trumnie!

– Co? – Głos Lisicy załamał się, jakby odłamek prawdy utkwił jej w krtani.

„Szlag by to, Jakubie".

Pchnęła go na bramę.

– Mówiłeś, że nie wiesz!

– Przepraszam.

Niechętnie pozwoliła, by ją objął. Serce biło jej ze strachu tak szybko jak wtedy, gdy uwolnił z wnyków jej zranioną łapę.

– Ale to nic nie zmienia, że wiesz, prawda?

Wyswobodziła się z jego objęć.

– Razem – przypomniała mu. – Czy nie taki mieliśmy plan? Nigdy więcej mnie nie okłamuj. Mam tego dość.

17
PIERWSZE
UGRYZIENIE

Są rzeczy, których należy szukać w brudzie. Mroczne rzeczy, do których trafia się tropem zapachu biedy, w ciemne uliczki z dala od gazowych latarni i otynkowanych na biało domów, na tylne podwórza cuchnące odpadkami i złym jedzeniem. Jakub zapytał o drogę mężczyznę, który siedząc w kucki w bramie budynku, wyciskał srebrny pyłek ze schwytanego elfa. Elfi pyłek – niebezpieczny sposób na zapomnienie o świecie.

W witrynie sklepu, do którego ich skierował, nie zauważyli nic podejrzanego. Było dobrze po północy, ale to, czego szukał Jakub, kupowało się pod osłoną nocy. Handel przedmiotami i substancjami magicznymi podlegał w Albionie ścisłej reglamentacji. Mimo to, kto szukał we właściwym miejscu, mógł dostać niemal wszystko, co było dostępne na kontynencie.

Gdy Jakub zapukał w mleczną szybę, zza drzwi dobiegł wrzask hoba. Tutejsze domowe skrzaty miały włosy koloru marchewkowego i znacznie dłuższe nogi niż ich austrazyjscy kuzyni. Kobieta, która im otworzyła, usilnie starała się wyglądać jak czarownica, ale jej źrenice były okrągłe jak u człowieka, a ziołowe perfumy, którymi obficie spryskała głęboki dekolt, w niczym nie przypominały leśnej woni, jaka otaczała Almę. Hob tkwił w klatce nad drzwiami. Hoby uchodzą za niezawodnych strażników, o ile karmi się je regularnie, a trzymane w zamknięciu tylko nieznacznie smętnieją. Ten wbił czerwone ślepia w Lisicę. Wyczuwał zmiennokształtną.

Fałszywa czarownica zaryglowała drzwi, jednocześnie taksując wzrokiem strój Jakuba. Krój i porządny materiał szepnęły jej „pieniądze", więc posłała mu uśmiech tak samo fałszywy jak jej pachnidło. W sklepiku unosił się zapach bagiennych lilii, co nie wróżyło nic dobrego. Klientom wmawiano często, że to lilie nimf. Także suszące się u powały gąbczaki – grzybki sprzedawane jako afrodyzjaki – wywoływały jedynie dożywotnie omamy. Jakub dostrzegł jednak na półkach parę drobiazgów, wyglądających naprawdę na magiczne.

– Co Złotowłoska może uczynić dla dwojga gołąbeczków? – Zaśmiała się ochryple, zdradzając tym samym, że jest amatorką żucia soczeziaren. Nałóg Kopciuszka... soczeziarna na parę godzin przenosiły tego, kto je zażył, do krainy snów o księżniczkach. Czarownica uśmiechnęła się lubieżnie do Lisicy. – Potrzebujecie czegoś do rozniecenia wygasłej namiętności? A może stoi wam na drodze ktoś trzeci?

Jakub najchętniej napoiłby ją jej własnym najbardziej trującym eliksirem. Jasne pukle na jej głowie rzeczywiście mieniły się złotem, ale tym jego lepkim rodzajem, które fałszywe czarownice warzyły do farbowania włosów i ust.

– Potrzebuję krwawego szkiełka – oznajmił Jakub, rzucając na brudny kontuar dwa talary.

Schowana w kieszeni chusteczka ostatnimi czasy zawodziła. W wielu miejscach była już tak wytarta, że wkrótce będzie musiał rozejrzeć się za nową.

Złotowłoska badawczo potarła talary w palcach.

– Za sprzedaż krwawych szkiełek grozi pięć lat więzienia – odparła.

Jakub położył jej na dłoni kolejnego talara. Wsunęła zapłatę do kieszeni fartucha i zniknęła za podniszczoną zasłoną. Lisica z pobladłą twarzą odprowadziła ją wzrokiem.

– Nie zawsze działają – powiedziała, nie patrząc na Jakuba.

– Wiem.

145

– Będziesz krwawił przez wiele tygodni!

Lisica popatrzyła na niego z taką rozpaczą, że na moment miał ochotę wziąć ją w ramiona i scałować lęk z jej twarzy.

„Co z tobą, Jakubie?" – zmitygował się.

Czyżby umysł zaćmiewało mu całe to dziadostwo wypełniające półki sklepiku, wszystkie te miłosne eliksiry i tanie amulety, kości palców, które noszone w kieszeni miały rozniecać pożądanie i namiętność? A może to kolejny efekt strachu przed śmiercią?

Złotowłoska wróciła z torebką. Szklany odłamek, który Jakub wyjął ze środka, był bezbarwny i niewiele większy od denka butelki.

– Skąd mam pewność, że jest prawdziwy?

Lisica wyjęła szkiełko z ręki Jakuba i przejechała palcami po powierzchni. Potem wbiła wzrok w fałszywą czarownicę.

– Jeśli mu to zaszkodzi, znajdę cię – zagroziła jej. – Gdziekolwiek się schowasz.

Złotowłoska rozciągnęła usta w szyderczym uśmiechu.

– To krwawe szkiełko, skarbie. Oczywiście, że mu zaszkodzi.

Wyjęła z kieszeni fartucha flaszeczkę i wcisnęła mu ją do ręki.

– Natrzyj tym ranę, będzie mniej krwawić.

Hob odprowadzał ich wzrokiem, kiedy jego pani zamykała za nimi drzwi.

Wzdłuż ciemnej uliczki przemknął szczur, a w oddali zabrzmiał hurgot kół dorożki toczącej się po kamiennym bruku.

Jakub schronił się w najbliższej bramie i podwinął rękaw. Krwawe szkiełka. Sam jeszcze nigdy ich nie użył, ale Chanute zdobył niegdyś jedno, kiedy poszukiwali różdżki pewnego czarodzieja. Ich działanie polegało na możliwie jak najdokładniejszym wyobrażeniu sobie tego, co pragnęło się znaleźć. Potem odłamkiem nacinało się głęboką ranę, dopóki w szkiełku niczym w obiektywie lunety nie ukazał się szukany przedmiot – a wraz z nim wystarczająco duży fragment jego otoczenia. Krwawe szkiełka pokazywały wyłącznie przedmioty dotknięte czarną magią, ale głowa Rzeźnika Czarownic spełniała ten warunek aż nadto.

– Znaleźliście wtedy tamtą różdżkę? – zapytała Lisica, ze wstrętem odwracając głowę, gdy Jakub przyłożył szkiełko do skóry.

– Tak – odrzekł.

Nie dodał jednak, że Chanute niemal wykrwawił się na śmierć. To było paskudne zaklęcie.

Ból przeszył mu pierś w tej samej sekundzie, gdy miał docisnąć odłamek do skóry. Jakub jeszcze nigdy nie doznał niczego podobnego. Czuł, jakby coś zatopiło mu zęby w sercu. Szkiełko wypadło mu z ręki, a krzyk, jaki wydał z siebie, był tak przenikliwy, że po drugiej stronie ulicy ktoś otworzył okno.

– Jakubie? – Lisica chwyciła go za ramiona.

Chciał coś powiedzieć, uspokoić ją, ale z jego piersi wydobywało się tylko ciężkie dyszenie. Trzymał się na nogach wyłącznie dzięki temu, że Lisica go podpierała. Jego stare „ja" pragnęło się przed nią ukryć, zbyt dumne, by okazywać słabość, tak bezradne. Ból nie ustępował.

„Oddychaj, Jakubie. Oddychaj. To minie".

Imię Czarnej Nimfy miało sześć liter, ale przypominał sobie tylko pięć z nich.

Oparł się o drzwi, przy których stali, i przycisnął dłoń do piersi, pewny, że zaraz spomiędzy jego palców popłynie strużka krwi. Ból zelżał powoli, ale na samo jego wspomnienie zaczynał szybciej oddychać.

„To nie będzie miłe. Już bardziej nie mogłaś tego zbagatelizować, Almo".

Lisica podniosła z ziemi szkiełko. Było pęknięte, ale nie nosiło najmniejszego śladu krwi. Lisica z niedowierzaniem obejrzała czystą powierzchnię. Potem oderwała dłoń Jakuba od piersi. Na lewym skrzydle ćmy na jego sercu pojawiła się plamka, która wyglądała jak maleńka trupia czaszka.

– Nimfa zaczyna odbierać swoje imię – powiedział z trudem.

Wydawało mu się, że nadal czuje w krtani własny krzyk.

„Weź się w garść, Jakubie".

Ach, ta przeklęta duma. Wyciągnął przed siebie drżącą rękę.

– Daj mi szkiełko.

Lisica wsunęła je do kieszeni kurtki i opuściła mu podwinięty rękaw.

– Nie – powiedziała. – I nie sądzę, byś miał dość siły, żeby mi je odebrać.

18
RĘKA NA POŁUDNIU

W odnik jeszcze najmniej działał na nerwy Nerronowi. Nazywał się Eaumbre... Dźwięk, który wydobywał się z łuskowatych ust, gdy wypowiadał to imię, przywodził na myśl mlaśnięcie błotnistego bajora. Nawet Louis był do zniesienia, mimo że bez przerwy dopytywał się o kolejny posiłek i kłusował za każdą napotkaną wiejską dziewuchą. Ale Lelou! Żuk nieustannie trajkotał, chyba że akurat gryzmolił coś w notatniku. Każdy zameczek ukryty pośród łysych jeszcze po zimie winnych wzgórz, każdy zmurszały kościółek, każda nazwa mijanej miejscowości wywoływały lawinę komentarzy. Nazwiska, daty, ploteczki o koronowanych głowach. Jego paplanina przypominała buczenie trzmiela, które na stałe utkwiło w uszach Nerrona.

– Lelou! – przerwał mu wreszcie, gdy ten objaśniał, dlaczego wioska, przez którą właśnie przejeżdżali, nie mogła być miejscem urodzenia kota w butach. – Widzisz to?

Arsene Lelou zamilkł i popatrzył skonsternowany na trzy przedmioty, które Nerron wysypał ze skórzanej sakiewki na dłoń. Chwilę potrwało, zanim pojął, co widzi.

– Dobrze widzisz! – potwierdził Nerron. – Palec, oko i język. Wszystkie trzy zatruwają mi życie. Jak myślisz, czego cię pozbawię?

Milczenie. Słodka cisza.

Nerron zabrał Trzy Pamiątki, jak pieszczotliwie nazywał je w myślach, z katowni Onyksa. Jeszcze się nie zdarzyło, by nie zrobiły na delikwencie piorunującego wrażenia. Trzeba było zapracować na własną złą sławę, zwłaszcza gdy nie odczuwało się najmniejszej przyjemności podczas odcinania palców i wyłupywania oczu, tak jak on.

Lelou istotnie milczał, dopóki na horyzoncie nie wyrosły przed nimi mury klasztoru Fontevaud. Wystarczyło jedno spojrzenie przez zmurszałą drewnianą bramę, by rozpoznać, że opactwo było opuszczone. W krużgankach krzewiła się pokrzywa, a skromniutkie komnaty zamieszkiwały tylko myszy. Jedyny cmentarz, na jaki się natknęli, liczył osiem drewnianych krzyży, na których wyryto imiona zmarłych mnichów i datę ich śmierci. Żadna z mogił nie miała więcej niż sześćdziesiąt lat, a przecież rękę pogrzebano ponad trzysta lat temu, jeśli wierzyć słowom Żuka.

Nerron poczuł przemożną chęć posiekania Lelou na blade plasterki, niczym z kamienia księżycowego. Lelou zdawał się czytać w jego myślach i skrył się pospiesznie za wodnikiem. Jeszcze nie zapomniał widoku Trzech Pamiątek.

– Chłop – wykrztusił, wskazując palcem starowinę wykopującego kartofle na zapuszczonych polach za klasztorem. – Może on coś wie.

Stary na widok zbliżającego się Nerrona upuścił liche plony na ziemię. Wpatrywał się weń tak przerażonym wzrokiem, jakby z wilgotnej ziemi wyskoczył sam diabeł. W Lotaryngii widok goyla wciąż był rzadkością, choć Kamien zapewne już wkrótce to zmieni.

– Czy jest tu jakiś stary cmentarz? – huknął na dziadka Nerron.

Chłop przeżegnał się i splunął mu pod nogi. W ludowych wierzeniach miało to przeganiać demony. Wzruszające. Goyla splunięciem nie przegonisz. Nerron już chciał złapać wieśniaka za suchą szyję, by nim potrząsnąć, gdy dziadzina padł na kolana.

Louis przydreptał do nich w asyście Lelou i wodnika. Książęca odzież była już lekko sfatygowana, ale nadal wyglądała tysiąckroć lepiej niż jakikolwiek łach, który stary kiedykolwiek nosił na grzbiecie. Chłop z pewnością nie miał pojęcia, że ma przed sobą księcia koronnego Lotaryngii – nie sprawiał wrażenia takiego, co czytuje

153

gazety – ale każdy poddany wiedział, jak wyglądają możni, i rozumiał, że lepiej robić, co każą.

– Zapytaj go, panie, o stary cmentarz – szepnął Nerron do Louisa.

Tamten posłał mu poirytowane spojrzenie. Królewscy synowie nie zwykli przyjmować poleceń. Ale Lelou przyszedł mu z pomocą.

– Goyl ma rację, mój panie! – wyszeptał słodziutko w perfumowane ucho. – Tobie na pewno odpowie!

Louis z obrzydzeniem obrzucił wzrokiem brudne łachmany chłopa.

– Jest tu jeszcze jakiś inny cmentarz? – zapytał znudzonym głosem.

Stary schował głowę w chuderlawych ramionach. Wskazał sękatym palcem pomiędzy choiny rosnące za polem.

– Zbudowali z tego kościół.

– Z czego? – zapytał Nerron.

Chłopina skłonił nabożnie głowę.

– Pełno tego było, wszędzie w ziemi! – wyjąkał, ukradkiem utykając po kieszeniach parę bulw. – A co mieli z tym zrobić?

Kościółek, do którego ich zaprowadził, niczym nie różnił się od innych świątyń w okolicy. Taki sam szary kamień, niezgrabna wieża z płaskim dachem i parę zwietrzałych blanków. Starzec ulotnił się, gdy tylko Nerron pchnął zbutwiałe drzwi.

W środku wszystko, łącznie z herbem wmurowanym w ścianę za ołtarzem, było wykonane z ludzkich kości. Kolumny były obłożone czaszkami, a w zakratowanych bocznych nawach kości piętrzyły się aż po sklepienie. Oczywiście, nie brakowało i rąk: służyły za świeczniki bądź rozczapierzone zdobiły ściany niczym ornamenty. Nerron, sfrustrowany, kopniakiem wgniótł jednej z czaszek twarz. Jak, na zieloną skórę swej matki, miał znaleźć tu właściwą rękę? Podczas gdy on będzie tkwił tu po szyję w spróchniałych kościach, Reckless w spokoju zgarnie głowę i serce.

– Zaraz, czego my szukamy? – spytał Louis, wkładając palec w pusty oczodół.

– Kuszy twojego przodka, panie. – Wilgotny szept wodnika zabrzmiał w pustym kościele jak groźba.

– Kuszy? – Louis wykrzywił pogardliwie usta. – Mój ojciec chyba liczy na to, że goyle, przypuściwszy na nas atak, poumierają ze śmiechu.

– To niezwykła kusza, panie... – zaczął Lelou. – I to dość skomplikowane, o ile dobrze zrozumiałem goyla. – Wydął usta jak strzykająca jadem ropucha. – Najpierw musimy znaleźć rękę, a potem...

– Później to wyjaśnisz – przerwał mu obcesowo Nerron. Zbliżył się do jednej z bocznych naw i spojrzał przez kraty na piętrzące się tam kości. – Jeśli Lelou się nie myli – zwrócił się do Louisa – ręka jest poćwiartowana. Poza tym prawdopodobnie nie została dotknięta rozkładem i ma pozłacane paznokcie.

Wszyscy czarownicy złocili paznokcie, by ukryć, że pleśnieją pod wpływem wiedźmiej krwi.

– Ohyda! – mruknął Louis, bawiąc się brylantowymi guzikami.

Nie brakowało żadnego. Już nawet na chochlikach nie można było polegać.

„Udawaj, że go tu nie ma, Nerronie. Ani jego, ani wodnika, ani gadatliwego Żuka".

Naparł szablą na kraty i po chwili ugrzązł po kolana w kościach. Znakomicie. Podeszwą zgniótł kość przedramienia. Kości goyli po śmierci kamieniały, podobnie jak całe ciało. Rozkład ludzkich zwłok był o wiele mniej apetyczny.

– To idiotyczne. Idę poszukać gospody.

Znudzony wyraz twarzy Louisa ustąpił miejsca złości. Kiedy nie odurzał się elfim pyłkiem lub winem, odzywał się jego gwałtowny temperament. Z jednej z czaszek zdobiących pobliską kolumnę wychynął nie większy od dłoni gnom, którego Eaumbre schwytał, zanim zdążył ugryźć Louisa.

– Żółty follet! – wykrzyknął Lelou, pospiesznie odciągając podopiecznego na bok. – Łatwo go pomylić ze zwykłym folletem domowym, ale... – Przerwał wykład po jednym spojrzeniu Nerrona.

Trzask. Wodnik powiesił zwłoki folleta między filarami, w pajęczynach łapiących kurz i muchy.

– Jeśli złamie się kark jednemu, pozostałe mają nauczkę – wyszeptał.

Lelou zwymiotował pomiędzy kości, natomiast Louis wpatrywał się z fascynacją w drobne ciałko. Nerronowi wydało się, że dostrzega cień okrucieństwa na nalanej gębie księcia. Całkiem przydatna cecha jak na przyszłego władcę.

– W takim razie miłych poszukiwań. – Z tymi słowy Louis rzucił czaszkę w stronę Lelou, który zatoczył się do tyłu, gdy ta trafiła go w pierś. – Ty zostajesz tutaj! – poinstruował wodnika. – Nie potrzebuję psa pasterskiego, żeby się napić, a poza tym twoja paskudna morda odstrasza mi dziewczęta.

Odwrócił się, ale Eaumbre zagrodził mu drogę.

– To rozkaz twojego ojca, panie – wyszeptał.

– Ale go tu nie ma! – syknął Louis. – A zatem zwlecz swoje rybie cielsko na bok, w przeciwnym razie zatelegrafuję do niego, że przyłapałem cię na zaciąganiu do stawu piszczącej wniebogłosy dziewki. – Przejechał dłonią po kędzierzawych włosach i posłał im książęcy uśmiech, po czym dodał: – Każdy z nas bawi się po swojemu.

I przybrawszy pańską pozę, wymaszerował z kościoła, tak mocno zatrzaskując za sobą drzwi, że zbutwiałe drewno popękało w paru miejscach.

– Idź za nim – rzucił Nerron w stronę wodnika.

– Tak, idź za nim, Eaumbre – powtórzył Lelou z paniką w głosie.

Wodnik stał tylko i wpatrywał się sześciorgiem oczu w drzwi, za którymi zniknął Louis.

– No idźże, Eaumbre! – naciskał Lelou przenikliwym głosem.

Wodnik ani drgnął. Dumny jak wodnik – ten zwrot znali nawet goyle.

– A niech tam. Wróci – ustąpił Nerron. – Książątko ma rację. Do zalania się jesteśmy mu niepotrzebni.

Lelou jęknął.

– Ale jego oj…

– Głuchy jesteś? Wróci! – wszedł mu w słowo Nerron. – Musimy znaleźć rękę z pozłacanymi paznokciami. Bierz się do roboty, Lelou!

Żuk chciał coś powiedzieć, ale ostatecznie schował głowę w ramionach i zaczął przekopywać sterty kości wylewające się z bocznej kaplicy.

Eaumbre skinął głową Nerronowi. W sześciorgu oczach malowała się wdzięczność. Kto wie, jakie przyniesie korzyści.

19
MOŻE

Hotel, w którym Lisica zostawiła Jakuba, był tak samo zapyziały jak sklep fałszywej czarownicy. Ból osłabił go jednak bardziej, niż się przyznawał, a na opustoszałych ulicach nie udało się złapać żadnej dorożki, która zawiozłaby ich w lepsze miejsce.

Jakub zamknął oczy w tym samym momencie, w którym wyciągnął się na łóżku, a Lisica została przy nim, dopóki nie upewniła się, że głęboko śpi. Jego oddech był przyspieszony, a na twarzy widziała cienie, które pozostawił po sobie ból.

Pogładziła go delikatnie po czole, jakby mogła palcami zetrzeć te cienie.

„Ostrożnie, Lisico".

Ale czy miała inne wyjście? Schować swe serce w bez-
piecznym miejscu i zostawić go samego ze śmiercią? Czuła, jak miłość porusza się w niej niczym obudzone ze snu
zwierzę.

„Śpij!" – chciała szepnąć. Śpij dalej. Albo jeszcze lepiej – stań się tym, czym byłaś kiedyś. Przyjaźnią, niczym
więcej. Bez tęsknoty za dotykiem.

Jakub przez sen chwycił się za pierś, jakby jego palce
mogły obłaskawić ćmę wgryzającą mu się w serce.

„Pożryj moje! – pomyślała Lisica. – Na co mi ono?".

Jakże inaczej czuła je, kiedy nosiła sierść. Dla Lisicy nawet miłość smakowała wolnością. Pożądanie zjawiało się
i odpływało jak głód, bez owej tęsknoty, którą zaprawione
było trwanie w ludzkiej skórze.

Z trudem przychodziło jej pozostawienie Jakuba samego. Bała się, że ból powróci. Ale to, co zamierzała zrobić,
robiła dla niego. Zamknęła za sobą drzwi obskurnego pokoju, zabierając zarówno klucz, jak i krwawe szkiełko.

Tymczasem nawet Dunbar musiał odejść od biurka.
Jeszcze trochę i wstanie brzask. W domu odwiedziła go
z Jakubem tylko jeden jedyny raz, ale Lisica nigdy nie za-
pominała drogi.

Kosztowało ją sporo wysiłku wytłumaczenie fiakrowi, że nie poda mu adresu, tylko opisze drogę za pomocą drzew i zapachów, ale w końcu się zgodził i po jakimś
czasie wysadził ją przy wysokim żywopłocie, za którym

widniał dom Dunbara. Lisica zadzwoniła do drzwi parę razy, aż usłyszała ze środka czyjś rozzłoszczony głos. Pan domu zapewne dopiero niedawno udał się na spoczynek. Najpierw wysunął przez szparę w drzwiach lufę strzelby, potem jednak, gdy zobaczył, kto za nimi stoi, opuścił broń. Bez słowa zaprosił ją gestem do salonu. Nad kominkiem wisiał portret jego nieżyjącej już matki, a na pianinie, obok wizerunku ojca, stała fotografia przedstawiająca jego samego i Jakuba.

– Co tu robisz? Sądziłem, że wyraziłem się wystarczająco dobitnie. – Dunbar oparł strzelbę o ścianę i nasłuchiwał chwilę, patrząc w stronę mrocznego korytarza, zanim zamknął drzwi.

Mieszkał z ojcem. Jakub opowiadał, że stary FirDarrig rzadko opuszczał dom. Miał dosyć wzbudzania sensacji swą osobą. We Fiannie żyło jeszcze parę setek FirDarrigów, ale w Albionie stanowili taką samą rzadkość jak ciepłe lato.

Lisica przejechała dłonią po grzbietach książek, którymi Dunbar otaczał się w domu tak samo jak na uczelni. W domu, w którym się wychowała, nie było ani jednej. Dopiero Jakub nauczył ją kochać książki.

– Czy w dzisiejszych czasach ktoś, kto ma w domu i we krwi FirDarriga, musi zbroić się w strzelbę?

– Powiedzmy, że tak jest bezpieczniej. Chociaż jeszcze nie byłem zmuszony jej użyć. Nie jestem pewien, czy strzelby to wynalazek dobry, czy zły. To pytanie pojawia się w przypadku każdej nowinki. Tyle że ostatnimi czasy jak na mój gust trzeba je sobie zadawać nieco zbyt często. – Przeniósł wzrok na Lisicę. – Oboje zatrzymaliśmy się między epokami, prawda? Nosimy przeszłość na skórze, ale przyszłość jest zbyt głośna, by ją ignorować. To, co było, kontra to, co będzie. To, co tracimy, przeciwko temu, co zyskamy...

Dunbar nosił w sobie mądrość. Był mądrzejszy niż ktokolwiek, kogo znała. Każdej innej nocy słuchałaby z zapałem, jak objaśnia jej świat. Ale nie dzisiaj.

– Jestem tutaj, żebyśmy nie stracili Jakuba, Dunbarze.

– Jakuba? – Roześmiał się. – Nawet jeśli świat miałby zginąć, on po prostu znajdzie sobie inny!

– Nic mu po tym. Jeśli nie dotrzemy do kuszy, za parę miesięcy Jakub będzie martwy.

Oczy Dunbara były kocie, jak oczy jego ojca. Podobnie jak Lisica należał do stworzeń nocy. Jedyna nadzieja, że dzięki nim potrafił rozpoznać, iż nie kłamała.

– Proszę, Dunbarze. Powiedz mi, gdzie jest głowa.

Salon wypełniła cisza. Może łzy by pomogły, ale nie potrafiła płakać, gdy się bała.

– Oczywiście. Trzeci strzał... Najmłodszy syn Gizmunda. – Dunbar podszedł do pianina i przejechał palcami po klawiszach. – Czy jest aż tak zdesperowany, że pokłada nadzieję w tej niemal zapomnianej historii?

– Próbował już wszystkiego.

Dunbar uderzył w klawisz. Lisica usłyszała w tym dźwięku cały smutek świata. To nie była dobra noc.

– Odnalazła go Czerwona Nimfa?

– Wrócił do niej dobrowolnie.

Pokręcił głową.

– W takim razie nie zasłużył na lepszy los.

– Zrobił to dla swego brata.

Mów, Lisico. Dunbar wierzy w moc słów. Żył nimi, ale ćma nimfy zżerała serce Jakuba, i nie było takich słów, które zdołałyby to odwrócić.

– Proszę!

Lisica przez jeden krótki moment poczuła chęć przystawienia mu flinty do piersi. Czegóż nie robił strach. I miłość. Dunbar rzucił spojrzenie na strzelbę, jakby czytał w jej myślach.

– Niemal zapomniałem, że rozmawiam z lisicą. Ludzka postać jest bardzo zwodnicza. Ale do twarzy ci w niej.

Lisica poczuła, że się czerwieni. Dunbar uśmiechnął się, ale jego twarz niemal natychmiast znów przybrała poważny wyraz.

– Nie wiem, gdzie jest głowa.

– Owszem, wiesz.

– No proszę! A któż tak twierdzi?

– Lisica.

– W takim razie ujmijmy to tak: nie wiem, ale domyślam się. – Sięgnął po strzelbę i pogłaskał długą lufę. – Ta kusza jest warta sto tysięcy takich pukawek. Z człowieka, który jej użyje, jednym wystrzałem czyni masowego mordercę. Jestem pewien, że kiedyś wynajdą maszyny potrafiące to samo. Nowa magia jest starą magią. Te same cele, te same pragnienia...

Dunbar wycelował w Lisicę – i opuścił lufę.

– Daj mi słowo honoru. Na sierść, którą nosisz. Na życie Jakuba. Przyrzeknij na wszystkie świętości, że on nie sprzeda tej kuszy.

– Dam ci w zastaw moją sierść. – Jeszcze nigdy żadne słowa nie przeszły jej przez usta z takim trudem.

Dunbar potrząsnął głową.

– Nie, nie żądam aż tyle.

Przez drzwi do salonu wsunęła się czyjaś głowa. Szczurzy pyszczek był siwy, a kocie oczy zmętniałe ze starości.

– Ojcze! – Dunbar odwrócił się z westchnieniem. – Dlaczego nie śpisz? – Poprowadził staruszka do sofy, na której siedziała Lisica. – Wasza dwójka niewątpliwie miałaby o czym pogawędzić – powiedział, gdy stary FirDarrig z nieufnością zmierzył ją wzrokiem. – Uwierz mi, o przekleństwie i dobrodziejstwie sierści ona naprawdę wie wszystko.

Podszedł do drzwi.

– Ta tradycja pochodzi z bardzo odległego kraju – rzekł, wychodząc na korytarz – ale od prawie dwustu lat Albion również wierzy w cudowną moc herbacianych listków. Nawet o piątej rano. Może przy herbacie łatwiej przejdzie mi przez usta to, co chcesz usłyszeć.

Ojciec, skonsternowany, odprowadził go wzrokiem. W końcu przeniósł spojrzenie na Lisicę i otaksował ją mlecznymi oczami.

– Lisica, o ile się nie mylę – rzucił. – Od urodzenia?

Potrząsnęła głową.

– Miałam siedem lat. Dostałam sierść w prezencie.

FirDarrig westchnął ze współczuciem.

– Och, to niełatwe – mruknął. – Dwie dusze w jednym ciele. Mam nadzieję, że twoja człowiecza cząstka ostatecznie nie zwycięży. Ludzie tak trudno zawierają pokój ze światem.

20
TA SAMA KREW

I znowu nic. Nerron dorzucił kolejną rękę do stosu przeszukanych kości. Lelou niemal już zniknął za wielką stertą. Eaumbre roztrzaskał jedną z ławek, a drewniane szczapy osadził jak pochodnie w świecznikach, ale noc dławiła słabe światło ognia. Wokół leżały jeszcze tysiące kości skrywane przez mrok nawet przed oczami goyla.

A jeśli tej ręki nie było w tym przeklętym kościele? Jeśli tkwiła gdzieś na zewnątrz w wilgotnej ziemi? Przecież na pewno nie wykopali wszystkich kości!

Nerron zużył już wszystkie przekleństwa, po stokroć chciał znaleźć się gdzieś indziej i więcej niż tysiąc razy zadał sobie pytanie, czy Reckless odnalazł już głowę. Jedyne, co mógł zrobić, to przeorać kolejną bladą kupkę ludzkich szczątków i mieć nadzieję na cud.

Lelou i wodnik przykładali się z umiarkowanym entuzjazmem, jednak ich pomoc oznaczała cztery dodatkowe dłonie segregujące kosteczki palców spośród nóg, czaszek i żeber.

„Dobre do garnuszka, złe ziarna do brzuszka...". Zaczynał się czuć jak Kopciuszek. „Niewłaściwa myśl, Nerronie" – zganił się.

Przez to tylko przypomniał sobie, że Reckless uprzedził go, prędzej odnajdując szklany pantofelek.

Wodnik podniósł głowę i sięgnął po pistolet. Ktoś pchnął drzwi kościoła. Louis potknął się o pierwszą czaszkę, która leżała mu na drodze, i musiał przytrzymać się pobliskiego filaru.

– Wino jest tutaj kwaśniejsze niż lemoniada mojej matki – wybełkotał. – A dziewczęta brzydsze od ciebie, Eaumbre!

I zwymiotował, oczywiście na stertę nieprzejrzanych jeszcze kości.

– Jak długo macie zamiar tym się zajmować? – Otarł usta rękawem skrojonego na miarę ubrania i zataczając się, podszedł do Nerrona. – I w ogóle... całe to szukanie skarbów... magicznej kuszy... Mój ojciec lepiej by zrobił, szukając dobrych inżynierów, jakich pełno w Albionie!

Zatrzymał się gwałtownie i zagapił na stertę czaszek po lewej stronie. Coś się między nimi poruszyło. Eaumbre wyciągnął szablę, ale Louis odgonił go niecierpliwym gestem.

– Sam mu złamię kark – oznajmił bełkotliwie. – Chyba to nie jest aż tak trudne. Jadowite małe bestie...

Lelou rzucił Nerronowi ostrzegawcze spojrzenie. Ugryzienie żółtego folleta było niemal tak niebezpieczne jak ugryzienie żmii. Ale to, co wypełzło spod kości, nie miało ani żółtej skóry, ani rąk czy nóg.

– Nie! – zawołał Nerron do wodnika, gdy ten uniósł ostrze szabli.

Trzy palce, blade jak wosk. Poruszały się żwawo jak nogi szarańczy. Nerron usiłował je schwytać – i puścił, przeklinając głośno. Ręka zdrętwiała mu aż po bark.

„Ręka czarownika – a co ty myślałeś, Nerronie?".

Palce pognały w stronę Louisa. Ów cofnął się, potykając, ale za jego plecami coś zaczęło spełzać z filara. Kciuk i palec wskazujący. Druga część ręki. Eaumbre zamachnął się na nie szablą. Palce wykonały zwinny unik. Louis zaczął wyszarpywać zza pasa sztylet, ale był zbyt pijany, by go wydobyć z pochwy.

– Do diaska ciężkiego! – wrzasnął. – Zróbcie coś!

Fragment ręki zaczął mu się wspinać po bucie.

– Złap ją, książę! – huknął Nerron. – Ruszże się!

W żyłach Louisa nie płynęło już zbyt wiele krwi Gizmunda. Może jednak wystarczająco, by go ochronić.

Jeśli nie... Louis już się schylał. Palce wierzgały jak odnóża obrzydliwie wielkiego chrząszcza, ale nie robiły księciu krzywdy. Patrzcie no, książątko okazało się naprawdę użyteczne! Ze wszystkich stron coś nadpełzało. Oba nadgarstki sunęły po posadzce niczym żółwie.

Louis składał poszczególne kawałki, przypominając dziecko bawiące się makabryczną układanką. Martwa tkanka łączyła się ze sobą, jakby była z ogrzanego wosku. Do kikuta i paznokci przylegały resztki złota. Nerron uśmiechnął się. Tak, to była właściwa ręka.

Łudziworek, który wyciągnął spod kubraka, pochodził z gór Anatolii, skąd nielicznym tylko udało się powrócić cało i zdrowo. Każdy łowca skarbów starał się mieć co najmniej jeden. Wszystko, co wkładało się do środka, znikało, pojawiając się dopiero wtedy, gdy sięgnęło się ręką na samo dno.

Nerron nadstawił worek. Książę cofnął się i schował rękę za plecami, jak krnąbrne dziecko.

– Nie – sprzeciwił się, wyrywając worek z rąk Nerrona. – Dlaczego to ty miałbyś ją zachować? Wszak ręka przyszła do mnie!

Lelou nie potrafił ukryć uśmieszku złośliwej satysfakcji.

Wodnik wymienił z Nerronem spojrzenie, w którym tonęło wspomnienie zniewag Louisa niczym kamyk w stawie. Dobrze. Może dzięki temu nie będzie musiał własnoręcznie skręcać książątku karku.

21
NIEMOŻLIWE

„Co ty byś bez niej począł, Jakubie?" – myślał, obserwując Lisicę.

Wyglądała przez okno pociągu, ale nie był pewien, czy jej spojrzenie spoczywało na przesuwających się za nim polach, czy na własnej twarzy, odbijającej się w szybie. Jakub często łapał ją na tym, że traktowała swoją ludzką postać jak obcą.

Spostrzegłszy, że na nią patrzy, uśmiechnęła się z mieszaniną pewności siebie i zakłopotania, które znała tylko jej ludzka cząstka. Jej lisie „ja" nigdy nie było zmieszane.

Za oknami przesuwała się para z lokomotywy, a wyfraczony kelner przemierzał wagon restauracyjny, balansując

171

filiżankami i talerzami. Jakub miał wrażenie, że ból minionej nocy wyostrzył mu zmysły. Świat wokół niego wydawał się tak cudowny i zdumiewający jak wtedy, gdy po raz pierwszy przeszedł przez lustro. Przesunął palcami po przyniesionej przez kelnera filiżance herbaty. Biała porcelana była wymalowana w elfy, które tu w Albionie nadal można było spotkać na wielu kwiatach. Przy sąsiednim stoliku dwóch mężczyzn spierało się o użyteczność olbrzymieli w albiońskiej marynarce wojennej. Na szyi jednej z kobiet połyskiwały łzy rusałek selkie, które na południowym wybrzeżu wyspy znajdowano na plaży jak perły bez muszli. Jakub nadal kochał ten świat, nawet za cenę własnego życia.

Herbata mimo elfiej filiżanki była tak gorzka, że ledwie się dało ją przełknąć, ale usuwała odrętwienie po ugryzieniu ćmy.

Lisica ujęła go za rękę.

– Jak się czujesz? Zaraz będziemy na miejscu.

Zza pagórków wyłoniły się dachy Goldsmouth, portu Królewskiej Marynarki Wojennej. Za nimi rozpościerało się szare i bezkresne morze. Zdawało się spokojniejsze niż poprzednim razem.

„To dobrze" – pomyślał.

Nie mógł uwierzyć, że znowu musi wejść na pokład statku.

– Masz jeszcze pieniądze? – szepnęła Lisica przez stół. – Czy wydałeś wszystko na krwawe szkiełko?

Jakub znał dostawcę marynarskich mundurów, ale raczej nie będą tanie, a złota chusteczka coraz częściej zawodziła. Niewiele brakowało, a nie wystarczyłoby im na bilety na kolej, tak ociągała się z ostatnim talarem. Jakub wsunął dłoń w powycieraną tkaninę i wyczuł pod palcami wizytówkę Earlkinga. Nie mógł się powstrzymać i wyciągnął ją.

Bolało, prawda? A za każdym kolejnym razem będzie gorzej. Nimfy uwielbiają ból, jaki mogą zadawać śmiertelnikom.

Nawiasem mówiąc, odwiedziłem dziś Twojego brata.

Lisica zerknęła w jego stronę.

– Od kogo masz tę wizytówkę? – zapytała niby niewinnie, ale Jakub domyślił się, o co jej chodzi.

Nie zapomniała skowronkowej wody. A przecież wyraźniej pozostał mu w pamięci ból w jej oczach niż pocałunki Klary.

„Może pora jej powiedzieć, Jakubie" – pomyślał.

Przesunął wizytówkę po stoliku w jej stronę. Słowa bladły już, kiedy ją ujęła.

– To zaczarowany przedmiot! – Odwróciła kartonik. – Norebo Johann Earlking?

Konduktor przeszedł przez wagon, wywołując następną stację.

173

– Tak. W dodatku to nie w tym świecie dał mi tę wizytówkę.

Jakub wstał. Ten świat wydał mu się nagle tak obcy, że ubrania wokół stały się jak teatralne kostiumy. Te cylindry, trzewiczki na guziki, falbaneczki... Na moment poczuł się zawieszony pomiędzy dwoma światami, ani tu, ani tam.

– Co to ma wspólnego z Willem?

No właśnie, co? Słowa obcego nie brzmiały tak, jakby chodziło mu wyłącznie o antyki. Nie podobało mu się to wszystko, ale lustro było daleko. Mogło upłynąć wiele tygodni, zanim znowu zobaczy brata. Jeśli w ogóle go jeszcze zobaczy.

„Ach, do diabła..." – pomyślał.

Zobaczy go.

Lisica przytknęła kartonik do nosa. Jej zwierzęca natura zawsze brała górę, nawet w ludzkiej skórze.

– Srebro. I jakaś woń, której nie znam. – Oddała mu wizytówkę i sięgnęła po płaszcz. Kupiła go z Jakubem. Materiał miał prawie taki sam kolor jak jej sierść. – Nie podoba mi się ten zapach. Bądź ostrożny.

Pozostali podróżni porwali ją za sobą, przepychając się do wyjścia. Peron utonął w kłębach pary, ale od strony portu wiatr przywiał zapach soli i smoły. Bagażowi. Fiakrzy. Dwóch tragarzy z drewnianymi siedziskami na plecach, którzy czekali na dwójkę karłów siedzących w wagonie restauracyjnym za nimi. Przeciskanie się przez dworzec nie należało do przyjemności, gdy się mierzyło niespełna metr wzrostu.

Wzięli jedną z dorożek czekających przy wyjściu. Lisica wysiadła na placu, gdzie mieli swoje sklepiki dostawcy okrętowi, a Jakub polecił woźnicy, by wyrzucił go w porcie. Mogli mieć tylko nadzieję, że przypuszczenia Dunbara co do miejsca spoczynku głowy Rzeźnika Czarownic okażą się słuszne. Żeby się o tym przekonać, Jakub musiał znaleźć jakiś sposób, by dostać się na pokład okrętu flagowego jego królewskiej mości.

22
ŻELAZNE FLANKI

Okręty stały zacumowane w porcie, burta w burtę. Skrzypienie mokrego takielunku mieszało się z krzykiem mew i nawoływaniami ludzi przygotowujących statki do wypłynięcia w morze. Żadna inna flota świata za lustrem nie mogła się mierzyć z flotą Albionu. Każdy z marynarzy wnoszących po chybotliwym drewnianym trapie swój żeglarski worek na pokład, każdy z oficerów, oparty o reling z flagą ze smokiem w koronie, powiewającą nad ich głowami, miał wypisaną na twarzy ufność. Albion nawet nie robił tajemnicy z tego, w jakim celu flota wychodziła z portu.

Jakub podniósł gazetę walającą się po mokrym bruku. Nagłówki na pierwszej stronie były pełne ozdobników, ale wiadomość, którą niosły, była tak samo dobitna jak nagłówki gazet w jego świecie.

FLOTA KRÓLEWSKA DOSTARCZA BROŃ FLANDRII
Nadzieja na pokonanie goyli pochodzi z fabryk Albionu

Byli bardzo pewni siebie. Każdy wiedział, że goyle boją się morza. Albion dostarczał broni nie tylko Flandryjczykom, okręty zawoziły ją także na północ, gdzie alianci zaczynali formować opór przeciwko goylom. Niemal cała flota stała w tej chwili pod żaglami i pod parą, siła rażenia jej dział była legendarna, a mimo to najwyraźniej nie wystarczała Wilfriedowi zwanemu Morsem.

Jakub wpatrywał się w rycinę zamieszczoną na kolejnej stronie. Na mokrym papierze ledwie ją było widać. Serce zabiło mu tak śmiesznie szybko jak na widok samolotów w twierdzy goyli. Poszukiwania, których zaprzestał już tak dawno temu. Tropy zawsze prowadzące donikąd. I oto znowu natknął się nań w miejscu, w którym nigdy go nie szukał.

M/S VULCAN W RODZIMYM DOKU
W GOLDSMOUTH
Stalowy postrach mórz po raz kolejny wyrusza w morze, eskortując dostawę broni. Arcydzieło sztuki inżynierskiej Albionu sprawia, że DRŻĄ NAWET GOYLE.

Jakub upuścił gazetę i powiódł wzrokiem po statkach.

Po lewej stronie stał przycumowany statek będący jego celem: „Titania", okręt flagowy albiońskiej floty, nazwany tak po matce króla. Liczył 376 członków załogi i miał 45 dział. Galion odbijał się w brudnej wodzie, ale Jakub tylko musnął go szybkim spojrzeniem. Szukał okrętu z gazety. Gdzie on był? Powiódł wzrokiem po drewnianych kadłubach i masztach, aż dostrzegł błysk bladego promienia słońca odbitego w metalu.

Tam. Przycumowany przy ostatnim pirsie. Szary i brzydki – stalowy rekin w ławicy drewnianych makreli. Płaski kadłub wystawał zaledwie parę metrów ponad wodę i podobnie jak komin był opancerzony żelazem po linię wody. W jego świecie żelazne statki niemal przesądziły o wyniku wojny secesyjnej, jednak ten okręt był znacznie nowocześniejszy.

„Jakubie. Zapomnij o tym!" – upominał głos rozsądku, ale nie miał najmniejszych szans.

Serce tłukło mu się w piersi, kiedy lawirował między skrzyniami i workami, mijał zajętych załadunkiem prowiantu i amunicji marynarzy, kobiety żegnające mężów i dzieci wtulające zapłakane twarzyczki w mundury ojców. Czuł się tak, jakby znalazł się w jednym ze swoich snów, w którym zamiast w lesie błąkał się w gąszczu masztów.

Z bliska stalowy okręt robił jeszcze większe wrażenie. Miał ogromne rozmiary, choć znaczna część jego kadłuba kryła się pod wodą. Przy trapie prowadzącym z pirsu na pokład stało czterech mężczyzn. Trzej byli oficerami

Królewskiej Marynarki Wojennej, czwarty – cywilem. Cywil był odwrócony plecami. Miał siwe włosy, ostrzyżone krótko, jak u Jakuba.

A jeśli to był on? Po tylu latach.

„Wróć, Jakubie. To minęło. To wszystko przeszłość".

Znowu miał dwanaście lat. Zapomniał o ćmie, która przywarła mu do piersi. Zapomniał, po co tu jest. Tylko stał i wpatrywał się w stalowy okręt i plecy obcego.

„Jakubie!" – przywołał się do rzeczywistości. Minął go chłopiec okrętowy dźwigający dwie skrzynki z cygarami. Ostatnie posyłki dla oficerów. Chłopiec podniósł wzrok, wystraszony, kiedy Jakub go zatrzymał.

– Wiesz, kim jest ten mężczyzna? Ten, który stoi razem z oficerami.

Chłopiec wpatrywał się w niego, jakby Jakub zapytał go o nazwę słońca.

– To Brunel. To on zbudował „Vulcana" i planuje już kolejny okręt.

Jakub pozwolił mu odejść. Jeden z oficerów obejrzał się, ale cywil nadal stał odwrócony plecami.

Brunel. To było rzadkie nazwisko. Isambard Brunel był jednym z bohaterów jego ojca. John Reckless objaśniał swemu starszemu synowi konstrukcję żelaznych mostków, gdy ten miał zaledwie siedem lat. Minęło tyle czasu i nagle być może dzieliło go od niego zaledwie parę kroków.

– Pan Brunel? – odezwał się niepewnie, jakby naprawdę znowu miał dwanaście lat.

Brunel odwrócił się i Jakub spojrzał w twarz obcego. Tylko oczy były szare jak u ojca. Nie wiedział, co czuje. Rozczarowanie? Ulgę? Jedno i drugie?

„Powiedz coś, Jakubie. Rusz że się".

– Brunel. To niezwykłe nazwisko.

– Mój ojciec pochodził z Lotaryngii – odparł z uśmiechem Brunel. – Czy wolno zapytać, z kim…

– Jakub Reckless – przedstawił się.

Oficer stojący obok skinął mu głową i wtrącił:

– Pan jest z innej branży, John. Poszukiwania starej magii. Człowiek, którego masz przed sobą, odniósł wielkie sukcesy w tym, co robi. – Wyciągnął dłoń do Jakuba. – Cunningham. Moje nazwisko nawet w przybliżeniu nie jest tak interesujące. Podporucznik Królewskiej Marynarki. Miło mi pana poznać. Cóż za szczęście, że nasze gazety wciąż chętnie donoszą o łowcach skarbów, nawet jeśli natrząsają się z ich łupów. Order cesarzowej Austrazji przyznany za zdobycie szklanego pantofelka, Żelazny Krzyż Bawarii za parę siedmiomilowych butów. Przyznaję, że zazdroszczę panu zajęcia. Jako dzieciak byłem zdecydowany zdobyć inny zawód.

– Gratuluję. – Brunel skinął z uznaniem głową.

Jego akcent nie był lotaryński.

Za ich plecami rozpoczęto załadunek torped. Mogły roztrzaskać w drzazgi każdy drewniany kadłub.

Pożegnawszy się, Cunningham odprowadził wzrokiem Jakuba, ale Brunel prędko znów się odwrócił. Nowy czarownik Albionu.

Rozczarowanie i ulga. Stara, prawie zapomniana nadzieja... Jakub ledwie widział, dokąd idzie. Beczki, zwoje lin, skrzynie z prowiantem... wszystko wokół niego zlewało się jak jego twarz na ciemnej tafli lustra.

„Spójrz tutaj, Jakubie. Ten most jest tak lekki i doskonały jak pajęczyna, mimo że zbudowano go z żelaza". Czy w ogóle pamiętał jeszcze, jak wygląda ojciec? Przypominał sobie jego głos, ręce, którymi sadzał go na biurku, by mógł dotknąć wiszących nad nim modeli samolotów...

– Jakubie!

Ktoś chwycił go za ramię. Lisica.

– Dostawca okrętowy zażądał fortuny – zakomunikowała, spoglądając dyskretnie ku marynarzom noszącym worki z węglem do luku ładunkowego „Titanii". – Wystarczyło tylko na jeden mundur. Wymyśliłeś, jak dostaniemy się na pokład?

Szlag by to. Niczego się nie dowiedział. Pogrążył się we wspomnieniach i zapomniał, że wkrótce nie będzie miał żadnej przyszłości.

– Co z tobą? – Lisica popatrzyła nań z troską. – Coś się stało?

– Nie. Nic.

To nawet była prawda. Nic się nie stało. Zobaczył tylko ducha, tego samego, za którym gonił w snach. Nadszedł czas, by pogrzebać nie tylko matkę, ale też ojca. Sądził, że zrobił to już dawno temu.

Wziął od niej zawiniątko z mundurem. Paru marynarzy gapiło się na nią tak bezczelnie, że Jakub rzucił ostre spojrzenie w ich kierunku.

– Jak dostaniesz się na pokład?

Wzruszyła ramionami.

– Pozwolę, by Lisica znalazła jakiś sposób.

– To zbyt niebezpieczne!

– Panie Reckless?

Jakub obejrzał się. Przez moment spodziewał się zobaczyć pociągłą twarz Brunela, ale to Cunningham stał za jego plecami. Oficer skłonił się sztywno Lisicy i posłał Jakubowi lekko zakłopotany uśmiech.

– Wypływamy... ehem... wypływamy dopiero za godzinę. Chciałbym przedstawić pana kapitanowi. Jestem pewien, że z zainteresowaniem wysłuchałby opowieści o pańskich przygodach.

Jakub już miał na języku uprzejmą odmowę, ale Lisica go uprzedziła:

– Na jakim okręcie pan służy, panie Cunningham?

Oficer wskazał ręką za siebie.

– Na „Titanii". Będziemy konwojować transport broni do Flandrii. Wypływamy o zachodzie słońca.

Lisica obdarzyła Cunninghama najpiękniejszym z uśmiechów.

– Z największą radością – zapewniła go, wyjmując Jakubowi z ręki pakunek z mundurem i chowając go dyskretnie za plecami.

183

Brodata twarz oficera rozpromieniła się w zachwycie, a Jakub przeprosił w duchu wszystkich reporterów, których skrycie przeklinał za kłamstwa i wyssane z palca brednie, jakie wypisywali na jego temat.

– Ależ oczywiście – zgodził się. – Nie spieszy nam się. Nie miałbym nic przeciwko temu, by odbyć cały rejs. Uwielbiam morskie podróże. – Jeszcze nigdy w życiu nie przeszło mu przez usta bardziej zuchwałe kłamstwo.

Cunningham nie posiadał się ze szczęścia.

Kapitan „Titanii" dzielił namiętność pierwszego oficera do poszukiwania skarbów i zaprowadził ich do kajuty, w której zamieszkiwał sam król, gdy odwiedzał swój flagowy okręt. Kiedy Cunningham przedstawił ich kapitanowi słowami: „Pan Reckless z małżonką", Jakub wytłumaczył nagły rumieniec na twarzy Lisicy tym, że byli krótko po ślubie. To było tylko jedno z wielu kłamstw, które musiał wymyślić w ciągu najbliższych godzin.

Kapitan podjął ich tak obfitą kolacją, jakby nie czekał ich rejs trwający zaledwie trzy dni, lecz mieli przed sobą co najmniej trzysta dni podróży. Kucharz okrętowy właśnie podawał deser, gdy „Titania" podniosła kotwice. Jakubowi z coraz większym trudem przychodziło ignorować kołysanie statku, podczas gdy Cunningham wypytywał go o przygody wymyślone przez gazety. W chwili gdy kapitan, noszący równie nieprawdopodobne wąsiska jak jego król, zaczął dopytywać o metody szlachtunku u ludojadów, Lisica skorzystała z krwawego tematu i przeprosiła ich na moment. Jakub najchętniej podążyłby za nią, ale Cunningham nie miał zamiaru go puszczać, więc postanowił pocieszyć się myślą, że Lisica z pewnością wywie się wszystkiego na temat porządku wacht i możliwych dróg ucieczki, zanim i on sam zdoła się wykraść. Przez tylne bulaje kajuty kapitańskiej widać było latarnie masztowe innych fregat, a przed nimi statek Brunela, z żelaznymi flankami, jasno oświetlonymi blaskiem księżyca.

– Czy podczas takich rejsów mister Brunel przebywa na pokładzie „Vulcana"? – Jakub poczuł dumę, że udało mu się zadać to pytanie niby mimochodem.

Kapitan potrząsnął pogardliwie głową.

– O ile wiem, jeszcze nigdy nie opuścił Albionu. Zgadza się, Cunningham?

Pierwszy oficer skinął głową, nalewając sobie kolejną szklaneczkę porto.

– Brunel nie przepada za morzem...

– Co widać po statku, który zbudował. – Kapitan wlał do gardła zawartość szklaneczki, jakby mógł spłukać nią cały stalowy okręt. – Niestety, król ma bzika na punkcie inżyniera, odkąd ten skonstruował te bezkonne dorożki. Wszędzie już je widać. Śmieszne. Po prostu śmieszne. A my przez to żelazne monstrum też stajemy się pośmiewiskiem. Nasza opancerzona niania...

Jakub nie odrywał wzroku od „Vulcana", podczas gdy Cunningham i kapitan z zapałem perorowali o dawnych bitwach morskich i urodzie płonących drewnianych statków. Kiedy podjęli temat siły rażenia nowoczesnych dział i żałosnych skutków miażdżonych członków, przeprosił, choć podejrzewał, że spodobałaby im się historia o utracie ręki przez Chanutego.

Jakub wyszedł na pokład. Srebrny księżyc, tak podobny do tego z jego świata, unosił się wśród czarnych chmur. Jego rdzawy bliźniak mazał fale brązem, jakby same zamieniały się w rdzewiejące żelazo. Lisica czekała na dziobie. Pod nią nad spienionymi wodami wyciągał się galion.

– Jak twój żołądek? – Nikt tak dobrze jak ona nie znał jego niechęci do statków. Nawet Chanute. – Masz szczęście, że morze takie spokojne.

I że rozpoznał go oficer Królewskiej Marynarki, kiedy omyłkowo wziął najlepszego inżyniera Albionu za swojego ojca. Może jego szczęście powróciło. Najwyższa pora...

– Trzy wachty na części dziobowej – wyszeptała do niego Lisica. – Odwrócę ich uwagę, a ty przejdziesz za burtę.

Jeden z pełniących wachtę marynarzy zaledwie parę metrów od nich opierał się o ścianę nadbudówki pomiędzy szalupami ratunkowymi. Spoglądał w ich stronę. Co widział? Parę kochanków w świetle księżyca?

„A gdyby to była prawda, Jakubie?". Gdyby naprawdę zapomniał, kim była dla niego Lisica przez wszystkie te lata? Nawet marynarz marzył, by ją pocałować. Miał to wypisane na twarzy.

„Złamałbyś jej serce, Jakubie".

Albo Lisica złamałaby serce jemu.

– Na co czekasz? – ponagliła go i wcisnęła mu do ręki plecak.

– Nie rób mu zbyt dużych nadziei. Jest od ciebie większy o dwie głowy.

Uśmiechnęła się.

– Jestem pewna, że twoje zadanie jest bardziej niebezpieczne!

Spacerowym krokiem podeszła prosto do marynarza, jak lisica skradająca się do ofiary.

Jakub wychylił się za reling. Galion miał ciało smoka i głowę mężczyzny. Kiedy Dunbar przygotowywał odczyt na temat historii królewskich okrętów flagowych, Jakubowi rzuciło się w oczy, jak bardzo pozłacana twarz figury przypominała Rzeźnika Czarownic. Nadal uważał, że to odważna teoria, ale podobno figura budzi się do życia, kiedy wróg przypuszcza szturm na flotę. Głowa czarownika broniła marynarki wojennej Albionu. Szczypta czarnej magii jeszcze nikomu nie zaszkodziła, nawet w nowoczesnych czasach. Dunbar twierdził, że to prawnuk Feirefisa zapoczątkował tradycję, by wyposażać galion okrętu flagowego w czarodziejską głowę, nie wiedząc, że niegdyś należała ona do jego uprawiającego czarnoksięstwo dziada.

Jakub obejrzał się za siebie.

„Robercie Lewisie Dunbarze, mam nadzieję, że się nie mylisz!" – zawołał w duchu.

Po wachcie nie było śladu. Dokąd Lisica zwabiła marynarza?

„Nie myśl o tym, Jakubie".

Była przecież dorosła. Wyciągnął włos Roszpunki z tabakierki, w której go zawsze przechowywał. Złocisty włos był jednym z niewielu magicznych przedmiotów, których dzięki Valiantowi nie utracił bezpowrotnie w twierdzy goyli. Jakub skręcał go w palcach, a włos rósł włókno po włóknie, aż stał się mocniejszy od jakiejkolwiek konopnej liny. Przywiązał jeden koniec do relingu. Drugi natychmiast oplótł się wokół szyi galionu, gdy tylko rzucił włos w jego kierunku. Jakub przeskoczył przez reling i rozbujał się na połyskującym włosiu, a potem wybił się, lądując na plecach smoka.

„Nie patrz w dół, Jakubie".

Nie przejmował się, stojąc jedną nogą nad przepaścią, ale na widok wody niemal zwymiotował na pozłacaną głowę Gizmunda. Skrzydła przyciśnięte do smoczego tułowia pokrywały złote łuski, ale szyja i korpus były z pomalowanego na szkarłat drewna.

Jakub odwiązał roszpunkową linkę od atletycznej szyi i owinął ją sobie wokół bioder. Wyjął z plecaka rybacką sieć i zarzucił na głowę i szyję, żeby jego łup nie wpadł do morza po odcięciu. Palce miał wilgotne od rozpylonej w powietrzu morskiej wody. Dwukrotnie ześliznął się w dół na wysokiej fali, ale czarodziejska lina uchroniła go przed upadkiem w toń.

Głowę łączył z drewnianą szyją smoka szeroki metalowy pierścień. Nóż, który Jakub dobył zza pasa, kroił również stal. Ukradł go z zamkowej kuchni Valianta. Nic nie równało się nożom wytwarzanym przez karły, a Valiant i tak winien był mu dużo więcej niż nóż, choćby za blizny, które z jego powodu szpeciły mu plecy.

Na horyzoncie brzask wgryzał się już w noc niczym pleśń.

„Pospiesz się, Jakubie".

Spodziewał się, że Gizmund zabezpieczył swoje trzy dary zaklęciem pozwalającym na bezkarny dotyk wyłącznie jego dzieciom, dlatego zanim wysunął ostrze przez oko sieci, założył rękawiczki, które ochroniły go już w krypcie. Klinga zatopiła się w metalowej obręczy jak w maśle, nie poczuł też nic, dotykając głowy. Dobrze. Jakub oddzielił ją już w połowie, gdy jego uwagę zwrócił jakiś dźwięk. Przy relingu stanęła Lisica. Gestem nakazał jej czekać. Zakotwiczenie galionu nie wyglądało na dość solidne, by unieść ich oboje. Raptem drewniany korpus smoka stanął dęba. Złota głowa otworzyła usta, mimo że już tylko parę centymetrów metalu łączyło ją z resztą figury, i krzyknęła, a głos poniósł się w dal po falach.

Jakub usłyszał odgłos silników, zanim jeszcze samoloty wyłoniły się z mroku. W ich stronę nad czarną tonią nadlatywał szwadron dwupłatowców. Marynarze wpatrywali się w nie z takim niedowierzaniem, że w momencie gdy samoloty dotarły nad flotę, we wrogie jednostki nie było wycelowane ani jedno działo. Samoloty zaczęły pikować na albiońską flotę jak drapieżne ptaki na ławicę bezbronnych ryb. Czerwone kadłuby zdobiły czarne sylwetki salamander. To one pojawiły się na flagach goyli, zastępując ćmę nimfy, kiedy ich król poślubił ludzką kobietę.

Galion zatrzepotał skrzydłami, a pozłacana głowa Gizmunda krzyczała, uwięziona w zarzuconej na nią sieci. Jakub trzymał się kurczowo smoczego cielska, kiedy zrzucono na statki pierwsze bomby. Wrzaski i odgłosy wystrzałów mieszały się z rykiem silników. Wybuchy roztrzaskiwały na drzazgi drewniane kadłuby okrętów, a marynarze spadali z rej jak zestrzelone ptaki. Z nieba lał się ogień. Zapalał nawet morze.

„Głowa, Jakubie! Inaczej będziesz martwy tak samo jak ci, którzy już są pokarmem dla ryb, nawet jeśli przeżyjesz to piekło".

Lisica przez cały czas przytrzymywała linkę. Jakub zahaczył palce o sieć i schylił się, unikając uderzenia kolczastą krawędzią skrzydła, która jak nóż przecięłaby mu skórę na plecach. Lisica krzyczała coś do niego, ale nie słyszał jej w tym tumulcie. Niewiele widział. Oczy łzawiły mu od gryzącego dymu, który wmieszał się w czarne chmury wiszące nad statkami. Nawet wiatr śmierdział prochem i płonącym drewnem. Samoloty nadal atakowały. Wycie ich silników rozdzierało mu bębenki, a „Titania" jęczała jak zranione zwierzę.

„Głowa, Jakubie!".

Przeciął nożem ostatnie centymetry metalowej obręczy i głowa wreszcie spadła w sieć. Pozłacane oblicze gapiło się nań przez oka sieci, z ustami ciągle rozwartymi do krzyku. Łudziworek, który wydarł spod mokrej koszuli, lepił mu się do drżących palców. Jakub owinął nim łup i popatrzył w górę, w stronę relingu. Lisica trzymała się go kurczowo, drugą ręką mocując się z raszpunkową linką. Ledwie się widzieli przez kłęby dymu, który gęsto spowijał okręt. Pokład płonął, a przecież Jakub musiał na niego wrócić! Może nie spuszczono na wodę jeszcze wszystkich szalup. Poza tym była tam Lisica.

Zaczęła ściągać linkę, ale „Titania" kołysała się tak gwałtownie, że Lisica z trudem trzymała się na nogach, a Jakub swoje ważył. Okręt flagowy tonął, a wraz z nim cała albiońska flota. Pośród płonących fregat unosił się stalowy statek z poszarpanymi pancernymi flankami, a nad nim jak szkarłatne osy krążyły samoloty.

Jakub wsunął łudziworek pod koszulę i zaczął się wspinać, zapierając się nogami o kadłub, by ulżyć Lisicy. Pod nim galion nadal bił skrzydłami niczym bezgłowa kura. Za późno ostrzegła go krzykiem. Jakub usiłował się uchylić, ale brzegi skrzydeł były ostre jak klinga. Drzemiąca w nich czarna magia przecięła roszpunkową linkę tuż nad jego głową i Jakub jak kamień runął w dół, w płonącą toń.

23
MAL DE MER

Jakub nie wiedział, czy to jego krzyk rozbrzmiewał mu echem w uszach, czy to wołania tonących marynarzy, którzy unosili się wokół niego na wodzie. Morze było lodowate, a on uchwycił się pobliskiej belki, rozpaczliwie próbując dostrzec na statku Lisicę. Dym był jednak zbyt gęsty. Miał nadzieję, że skoczyła. Ogromny okręt, tonąc, pociągnie za sobą wszystko. Wołał ją, ale ledwie słyszał własny głos. Wrzaski i jęki były tak przeraźliwe, jakby ryk wydobywał się nie z fal, a z ludzkich gardeł. Eksplozja wstrząsnęła jednym z tonących statków, a „Titania" miała niebezpieczny przechył. Jakub cały czas szukał Lisicy wśród pływających po powierzchni szczątków statku i ciał.

Gdzie była? Każdemu trupowi wyciągał z wody głowę. Blade oblicza pływały między zwęglonymi żaglami i pustymi beczkami po prochu niczym woskowe kwiaty. Przestał czuć w zimnej wodzie własne członki, a dym utrudniał każdy oddech. Musiał ją znaleźć.

– Jakub.

Mokre ramiona owinęły mu się wokół szyi. Przywarła do niego zimnym policzkiem. Rude włosy, klejące się mokrymi kosmykami do twarzy, wyglądały na czarne. Przycisnął ją do siebie, aż przez mokre ubranie poczuł bicie jej serca. Bał się ją puścić w obawie, że porwą ją fale.

– Masz głowę?

– Tak.

– Musimy stąd uciekać!

Ale dokąd? Jakub rozejrzał się wokół. Co pomyśli Dunbar, gdy otworzy jutro gazetę? Żelazne statki, samoloty, bomby spadające z nieba... Będzie się zastanawiał, czy pogrążyli się w morskiej toni wraz z głową, i odczuje taki sam lęk przed nową magią jak przed czarnoksięstwem Rzeźnika Czarownic?

– Wybrzeże nie może już być daleko. Płynęliśmy na południowy wschód dobrych parę godzin.

Niezależnie od jej słów samoloty wprawdzie odleciały, ale na pewno nie przyślą na miejsce oddziałów ratunkowych.

– Płyń za mną. – Lisica pociągnęła go za sobą. Wydawała się pewna, w którym kierunku był brzeg.

„Płyń, Jakubie".

Dym długo im jeszcze towarzyszył. Dym. Szczątki. Wołania o pomoc. Wreszcie wokół nich oddychało już tylko morze, jak ogromny zwierz trawiący pochłonięte przez fale ofiary. Lisica z troską oglądała się na niego. Była dobrą pływaczką, jednak Jakubowi ramiona ciążyły tak bardzo, że z każdą kolejną falą walczył o oddech. Lisica zaczęła płynąć u jego boku, a on zwalniał coraz bardziej.

„Nie wolno ci się jej trzymać, Jakubie!".

Tylko pociągnąłby ją za sobą w toń. Skórę miał odrętwiałą z zimna. Poczuł, że zaczyna tracić przytomność.

– Jakubie! – Lisica otoczyła go ramieniem i wyciągnęła jego głowę z wody. – Nie dopłyniesz do brzegu! Opadnij na dno. Słyszysz?

Opaść na dno? O czym ona mówi? Walczył o każdy oddech, ale nawet powietrze było gęste jak z morskiej wody.

– To twoja jedyna szansa. One nie wypływają na powierzchnię!

One? Zanim zrozumiał, Lisica wciągnęła go w topiel. Woda wdarła mu się do ust i nosa. Próbował się bronić, ale ona nie puszczała. Ciągnęła go głębiej i głębiej, chociaż stawiał opór. Chciał ją odepchnąć, chciał oddychać, tylko oddychać, gdy nagle poczuł dotyk innych rąk. Ciepłych i wąskich jak dłonie dziecka. Wsunęły mu do ust parę łusek, a jego płuca natychmiast zaczęły oddychać pod wodą, jakby zostały do tego stworzone. Ciała, które ich otoczyły, były przezroczyste jak mleczne szkło. Ryby czy ludzie? Te istoty były jednym i drugim. W Lotaryngii mówiono na nie „mal de mer", ale każde wybrzeże nazywało je po swojemu. Powiadano, że potrafią zatapiać statki, by porywać dusze zmarłych do swych miast na dnie morza. Cesarzowa miała niegdyś jednego osobnika w swoim gabinecie osobliwości, ale śmierć zamieniła jego szklaną urodę w matowy wosk.

Krążyły wokół Lisicy, jakby była jedną z nich, wplatały jej kwiaty we włosy i głaskały po twarzy, ale ona nie odstępowała Jakuba i odpychała je, kiedy chciały wciągnąć go głębiej. Między nimi trwał osobliwy taniec, aż wreszcie Jakub poczuł, że fale wyrzucają go na twardy grunt. Wyczuwał mokry piasek i muszle, które kruszyły mu się między palcami. Oczy piekły od słonej wody, ale w końcu zdołał je otworzyć i zobaczył nad sobą chmury i szare niebo. Lisica skulona tkwiła przy nim. Była zbyt osłabiona, by wstać. Podpierając się wzajemnie, oddalili się w głąb lądu, byle dalej od wody, której głodny szum wciąż brzmiał im w uszach, aż wreszcie wyczerpani padli obok siebie na piach.

Jakub wypluł na dłoń łuskę, którą nereidy wsunęły mu do ust, i łapczywie wciągnął wilgotne powietrze w obolałe płuca. Było słone, zimne i smakowało najcudniej ze wszystkiego, czego zakosztował w życiu. Oddychać. Chciał tylko oddychać.

Lisica chwyciła w palce kwiaty, które nereidy wplotły jej we włosy. Pod wodą mieniły się wszystkimi barwami tęczy, teraz były zwiędłe i bezbarwne. Lisica rzuciła je w fale, jakby chciała w ten sposób wrócić im życie. Potem uklękła obok Jakuba i zagłębiła ręce w szary piasek.

– Niewiele brakowało – powiedziała z niedowierzaniem, jakby zdziwiona, że nadal żyją.

Żyją... Jakub sięgnął pod mokrą koszulę, ale jego palce wymacały jedynie ćmę. Łudziworek zniknął wraz z zawartością. Lisica z uśmiechem wsunęła dłoń do rękawa. Wyciągnęła zeń worek i rzuciła mu go na pierś.

Rękawiczki zaginęły w morzu razem z plecakiem, mimo to Jakub poczuł tylko lekkie mrowienie, kiedy wsunął dłoń do wnętrza worka i dotknął pozłacanych włosów. Łudziworki mogły tłumić działanie czarnej magii, ale jeszcze nigdy nie poczuł aż tak silnego efektu. Cokolwiek to znaczyło... zdobył głowę. Teraz pozostawało mieć nadzieję, że goylowi mniej dopisało szczęście. Jakub zawiązał worek i spojrzał w niebo, gdzie pośród chmur krążyło parę głodnych mew. Przed oczami nadal miał czerwone samoloty pikujące na płonące statki.

– Dlaczego nereidy nam pomogły?

Lisica strzepnęła piasek z gołych ramion. W morzu ściągnęła mokrą sukienkę i teraz miała na sobie tylko tę futrzaną. Zawsze wkładała ją pod ubranie, kiedy robiło się niebezpiecznie, jednak tym razem to nie zwierzę, ale jej ludzka postać obojgu uratowała życie.

– Właściwie pomagają tylko kobietom – odpowiedziała. – Kiedy byłam dzieckiem, uratowały siostrę mojej mamy. Mężczyzn zwykle zabierają ze sobą, więc nie miałam pewności, czy zdołam cię ochronić. Mimo to bez ich pomocy niechybnie byś utonął. – Uśmiechnęła się. – Na szczęście zrozumiały, że nie oddam im ciebie bez walki. Tak, na szczęście. I dlatego, że wykazała się takim męstwem, iż sam czasem aż się bał. Jakub usiadł. Miał nadzieję, że łatwiej przyjdzie im zdobyć rękę i serce. Choć raczej nie należało się tego spodziewać. Rozejrzał się wokół. Strome piaszczyste urwiska i kamienna plaża. W oddali widać było latarnię morską.

– Wiesz, gdzie jesteśmy?

Skinęła głową.

– W dzieciństwie mieszkałam niedaleko stąd. Poprosiłam nereidy, żeby nas tu doprowadziły. Jesteśmy w Lotaryngii, tylko parę mil od granicy z Flandrią. – Dźwignęła się na nogi. – Lepiej będzie, jeśli stąd odejdziemy. Rybacy nie darzą sympatią obcych. Masz jeszcze złotą chusteczkę? Będziemy potrzebować złota na konie i nowe ubrania.

Jakub sięgnął do kieszeni. Chustka była kompletnie mokra, za to wizytówka Earlkinga wypadła z niej sucha i nieskalana, jakby dopiero teraz wkradła się w jego rękę. Lisica obrzuciła ją wrogim spojrzeniem, ale kartonik był pusty, nie licząc nazwiska Earlkinga. Świecił śnieżną bielą, jakby morze wypłukało zeń cały atrament. Jakub przepędził pająka, który wypełz mu z kieszeni, i wsunął wizytówkę z powrotem. Nadal najchętniej by ją wyrzucił, ale odkąd zobaczył na niej imię brata, w absurdalny sposób wyczuwał jakąś nić, która go z nim łączyła.

Zazwyczaj złota chusteczka działała również wtedy, gdy była mokra, ale tym razem Jakub bez końca pocierał płótno, zanim wypluło cieniutką jak papier monetę. Tak, potrzebował nowej chusteczki, ale te łatwiej było znaleźć niż jakikolwiek inny magiczny przedmiot.

Jakub wylał wodę z butów.

– Który to już raz? – zapytał.

Z trudem się podniósł.

– Który raz co?

Lisica też ledwie trzymała się na nogach. Oboje drżeli z zimna w mokrych ubraniach.

– Uratowałaś mi skórę.

Lisica uśmiechnęła się i otrzepała mu plecy z piasku.

– Chyba jesteśmy już prawie kwita.

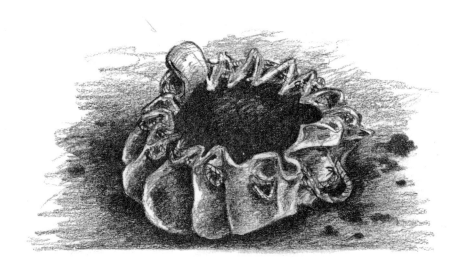

24
ODCISK BUTA

Wybrzeże... jego ręka... prawie zgnieciony. Pająk wykonywał swój taniec niemrawo, jakby tak samo opił się słoną wodą jak jego bliźniak.

Albion utracił flotę, Nerron zaś, niewiele brakowało, swego ośmionożnego szpiega, ale na szczęście bliźniacze pająki były bardziej wytrzymałe od okrętów, obojętnie, drewnianych czy ze stali. Reckless też nieźle sobie poradził, jeśli wierzyć raportowi pająka. Ogień z nieba... woda... dym... śmierć. Nerron z trudem domyślił się, co się dokładnie stało, ale ostatecznie zainteresowały go dwa fakty: szturm goyli sprawił, że kusza stała się jeszcze bardziej pożądana przez wszystkich

ich wrogów, a Reckless jakoś dotarł na kontynent – i to wraz z głową.

Ach, ten wyścig zaczynał go bawić, nawet jeśli tymczasowo ręka była w posiadaniu książątka. O wilku mowa... rozległo się energiczne pukanie, jakby gość nie nawykł do stania pod zamkniętymi drzwiami. Nerron zapędził pająka do medalionu i otworzył.

– Popatrz tylko! – Louis oskarżycielsko podetknął mu pod nos rękaw koszuli. – W tej gospodzie nie potrafią nawet niczego uprać! Jak myślisz, co powie mój ojciec, kiedy mu zatelegrafuję, że dziś rano Lelou musiał iskać mi wszy?

Nerron wyobraził sobie, jak buduje świecznik z kości Louisa. Wyobraźnia to jednak wspaniały dar.

– Czego szukamy w następnej kolejności?

Aha, posmakowało mu. Obudziła się w nim namiętność do łowów... Louis miał wśród przodków zbyt wielu książęcych rozbójników, by pozostać obojętnym na coś takiego.

– Sprowadź pozostałą dwójkę. Spotkamy się na tyłach stajni.

Nerron już chciał zatrzasnąć drzwi, ale Louis wsunął w szparę nogę obutą w kosztowny trzewik.

– Nie jesteś zbyt rozmowny, goylu. Myślę, że nie mówisz wszystkiego, co wiesz o tej misji.

„Dlaczego miałbym to robić, książątko? Żebyście ty lub twój tatuś wpadli w końcu na pomysł, by dalej szukać kuszy na własną rękę?" – odpowiedział w duchu.

202

– Zapytaj Lelou, książę. Z pewnością wie więcej ode mnie – odparł. – A co do wszy, dlaczego nie zaproponujesz szynkarzowi, by w ramach rekompensaty umorzył ci rachunek za wino?

Louis złowił na czole wyjątkowo tłusty okaz i z obrzydzeniem zgniótł go w palcach.

– Dobrze więc – zgodził się i cofnął nogę. – Na tyłach stajni. Tylko pamiętaj: nie lubię czekać!

Oczywiście to Nerron musiał czekać. Książę zapewne znalazł jeszcze we włosach parę wszy. To cud, że woda toaletowa, której używał Louis, nie zabiła ich wszystkich na miejscu. Eaumbre człapał bez słowa za swym książęcym podopiecznym, za to Lelou jak zwykle pytlował na bezdechu. Zamilkł dopiero, kiedy zobaczył Nerrona stojącego przy osiodłanych koniach.

– Lelou mówi, że według ciebie musimy znaleźć jeszcze serce i głowę, by zdobyć kuszę? – Louis miał ludziworek przytroczony do paska ze złotymi okuciami.

Pogładził go, jakby chciał przypomnieć, że to nie Nerron, ale on jest na razie najlepszym łowcą skarbów. Arystokratyczny idiota.

Nerron obdarzył go najbardziej niewinnym z uśmiechów.

– Tak, to prawda – przyznał.

Lepiej było utwierdzić go w przekonaniu, że jest na bieżąco, jeśli chodzi o każdy szczegół misji. W ten sposób Żuk nie zadawał za wielu pytań. Tyle że nadszedł moment, by zejść trochę z drogi prawdy. Zrobił zafrasowaną minę.

203

– Niestety, doszły mnie słuchy, że pewien szpieg z Albionu zagarnął głowę dla siebie. Zanim dogonimy go powozem lub pociągiem, być może zdobędzie też i serce. Dlatego proponuję użyć zaklęcia, by go powstrzymać.

Louis zmarszczył zwodniczo wysokie czoło.

– Albion. Wciąż ten Albion – burknął. – Mój ojciec jest dla nich stanowczo zbyt miły.

Lelou potarł czubek spiczastego nosa.

– Raz już podróżowałem dzięki zaklęciu. To bardzo niezdrowe. Jak już było po wszystkim, przemawiał do mnie mój własny cień!

Nerron wyjął z juków skórzaną sakiewkę.

– Nie ma się czego obawiać. My, goyle, stosujemy zaklęcie, które nie ma żadnych skutków ubocznych. – Nie miał najbledszego pojęcia, czy dotyczy to również ludzi, ale oczywiście nie wspomniał o tym ani słowem.

Woreczek zawierał ziemię, którą Nerron zebrał przy windach kopalni, gdzie odkryto kryptę Gizmunda. Był pewien, że but, który zostawił swój ślad w tamtym miejscu, należał do Jakuba Recklessa. Lelou obserwował podejrzliwie, jak Nerron rozsypuje ziemię na płaskim kamieniu. Cóż za okazja, by pozbyć się całej trójki. Przez chwilę walczył z pokusą. Louis jednak miał rękę, a wiedza Lelou mogła się przydać w poszukiwaniach serca.

„A co z wodnikiem, Nerronie?".

Przelotnie omiótł Eaumbre'a wzrokiem. Instynkt mówił mu, że wodnik jeszcze okaże się użyteczny – nawet jeśli miałoby to oznaczać tylko wyręczenie go w zlikwidowaniu pozostałej dwójki.

– A zatem... to prosta sprawa. O ile będziecie robić, co wam powiem. – Nerron niecierpliwym gestem przywołał ich do siebie. – Cugle do lewej ręki, a prawą na ramię sąsiada.

Lelou musiał stanąć na palcach, by dosięgnąć ramienia Louisa, a książątko, zanim dotknęło wodnika, założyło skórzane rękawiczki. Eaumbre tak mocno zacisnął dłoń na barku Nerrona, jakby chciał mu przypomnieć, że nic może się nie udać.

Nerron wbił się trzewikiem w ziemię, w której parę dni temu stał Jakub Reckless – i poczuł zapach soli w powietrzu.

Woda.

Wzdrygnął się. Miał nadzieję, że nie wylądują w niej po szyję.

25
DRUGI RAZ

M ieli głowę. Kiedy wynajęli pokój w pensjonacie, by po zimnej kąpieli przespać choć jedną noc w ciepłym łóżku, Jakub przyłapał się na tym, że jest wręcz w błazeńsko ufnym nastroju. Zatrzymali się w St. Riquet, niewielkiej mieścinie, której wąskie uliczki zbudowano w czasach, nawet w świecie za lustrem uchodzących za zamierzchłe. Przy ryneczku stały kamieniczki o szachulcowych fasadach, z dachami kładzionymi jeszcze przez olbrzymy. Dzwon na kościelnej wieży zwykł odzywać się tuż przed śmiercią któregoś z mieszkańców miasteczka.

Lisica jeszcze tego samego wieczora udała się na poszukiwanie koni, które mogłaby wynająć, a Jakub zatelegrafował do Dunbara i Chanutego w nadziei zdobycia jakichkolwiek informacji, które byłyby przydatne przy poszukiwaniu ręki i serca. Nie był pewien, jak Dunbar zareaguje na wiadomość, że jego teoria okazała się słuszna i że znaleźli głowę, ale może przynajmniej ucieszy się, że nadal żyją. Jakub wysłał również telegram do Valianta, by karzeł o nich nie zapomniał. Jednak nie napomknął o głowie ani o ich miejscu pobytu. Nie ufał dyskrecji Valianta. Karzeł dowie się w swoim czasie, że Jakub nie zamierza sprzedać kuszy temu, kto da więcej.

Był pierwszy ciepły dzień tej wiosny. Bosonoga dziewczynka sprzedająca pierwiosnki na rogu ulicy z pewnością i tak marzła. Była wychudzona jak młody ptak i miała rude włosy. Lisica była niewiele starsza, gdy Jakub pierwszy raz zobaczył ją w ludzkiej postaci. Kupił od małej bukiecik, bo wiedział, jak bardzo Lisica lubi te kwiaty. W chwili gdy wyjmował z rączki dziecka bukiecik, ból znowu przeszył mu pierś.

Było jeszcze gorzej niż za pierwszym razem. Jakub zatoczył się na najbliższą ścianę i przywarł czołem do zimnego kamienia, rozpaczliwie walcząc o oddech. Poczuł taki ból, że prawie padł na kolana, by błagać nimfy o łaskę. Prawie.

Dziecko wpatrywało się w niego przestraszone. Podniosło kwiatki, które upuścił, i podało mu je. Wziął je z wielkim trudem.

– Dziękuję – wydusił.

Jakimś cudem udało mu się uśmiechnąć, kiedy wciskał dziewczynce do ręki parę miedziaków. Dziecko z ulgą odwzajemniło uśmiech.

Pensjonat oddalony był zaledwie o parę przecznic. Mimo to dotarł tam ostatkiem sił. Ból trwał do momentu, gdy Jakub otworzył drzwi pokoju. Zamknął je za sobą, a potem rozpiął koszulę. Ćma miała na skrzydełkach drugą trupią czaszkę, a imię nimfy już tylko cztery litery.

„Lepiej zacznij odliczanie, Jakubie".

Wziął odrobinę proszku od Almy, jednak jego ręce trzęsły się tak bardzo, że większość rozsypał.

„Niech to diabli...".

Gdzie się podziewała Lisica? Załatwienie pary koni chyba nie mogło trwać aż tak długo. Rozległo się pukanie do drzwi, ale w progu stała tylko najmłodsza córka gospodarza.

– Panie?

Dziewczyna przyniosła mu zacerowaną kamizelkę. Zanim wręczyła mu ubranie, niemal nabożnie pogładziła brokatową tkaninę. Kamizelka była podarunkiem od cesarzowej. Sukienkę dziewczynki bezsprzecznie nosiły przedtem jej starsze siostry. Kopciuszek. Tyle że w tym wypadku rolę złej macochy odgrywała rodzona matka. Jakub widział, jak komenderowała najmłodszą córką. A on sprzedał szklany pantofelek cesarzowej. Może Dunbar miał rację. Jakub nadal słyszał jego gniewny głos: „Wy, łowcy skarbów, uczyniliście z magii tego świata towar, na który stać tylko najmożniejszych!".

Dziewczyna dobrze wypełniła swoje zadanie. Jakub zanurzył dłoń w złotej chusteczce. Talar, który wyciągnął, był jeszcze cieńszy niż poprzednim razem. Mimo to dziewczyna wpatrywała się w złotą monetę z takim niedowierzaniem, jakby naprawdę dawał jej złoty pantofelek. Jej dłoń była szorstka od szycia i szorowania, a jednocześnie smukła jak u nimfy. Patrzyła na niego tak tęsknym wzrokiem, jakby był księciem, na którego czekała od dawna.

„Czemu nie, Jakubie? Odrobina miłości jako lekarstwo na śmierć. W końcu jeszcze żyjesz".

Zamiast tego zadał sobie pytanie, kiedy wreszcie wróci Lisica. Gdy otworzył dziewczynie drzwi, zatrzymała się jeszcze.

– Aha. Znalazłam to w pańskiej kamizelce.

Wizytówka Earlkinga wciąż była śnieżnobiała. Z wyjątkiem słów widniejących na odwrocie.

Zapomnij o ręce, Jakubie.

Dziewczyna już dawno sobie poszła, a on nadal stał i gapił się na wizytówkę. Ogrzał ją w dłoniach (nie, to nie był czar nimfy), nasączył oliwą do strzelby (to był najprostszy sposób, by zdemaskować magię biesunów albo leprechaunów) i natarł sadzą, by wykluczyć czar wiedźmy. Pozostała nieskazitelnie biała i nadal pokazywała tylko cztery słowa: „Zapomnij o ręce, Jakubie". Co to, do diaska, miało oznaczać? Że już zdobył ją goyl?

Jakub napotkał już w świecie za lustrem sporo różnych zaklęć piszących: groźby ukazujące się znienacka na dłoni, karteluszki przynoszone wiatrem do stóp adresata i wypełniające się przekleństwami, proroctwa samoczynnie ryjące się w korze drzewa. Zaklęcia chochlików, biesunów, leprechaunów... magiczne psikusy rozsiewane przez wiatr jak pyłki kwiatów.

„Zapomnij o ręce, Jakubie".

I co teraz?

Lisica wróciła, kiedy wypytywał gospodynię o drogę do Gargantui. W mieście tym znajdowała się biblioteka gromadząca wszystkie pisma na temat królów lotaryńskich i Jakub miał nadzieję, ze znajdzie tam wskazówkę dotyczącą ręki... albo wiadomość, że goyl był tam już przed nim...

Postanowił nie wspominać Lisicy o drugim ugryzieniu ćmy. Wyglądała na zmęczoną i była nieobecna duchem. Zapytana o to, odparła, że to z powodu koni – w St. Riquet istotnie łatwiej było kupić parę owiec. Jakub czuł jednak, że po głowie chodzi jej coś innego. Znał ją tak samo dobrze jak ona jego.

– No mów. Co się dzieje?

Umknęła przed nim wzrokiem.

– Moja matka mieszka niedaleko stąd. Zastanawiam się, jak jej się żyje.

Nie mówiła mu wszystkiego, ale Jakub nie naciskał. Nadal obowiązywało ciche porozumienie, że szanowali nawzajem swoje tajemnice – i że przeszłość stanowiła krainę, którą oboje niechętnie odwiedzali.

– Nie nadłożymy dużo drogi. Możemy się spotkać dziś wieczorem w Gargantui.

Przez chwilę chciał ją poprosić, by z nim pojechała. „Co z tobą, Jakubie?" – zmitygował się.

Nie zrobił tego, oczywiście. Wystarczyło, że sam nigdy nie zaglądał do matki, aż w końcu było za późno na odwiedziny. Prościej było udawać, że będzie żyła wiecznie. Tak samo jak stara kamienica i mieszkanie pełne duchów.

– Jasne – zgodził się. – Zatrzymam się w gospodzie położonej tuż koło gmachu biblioteki. A może chcesz, żebym pojechał z tobą?

Lisica pokręciła głową. Niechętnie mówiła, dlaczego uciekła z domu. Jakub wiedział tylko, że sierść nie była jedynym powodem odejścia.

– Dziękuję – powiedziała. – Ale wolę załatwić to sama.

Tak. Trapiło ją coś jeszcze, ale wyraz jej twarzy nie zachęcał do zadawania pytań.

– Jak się czujesz? – zapytała, kładąc mu rękę na sercu.

– Dobrze! – Jakub ukrył się za najbardziej promiennym z uśmiechów. Niełatwo było ją zmylić, ale na szczęście istniało wystarczająco dużo powodów uzasadniających zmęczenie w jego głosie. Pocałował ją w policzek. – Zobaczymy się w Gargantui.

Jej skóra wciąż jeszcze pachniała morzem.

26
NAJLEPSZY

Wylądowali nie w morzu, tylko na plaży szarej jak zmielony granit. Wodnik narzekał, że go swędzą łuski, a Lelou przysięgał, że czar spowodował u niego nadmierny wzrost paznokci. Ślady na piasku były tak świeże, że nawet książę był w stanie podążyć ich tropem. Nerron pozwolił Louisowi na zabawę do najbliższego skrzyżowania, gdzie dla niewprawnego oka trop gubił się pośród śladów po kołach powozów. Nerron czytał je łatwiej niż szyldy na skraju drogi. Reckless skręcił do St. Riquet, zapadłej mieściny, której mieszkańcy w dawnych czasach raz po raz padali ofiarą zdeptania przez olbrzymy. Na okolicznych polach wciąż znajdowano ich potężne zęby, których sprzedaż przynosiła godziwy zarobek.

Nie mieli trudności z dowiedzeniem się, w którym pensjonacie zatrzymał się Reckless z Lisicą. Żuk z miną niewiniątka wydobył z gospodyni nawet numer ich pokoju.

– Na co jeszcze czekamy? – zapytał Louis, podczas gdy wodnik z beznamiętną miną taksował zasłonięte firankami okna. – Bierzemy tego szpiega.

– Żeby zniszczył głowę, gdy tylko przekroczymy próg pokoju? – Nerron gestem skierował ich za stojącą na skraju drogi dorożkę. – Musimy go wywabić! – syknął. – Za pomocą przynęty.

Lelou rzucił mu ostre spojrzenie.

„Oj, to będzie trudne, Nerronie".

Musiał pozbyć się całej trójki na parę godzin. Reckless był jego łupem. Poza tym nie miał najmniejszego zamiaru przyglądać się, jak głowa dynda u jarmarcznego paska Louisa.

– Potrzebna nam będzie dziewczyna – wyszeptał w jego stronę. – Słyszałem jednak, że lubi wyłącznie dziewice. Złotowłose. Najwyżej osiemnastoletnie.

Lelou poprawił okulary na nosie. Ten gest niezmiennie oznaczał stan pogotowia.

– Dziewice? Czy to nie zwyczajowa przynęta na jednorożce? – zapytał przez nos.

– Chcesz mi objaśniać, w jaki sposób szuka się skarbów? – naskoczył na niego Nerron. – Jestem pewien, że znasz się na albiońskich szpiegach równie dobrze jak na historii przodków Louisa!

Żuk chciał coś odpowiedzieć, ale Louis, zgodnie z oczekiwaniami Nerrona, uznał zlecone zadanie za ponętne.

– Znajdę dziewicę dla goyla – oznajmił z zadowolonym uśmieszkiem, jak przystało na księcia. – Ale głowa należy do mnie.

Lelou zacisnął wąskie wargi, a Eaumbre, zanim podążył za Louisem, posłał Nerronowi porozumiewawcze spojrzenie. Parę minut później cała trójka zniknęła w wąskich uliczkach, a Jakub Reckless był oddalony zaledwie o rzut kamieniem.

Nerron schował się w przeciwległej bramie, musiał jednak kilka razy zmienić kryjówkę spłoszony przez praworządnego obywatela, który przystanął i zaczął mu się przypatrywać. Właśnie snuł marzenia o tym, by w sennej uliczce pojawił się szwadron kawalerii, kiedy ujrzał Recklessa wychodzącego z pensjonatu w towarzystwie kobiety. Kolor jej włosów nie pozostawiał najmniejszych wątpliwości, że to Lisica. Jej uroda była tak oszałamiająca, jak mówiono – mimo że Nerron nie gustował w ludzkich kobietach. Zastanawiał się, czy Reckless i ona byli parą. Jaki inny mógłby mieć powód, by zabierać na łowy kobietę, nawet jeśli była zmiennokształtną? Kobiety były nieprzeniknione jak nimfa, w której zadurzył się Kamien, albo słabe jak jego własna matka, która zadała się z Onyksem, czyniąc z niego bękarta. Niekiedy można było sobie wmówić, że się je kocha, ale nie należało im ufać, a ostatecznie jedynym, czego się pożądało, była ich ametystowa skóra. I co komu po niej...

Lisica zwróciła konia na zachód, a Reckless skierował się ulicą prowadzącą na południe. No i świetnie. Fakt, że będzie sam, znacznie ułatwi mu zadanie.

Koń wynajęty przez Nerrona był podobnie zaniepokojony jego wyglądem jak mieszkańcy St. Riquet. Zanim pozwolił się dosiąść, Nerron stracił Recklessa z oczu. Dogonił go, kiedy ten wjechał w las rozpościerający się na południe od miasta, za pasem łąk i pól. Nerron z wdzięcznością powitał cień drzew, i to nie tylko dlatego, że dzięki niemu stawał się niemal niewidzialny. Światło słońca przestało już co prawda boleśnie razić go w oczy, odkąd kazał rzucić na nie urok pewnej wiedźmie pożerającej dzieci, ale nadal wysuszało mu skórę, mimo że codziennie smarował ją oliwką.

Las był częścią królewskiej kniei, od lat służącej lotaryńskiej arystokracji za teren do polowania. Teraz puszcza dostarczała również budulca dla fabryk i linii kolejowych. Nadal była gęsta jak za dawnych czasów i przypominała Nerronowi kamienne podziemne lasy, wypełniające gigantyczne pieczary gałązkami z granatu i liśćmi z tego samego malachitu, którego żyłki przecinały jego skórę.

Dmuchawkę wyciągnął dopiero wtedy, gdy Reckless zagłębił się między drzewa. Wąs czepny, który wsunął do wąskiej stalowej rurki, był tak najeżony ostrymi kolcami, że tylko goyl mógł dotknąć go bez obawy, iż rozora sobie skórę. Reckless zbliżał się właśnie do polany, a wąs, wylądowawszy na niej, natychmiast zaczął się rozrastać. Dusiwino rosło błyskawicznie. Szybciej, niż zdołała umknąć jakakolwiek ofiara.

Reckless ściągnął wodze, pojąwszy, co czołga się w jego stronę. Zamierzał ominąć przeszkodę, ale pędy już okręcały się wokół kopyt rumaka. Wpijały się w ubranie i oplatały ramiona. Spanikowany wierzchowiec stanął dęba i niemal zadeptał jeźdźca, którego wąsy dusiwina ściągnęły z siodła. Ostrożnie! Nerron chciał dopaść go żywego.

Przywiązał wierzchowca między drzewami. Głupia chabeta wciąż się jeszcze płoszyła. Tymczasem koń Recklessa zdołał się uwolnić. Kiedy Nerron wystąpił na gościniec, koń przytruchtał do niego, pokrwawiony i drżący. Nerron schwytał go i sięgnął do plecaka przytroczonego do siodła. Głowa tkwiła w ludziworku. Oczywiście. Tylko patałachy obnosiły się ze swym łupem.

Recklessa ledwie już było widać. Pędy otuliły go kolczastym kokonem. Nerron rozciągnął je na boki, by dostać się do twarzy rywala. Był nieprzytomny. Wąsy czarodziejskiego pnącza prędko dusiły ofiary, ale gdy Nerron uderzył go w policzek, ten otworzył oczy.

Nerron uniósł ludziworek.

– Przyjmij moje podziękowania! Cieszę się niewymownie, że nie musiałem płynąć statkiem. Jak myślisz, gdzie powinienem szukać serca?

217

Reckless usiłował usiąść, mimo że pędy wbijały mu kolce w ciało. Już wkrótce wilki zwietrzą zapach krwi. W tych lasach grasowała ciesząca się złą sławą wataha dokarmiana wrogami pewnego miejscowego szlachetki i nawykła do ludzkiego mięsa.

– Nawet gdybym wiedział, dlaczego miałbym ci to zdradzić?

Szare oczy spoglądały czujnie, ale nie dostrzegł w nich lęku. Właśnie to o nim powiadano: „Reckless niczego się nie boi. Uważa się za nieśmiertelnego".

Nerron przytroczył sobie worek do pasa.

– Jeśli mi powiesz, zabiję cię, zanim znajdą cię wilki.

Ależ tak, bał się, nawet jeśli dobrze to skrywał. I nie przejmował się strachem. Godne pozazdroszczenia. Nerron nienawidził się bać. Bać się wody, bać się innych. Bać się samego siebie. Zwalczał strach gniewem, ale gniew sprawiał, że jego lęk tylko narastał, jak dobrze karmione zwierzę.

– Rękę już mam.

Nie mógł powstrzymać się od przechwałek. Nasłuchał się już zbyt wielu opowieści o chwalebnych czynach Jakuba Recklessa.

– Znakomicie. – Twarz rywala pobladła z bólu, gdy ponownie spróbował się wyprostować. – W takim razie będę mógł ci ją ukraść, odbierając głowę.

– Czyżby?

Tym razem Nerron założył rękawiczki – już nieraz ochroniły go przed czarną magią. Mimo to, kiedy wyciągał głowę z worka, ból przeszył go aż po ramię. Oczy były zamknięte, ale usta lekko rozchylone. Nerron pospiesznie schował ją z powrotem, zanim zdołała przemówić. Nawet nieżywy czarownik mógł mieć na końcu języka jakieś zaklęcie.

Schował łudziworek do kieszeni kubraka. Jaszczurcza skóra znacznie lepiej osłoniłaby ciało Recklessa niż materiał, z którego uszyty był jego płaszcz, miękki jak jego skóra i równie łatwy do rozdarcia.

– Zanim cała twoja wiedza zostanie strawiona przez jakiegoś wilka... Jak ci się udało ukraść wiedźmie z Moulin czerwony kapturek? Gadają, że już miała cię w piecu.

– Powiem ci, jeśli mi zdradzisz, jak odnalazłeś białego kosa. Szukałem go całymi miesiącami. – Reckless podjął próbę uwolnienia ręki, ale pędy dusiwina były niezawodnymi pętami. – Czy jego śpiew naprawdę przywraca młodość?

– Owszem, ale zaklęcie działa tylko niecały tydzień. Klient zapłacił, zanim się o tym dowiedział.

Nerron potarł łuszczącą się skórę. Bolała nawet w cieniu drzew. Kiedy ta misja się skończy, będzie musiał spędzić parę miesięcy pod ziemią. Chciał jednak zadać jeszcze jedno pytanie. Wyciągnął nóż.

– Tak z ciekawości... Obiecuję, że zabierzesz odpowiedź do grobu, a raczej do wilczego żołądka. Gdzie właściwie ukryłeś swojego nefrytowego braciszka?

No proszę. A jednak można się było przebić przez maskę hardości.

219

– Will. Tak ma na imię, prawda? – Nerron pochylił się nad uwięzionym i odciął świeży pęd dusiwina, który owinął się wokół szyi ofiary. Zawsze mógł się przydać. – Wiesz, że Onyksowie wysłali na jego poszukiwania pięciu najlepszych szpiegów?

Reckless śledził wzrokiem każdy jego ruch. Kontrolował się, ale oczy człowieka zdradzały więcej niż oczy goyla. Ich czujność mówiła to, co skrywało milczenie. Tak, w pogłoskach tkwiło ziarno prawdy: nefrytowy goyl, który uratował skórę Kamienowi, był bratem Jakuba Recklessa.

– Gdzie on jest? – Nerron zawinął świeży wąs czepny w chusteczkę, do której przyczepiło się parę kolców starego pnącza. – Za srebro, które Onyksowie wydali już na poszukiwania, ty i ja moglibyśmy kupić sobie pałac w Lutisie. Mimo to nie wpadli nawet na najmniejszy trop. To musi być naprawdę niezwykła kryjówka.

Reckless uśmiechnął się.

– Może ci ją pokażę, jeśli uwolnisz mnie z tych kolczastych więzów.

Och, Nerron naprawdę go lubił – o ile w ogóle był zdolny do takiego uczucia. Na szczęście rzadko się pojawiało. Jego matka była jedyną osobą, której okazywał bezinteresowną sympatię. Za luksus miłości płaciło się zbyt dużym cierpieniem.

– Nie – odparł. – Lepiej nie. Onyksowie już teraz są nie do zniesienia. Kto wie, co by się stało, gdyby nefrytowy goyl pomógł jednemu z nich w zdobyciu korony Kamiena.

– Tak? – Reckless stłumił jęk. Musiał być już naszpikowany cierniami. – A jak myślisz, co się stanie, gdy odnajdziesz dla nich kuszę?

Całkiem niezła sztuczka. Nerron schował do kieszeni pęd owinięty w chusteczkę.

– Zleceniodawca objęty jest tajemnicą zawodową, prawda? – Słyszał już pośród drzew zbliżające się wilki. – Ja też nie pytam, dla kogo szukasz kuszy.

Obdarzył rywala ostatnim uśmiechem.

– Naprawdę jestem rad, że nasze drogi skrzyżowały się w ten sposób. Prawdę mówiąc, miałem dość wysłuchiwania, że jesteś najlepszy w naszym cechu. Powodzenia z wilkami. Może wpadniesz jeszcze na jakiś pomysł. Zaskocz mnie! Zazwyczaj nie pozostawiają zbyt wiele, a szkoda byłoby, gdyby Lisica szukała cię do końca życia.

Nerron wskoczył na grzbiet konia, gdy pierwszy wilk podkradł się do Recklessa. Za chwilę dołączą do niego pozostałe, ale on, w przeciwieństwie do lorda Onyksa, nie przepadał za wsłuchiwaniem się w okrzyki bólu.

A poza tym Louis z pewnością znalazł już dziewicę.

27
DOM NA SKRAJU WSI

Dom wyglądał jeszcze nędzniej, niż zapamiętała: kamienne, przeżarte grzybem mury, smród gnijącej słomy i świńskiego łajna... Rybołówstwo uczyniło niektórych mieszkańców wybrzeża bogaczami, ale jej ojciec wolał zanosić zarobione pieniądze do gospody niż do domu.

„Ojciec. Dlaczego wciąż go nazywasz w ten sposób, Lisico?".

Miała trzy lata, jak matka za niego wyszła. Dwa lata i dwa miesiące po śmierci jej rodzonego ojca.

Z rosnącej tuż za bramą jabłonki, na którą tak lubiła wdrapywać się w dzieciństwie, bo świat widziany z góry wydawał się mniej straszny, pozostał tylko kikut. Na ten widok prawie zawróciła konia, ale matka jak każdej wiosny zasadziła przed domem pierwiosnki. Bladożółte kwiatki przypominały jej wszystkie dobre rzeczy, których zaznała w tych lichych ścianach. Zawsze ją fascynowało, jak coś tak kruchego jak kwiat może oprzeć się wichrowi i całemu światu. Może matka sadziła pierwiosnki, żeby właśnie tego nauczyć ją i jej brata.

Lisica pogłaskała bukiecik tkwiący przy siodle. Płatki już dawno zwiędły, ale nie ujmowało im to urody. Dostała je od Jakuba. Na moment dały jej poczucie, jakby był tutaj razem z nią. Dwa życia połączone kwiatem.

Brama była otwarta, jak wtedy, gdy ją wypędzili – jej dwóch starszych braci i ojczym. Próbowali jej zabrać lisią sukienkę. Wyrwała im ją i uciekła. Siniaki po uderzeniach kamieni, którymi ją obsypali, czuła pod sierścią jeszcze przez długie tygodnie. Najmłodszy brat schował się wtedy w domu, razem z mamą. Patrzyła przez okno, jakby chciała zatrzymać Lisicę wzrokiem, ale nie zrobiła nic, by ochronić córkę. Niby jak? Nie potrafiła ochronić nawet samej siebie.

Zbliżając się do drzwi, miała wrażenie, że po podwórzu kręci się jej młodsze „ja" – smarkula z rudymi włosami zaplecionymi w warkoczyki, z poobijanymi kolanami.

„Celestynko, gdzieś ty się znowu podziewała?" – usłyszała w myślach głos z przeszłości.

Bywała już razem z Jakubem w pieczarach ludojadów i w przedsionkach pieców złych czarownic, ale żadnego miejsca na ziemi nie pragnęła zapomnieć tak bardzo jak właśnie tego. Nawet miłość do matki nie zdołała skłonić jej do powrotu. To uczucie do Jakuba ją tu przywiodło.

„No już, zapukaj, Celestyno. Nie będzie ich w domu. O tej porze są gdzie indziej".

Przeszłość opadła ją natychmiast, gdy tylko dotknęła dłonią drewna drzwi, i pochłonęła całą jej pewność siebie i siłę, którą dały jej sierść i lata spędzone daleko stąd.

„Jakubie!".

Lisica przywołała w duchu jego twarz, by uchwycić się teraźniejszości i osoby, jaką się stała.

– Kto tam? – odezwał się głos matki.

Przeszłość okazała się potężnym zwierzem. Kołysanki nucone jej do snu... Palce w zaplatanych włosach... Kto tam? No właśnie, kto?

– To ja. Celestyna.

To imię smakowało jak miód, który Lisica w dzieciństwie podkradała dzikim pszczołom, i jak pokrzywy parzące jej gołe nogi.

Cisza. Czy matka stała za drzwiami i wsłuchiwała się w odgłos kamieni? Kamieni uderzających w podwórko i jej ciało? Wydawało się, że minęła wieczność, zanim rozległ się odgłos przesuwanego rygla.

Zestarzała się. Długie czarne włosy były teraz siwe, a jej uroda uleciała niemal całkowicie, jakby każdy rok zmywał ją z jej twarzy.

– Celestyna... – Wypowiedziała to imię, jak gdyby przez wszystkie te lata czekało na jej ustach niczym motyl, którego nie spłoszyła.

Chwyciła ją za dłonie, zanim Lisica zdążyła się cofnąć. Głaskała ją po włosach i całowała po twarzy. Bez przerwy. Trzymała ją, jakby chciała przywrócić czas, kiedy nie mogła wziąć jej w objęcia. Wreszcie pociągnęła ją za sobą do środka. Zasunęła rygiel. Obie wiedziały dlaczego.

Dom wciąż pachniał rybą i chłodem zimy. Ten sam stół. Te same krzesła. Ta sama ława przy piecu. A za oknem nic poza łąkami i łaciatymi krowami, jakby czas stanął w miejscu. A przecież Lisica mijała po drodze liczne opuszczone domostwa. Życie nie należało do łatwych dla kogoś, kto był zdany na ziemię i morze, by się wyżywić. Krzykliwe obietnice świata maszyn nęciły, nęciła też wizja, że można pokonać żywioły ludzką ręką, że już nie trzeba było obawiać się wichrów i zimy. A przecież to wichry i zima stworzyły człowieka.

Lisica sięgnęła po miskę z zupą podsuniętą jej przez matkę.

– Dobrze ci się żyje. – To nie było pytanie.

W głosie matki brzmiała ulga. Poczucie winy. I ogrom bezbronnej miłości. Ale to za mało.

– Potrzebuję pierścienia.

Matka odstawiła dzban z mlekiem, którego nalała jej do kubka.

– Masz go jeszcze, prawda?

Matka milczała.

– Proszę! Potrzebuję go.

– On nie chciałby, żebym ci go dała. – Podsunęła jej mleko. – Nie wiesz, ile lat ci jeszcze zostało!

– Jestem młoda.

– On też był.

– Ale ty nadal żyjesz, a on tylko tego chciał.

Matka usiadła na jednym z krzeseł, na których spędziła tyle godzin życia, cerując ubrania, kołysząc dzieci...

– Zatem kochasz kogoś. Jak się nazywa?

Lisica nie chciała wypowiadać imienia Jakuba. Nie w tym domu.

– Zawdzięczam mu życie. To wszystko.

To nie było wszystko, ale matka by tego nie zrozumiała. Odgarnęła z twarzy siwe włosy i oznajmiła:

– Poproś mnie o coś innego.

– Nie. Wiesz dobrze, że jesteś mi coś winna. – Słowa padły, zanim Lisica zdążyła je powstrzymać.

Ból na zmęczonej twarzy sprawił, że zapomniała o swym gniewie. Matka podniosła się z miejsca.

– Nie powinnam była opowiadać ci tej historii. – Wygładziła ręką obrus. – Chciałam tylko, byś wiedziała, jakim człowiekiem był twój ojciec.

Ponownie przejechała ręką po stole, jakby mogła zetrzeć trudy życia. Potem z wahaniem podeszła do kufra, w którym przechowywała parę przedmiotów nazywanych przez nią dobytkiem. Drewniana szkatułka, którą wyjęła ze środka, była owinięta czarną koronką. Koronką od sukni, którą nosiła przez dwa lata żałoby.

– Może przeżyłabym tę gorączkę i tak, nawet gdyby nie włożył mi na palec pierścienia – wysnuła przypuszczenie, otwierając szkatułkę.

Leżący w niej pierścień był ze szkła.

– To, z jakiego powodu go potrzebuję, jest gorsze od gorączki – oznajmiła Lisica. – Obiecuję, że użyję go tylko wtedy, gdy nie będzie już innego wyjścia.

Matka potrząsnęła głową i zacisnęła palce na szkatułce. A potem nagle zaczęła nasłuchiwać. Z zewnątrz dochodziły kroki i głosy. Czasami, kiedy morze było zbyt niespokojne, mężczyźni wracali z połowu wcześniej.

Matka spojrzała na drzwi. Lisica wyjęła jej szkatułkę z rąk. Wstydziła się za lęk, który zobaczyła na twarzy matki. I nie tylko lęk – malowała się na niej także miłość. Ona nadal czuła miłość, chociaż mężczyzna, którego nią darzyła, katował jej dzieci.

Kiedy zapukał do drzwi, Lisica odsunęła rygiel. Zatęskniła za swymi lisimi zębami, ale zamierzała spojrzeć ojczymowi w oczy. Kiedy ją wygnał, sięgała mu ledwie do ramienia.

Nie był tak wysoki, jak go zapamiętała.

„Bo byłaś mniejsza, Celestyno".

Była taka mała... On był olbrzymem, ona karzełkiem. Olbrzymem niszczącym wszystko, co mu stanęło na drodze. Teraz była tak wysoka jak on, a on się postarzał. Nadal miał poczerwieniałe oblicze – od wina, słońca i gniewu. Gniewu na wszystko, co się rusza.

Chwilę trwało, zanim pojął, kogo ma przed sobą. Cofnął się, jakby zobaczył węża, a jego ręka zacisnęła się mocno na lasce, którą się podpierał. Zawsze miał pod ręką jakieś kije. Kije, pasy... Rzucał w nią i swych synów polanami drewna i trzewikami, jakby byli szczurami chowającymi się za jego piecem.

– Co tu robisz? – huknął. – Zabieraj się stąd!

Chciał ją chwycić jak niegdyś, ale Lisica odepchnęła go i wytrąciła mu laskę z dłoni.

– Przepuść ją. – Głos matki drżał, ale przynajmniej tym razem się odezwała.

– Zejdź mi z drogi – powiedziała do mężczyzny, którego musiała nazywać ojcem, chociaż za jego sprawą czuła wstręt do tego słowa.

Podniósł pięści. Jakże często jej wzrok przywierał do tych rąk, pełen obawy, że ogorzała skóra pobieleje na kłykciach z napięcia. Czasami widywała go w snach. Miał w nich pysk wilka. Minęła go bez słowa. Chciała zapomnieć o jego istnieniu. Chciała wyobrazić sobie, że pewnego dnia odejdzie, jak ojciec Jakuba, albo że matka nigdy nie wyszła za mąż po raz drugi.

– Wrócę – obiecała matce.

Kiedy podchodziła do bramy, matka stała w oknie. Jak wtedy. I tak samo jak wtedy zagrodzili jej drogę, ojczym i jego dwaj synowie. On znowu trzymał w ręku laskę, a najstarszy syn uzbroił się w widły. Gustave i René. Gustave miał jeszcze bardziej tępe spojrzenie niż wtedy. René był bystrzejszy, ale robił, co mu kazał Gustave. To on pierwszy rzucił kamieniem.

Zmiennokształtni. Nikt nie rozumiał lepiej od niej, jak musiał czuć się brat Jakuba, kiedy skórę zaczął porastać mu nefryt, ale w przeciwieństwie do niego ona zawsze nosiła sierść dobrowolnie.

– No już! Poszukaj kamienia! – wrzasnęła do René. – A może czekasz na rozkaz brata?

Ukrył głowę w ramionach i zerknął nerwowo na pistolet za jej paskiem.

– Zabieraj się stąd! – Ojczym zmrużył krótkowzroczne oczy.

Nie bała się go już. To uczucie zupełnie ją oszołomiło.

– Gdzie jest Thierry? – zapytała.

Miała przecież jeszcze jednego brata.

Gustave wpatrywał się w nią wrogo, bez słowa. Koszulę miał poplamioną rybią krwią.

– W mieście – odpowiedział René.

– Stul pysk! – fuknął na niego ojciec.

Niełatwo było być jego pasierbicą, ale jego najmłodszy syn też nie miał łatwego życia. Thierry zazdrościł jej sierści, a ona ucieszyła się, że udało mu się stąd wyrwać.

– Wiecie, co mówią o zmiennokształtnych – odezwała się, unosząc rękę. – Kogo dotkną, temu rośnie futro! Który chce pierwszy?

230

Mocno pchnęła ojczyma dłonią w pierś, tak że jeszcze wiele tygodni później będzie szukał na skórze śladów rudej sierści. Gustave wycofał się, potykając i klnąc, a Lisica pospiesznie wyszła za bramę, zanim cała trójka zebrała się znowu na odwagę. Wskoczywszy na konia, przypomniała sobie, jak wówczas, szlochając i krwawiąc, błąkała się po łąkach, z lisią sukienką przyciśniętą mocno do piersi. Tym razem pojechała drogą. Raz jeszcze obejrzała się na okno, za którym stała matka, ale zobaczyła tylko niebo odbijające się w szybie i pierwiosnki rosnące przy drzwiach.

Zanim wyruszyła w drogę do Gargantui, udała się jeszcze w jedno miejsce. Dom był ruderą, a mogiła w cieniu powalonego muru tak zarosła, że nagrobek ledwie było widać spod plątaniny korzeni i suchej trawy. U stóp grobu wysiał się krzew leszczyny. Gałązki obsypane były kotkami, a na ziemi leżało jeszcze parę orzechów z ostatniej jesieni. Wykute w kamieniu nazwisko ojca porastał mech tak gęsty, że na szarej płycie widniały zielone litery: Joseph Marie Auger.

W dzieciństwie Lisica często tu bywała. Wyrywała chwasty z wilgotnej ziemi, kładła polne kwiaty na szarym nagrobku i szukała w rozpadającym się domu śladów życia, które mogła wieść tu wraz z matką. To tutaj spotkała po raz pierwszy lisicę, a w lesie graniczącym z rozwalającym się murem ogrodu uratowała ją i jej szczenięta przed swoimi braćmi.

– Wiem, dawno mnie tu nie było – powiedziała na głos. – Poprosiłam mamę o pierścień. Nie jestem pewna, czy dobrze spożytkowała twój dar. Czasami życzyłabym sobie, byś pozwolił jej umrzeć i zachował te lata, które jej podarowałeś. Takie słowa mówi się tylko nad grobem, ale dobrze jest je wypowiedzieć. Może ty potrafiłbyś mnie chronić. Znalazłam kogoś innego, kto to robił przez ostatnie lata. Nikogo na świecie nie kocham bardziej. Często mnie strzegł, ale teraz to moja kolej, by go ochronić.

Lisica pozbierała orzechy z mogiły i schowała je do kieszeni. Wsiadła na konia. Słońce stało nisko, a Jakub nie miał czasu do stracenia.

28
CIERNIE I ZĘBY

Oddech wilka zionął zepsutą padliną, która utkwiła mu między zębami, a jego ślepia były złociste jak u goyla. Jakub słyszał już o tutejszych wilkach. Swe ofiary porywały rzekomo nawet z sypialń i innych pokojów. Tak czy siak Jakub wiedział, że czeka go paskudny koniec. Może utonięcie wcale nie byłoby najgorszym rodzajem śmierci.

Było ich już pięć. Usiłował uwolnić rękę, by dostać się do noża, ale dusiwino wbijało mu kolce w ciało tak bezlitośnie, że z piersi wyrwał mu się stłumiony okrzyk bólu.

„Krzycz, Jakubie. Dlaczego nie? Może Lisica cię usłyszy".

Nie. Ona pewnie już czeka na niego w Gargantui. Co zrobi, kiedy on się nie pojawi? Będzie go szukać, tak jak przewidział goyl, ale na pewno nie do końca życia. Lisica prędko się dowie, co mu się przytrafiło. To była prawie pocieszająca myśl.

Jeden z wilków oblizał mu jęzorem twarz, jakby chciał posmakować posiłku. Jakub spróbował uwolnić przynajmniej nogę, ale ciernie tylko głębiej weszły mu w ciało.

„Do diabła, Jakubie, wymyśl coś!".

Zatrzymały się. Największy oblizał się po szarej mordzie. Koniec gry wstępnej. Jakub rzucił się w bok. Usłyszał kłapnięcie zębów chwytających próżnię. Następny wgryzł się w pędy, ale te nie będą go chronić zbyt długo. Jakub desperacko starał się przypomnieć sobie wszystko, co wiedział o dusiwinie. Sam też już używał go do zatrzymania przeciwnika, ale nigdy do uwięzienia go. Jeden z wilków gryzł pędy owijające mu się wokół żeber. Inny szarpał za wąsy czepne więżące mu nogi.

„Dusiwino, Jakubie! Czyżbyś zapomniał, co lubi najbardziej?".

Rzucił się znowu, pokonując ból, i zaczął tarzać się po ziemi. Wilki odstąpiły z zajadłym szczekaniem, a kolce szarpały mu skórę.

Krew. Dusiwinu nic nie smakowało bardziej. Oczywiście jej zapach doprowadzał do obłędu również wilki. Najbliższy z taką determinacją kłapał zębami, że wreszcie wgryzł się w ciało. Jakub krzyknął, czując, jak kły zatapiają mu się w boku, ale jednocześnie jego krwi posmakowały również pnącza i natychmiast zaczęły rosnąć w niepohamowany sposób. Świeże pędy wystrzeliły ku wilkom, drewniejąc błyskawicznie. Wczepiały im się w sierść i otaczały Jakuba coraz gęściejszym kokonem. Oddychał z coraz większym trudem, a jego ubranie lepiło się od krwi, ale wilki nie mogły już go dosięgnąć. Skamlały z wściekłości i raz po raz zatapiały zębiska w kolczastym gąszczu, mimo że pędy obejmowały je coraz silniejszym uściskiem. Jakub walczył o oddech. Jego palce odnalazły rękojeść noża, ale nie mógł ruszać dłońmi na tyle, by go wydobyć.

Przywódca stada zamarł nagle. Dyszał żądzą mięsa, które wydzielało tak cudowną woń krwi, potu i strachu. Wgryzł się w pędy owinięte wokół szyi Jakuba. Jakub desperacko usiłował się obrócić, ale plątanina pędów trzymała go w uścisku jak nici pajęczyny muchę. Jeszcze jedno kłapnięcie i poczuł na szyi oddech wilka. Wydawało mu się, że już czuje jego zęby na krtani, gdy...

Nic. Nie rozległ się chrzęst miażdżonej tkanki. Nie zaczął się dławić własną krwią. Zamiast tego usłyszał przenikliwy jazgot. I ostry męski głos.

Dostrzegł przez gęstwinę czyjeś buty i ostrze sztyletu. Jeden z wilków padł z rozpłatanym gardłem, inny wyswobodził się z pędów i zaatakował, ale klinga zabiła go w locie. Pozostałe zwierzęta wycofały się. Któryś zaszczekał jeszcze z żalem, a potem wszystkie rzuciły się do ucieczki, z futrem usianym kolcami.

Jego wybawca odwrócił się do niego twarzą. Był niewiele starszy od Jakuba. Bezlitośnie siekł pędy sztyletem, który przecinał je jak nóż do listów papier. Niewiele ostrzy potrafiło ciąć dusiwino z taką łatwością. Obcy wyskubywał ciernie z rękawiczek, podczas gdy Jakub wyswobodził się z poszatkowanych pnączy. Ubranie obcego jakością nie ustępowało w niczym sztyletowi. Kołnierz kurtki obszyty był futrem czarnego lisa. W Lotaryngii tylko arystokratom wolno było na nie polować.

Książę z bajki. I dokładnie tak wyglądał.

„Znakomicie. Ciesz się, że akurat nie był zajęty ratowaniem Królewny Śnieżki, Jakubie".

Ostatnim razem poczuł się tak żałośnie i śmiesznie, kiedy na szkolnym podwórzu nauczyciel uwolnił go z chwytu za gardło, jaki założyła mu pewna dziewczyna.

– Rzadko spotyka się dusiwino w tych okolicach – zauważył wybawca, pomagając mu się podnieść. – Czy pogryzły cię wilki?

„Podziękuj mu, Jakubie. No już".

– Nie jest aż tak źle – odparł, sprawdzając palcami ranę w boku. – Jak ci się udało przegonić je tak prędko?

„Przestań. Można by pomyśleć, że to on nasłał na ciebie te wilki".

Duma była uciążliwą cechą. Jego wybawca tylko wzruszył ramionami.

– Moje posiadłości znajdują się w pobliżu Champlitte. Mieliśmy tam kłopoty z bestiami, które były znacznie większe od tych tutaj. – Wyciągnął rękę do Jakuba i przedstawił się: – Guy de Troisclerq.

Jakub wytarł dłoń z krwi.

– Jakub Reckless.

„Łowca skarbów i bezdenny głupiec" – dodał w myślach. Ledwie się trzymał na nogach. Troisclerq wskazał na jego postrzępione ubranie.

– Musisz wykąpać się w naparze z kory, inaczej rany mogą się zaognić. Te kolce są zdradliwe.

– Wiem. – W duchu nakrzyczał na siebie: „Jakubie!". Zmusił się do uśmiechu. – Chyba uratowałeś mi życie.

Troisclerq rzucił pocięte pędy na środek polany.

– Po prostu byłem we właściwym miejscu we właściwym czasie. To wszystko.

W dodatku był wspaniałomyślny.

„Przestań, Jakubie! Co on zawinił, że jak żółtodziób wpadłeś w pułapkę goyla?".

Zapalniczka, którą Troisclerq przyłożył do pnączy, była jedną z pierwszych, jaką Jakub spotkał w świecie za lustrem. Kosztowały tutaj majątek. Wyplątał sobie z włosów gałązkę i dorzucił do ognia. Zachował życie, ale stracił głowę.

Rana w boku bolała tak przejmująco, że musiał poprosić Troisclerqa o schwytanie konia. Widok splądrowanego plecaka napełnił go bezradną złością; najchętniej natychmiast pogalopowałby w ślad za Bastardem. Jednak jego arystokratyczny wybawca miał rację – musi opatrzyć ranę i zdezynfekować pokłuty naskórek, inaczej wda się zakażenie. Poza tym w Gargantui czekała na niego Lisica.

Przynajmniej udało mu się wdrapać na grzbiet konia bez pomocy Troisclerqa. Widząc siwka, którego dosiadał jego wybawca, pomyślał, że wszystkie konie, jakie miał w życiu, były przy tym wierzchowcu jak chabety uratowane spod noża rzeźnika.

– W którym kierunku się udajesz?

– Do Gargantui.

– Znakomicie. Ja też tam zmierzam. Chcę zdążyć na wieczorny dyliżans do Weny.

Cudownie. Takie same były i jego plany. Miał nadzieję, że wybawca nie opowie współpasażerom, w jakich okolicznościach się poznali.

„Serce na wschodzie".

Musiał je znaleźć przed Bastardem albo równie dobrze mógł dać się pożreć wilkom.

Jakub rzucił ostatnie spojrzenie na polanę, gdzie goyl schwytał go w sidła jak królika. Do Austrazji była daleka droga, a twarz Troisclerqa przez cały czas będzie przypominać mu o własnej głupocie.

– Reckless? – Troisclerq zrównał z nim wierzchowca. – Czy nie jesteś przypadkiem tym łowcą skarbów, który pracował dla austrazyjskiej cesarzowej?

Jakub zacisnął na wodzach pokłute palce.

– Ten sam.

Ten sam głąb, który dał się okraść jak ostatnia oferma.

29
NOWA TWARZ

W gospodzie, w której Lisica miała spotkać się z Jakubem, raz już nocowali. Wówczas szukali w Gargantui kurtki z oślej skóry skrywającej tego, kto ją nosił, przed wrogami. Le Chat Botté mieściła się nie tylko tuż obok biblioteki, do której chciał zajrzeć Jakub, ale też w cieniu pomnika wystawionego przez miasto olbrzymowi, od którego wzięło swą nazwę. Jego podobizna dorównywała wysokością kościelnej wieży i przyciągała podróżnych z najbardziej odległych zakątków świata, ale Lisicy nie w głowie był widok srebrnych włosów ani oczu z błękitnego szkła, które rzekomo poruszały się w nocy. Tęskniła za twarzą Jakuba. Wycieczka w przeszłość raz jeszcze przekonała ją, że był jedynym domem, jaki miała.

Karczma Le Chat Botté była o wiele bardziej zadbana niż Pod Ludojadem Chanutego. Wnętrze zdobiły obrusy i świece, na ścianach wisiały lustra, a kelnerki odziane były w fartuszki z falbankami. Oberżysta szczycił się tym, że osobiście znał legendarnego kota w butach. Na dowód tego przy drzwiach wisiały dwa rozczłapane trzewiki, ale te ledwie pasowałyby na dziecko, a przecież każdy łowca skarbów wiedział, że kot w butach dorównywał wzrostem dorosłemu człowiekowi.

Oberżysta z dezaprobatą obrzucił wzrokiem męskie ubranie Lisicy, po czym poszukał nazwiska Jakuba w książce gości.

– Panienko?

Mężczyzna, który podniósł się od jednego ze stolików, był tak przystojny, że parę kobiet obejrzało się za nim, ale Lisica patrzyła tylko na czarne futro jego kołnierza. Obcy zatrzymał się przed nią i pogładził futerko.

– Prezent od dziadka – wyjaśnił. – Osobiście nie znajduję przyjemności w polowaniach tego rodzaju. Jestem za lisami.

Jego włosy były czarne jak leśne cienie, za to oczy miały błękitny odcień letniego nieba. Noc i dzień.

– Jakub poprosił mnie, żebym cię wyglądał. Jest u doktora… ale dobrze z nim! – dodał prędko, widząc zatroskany wzrok Lisicy. – Napotkał tylko na swej drodze dusiwino i parę wilków. Szczęściem nasze drogi się pokrywały.

Skłonił się i pocałował ją w rękę.

– Guy de Troisclerq. Jakub bardzo trafnie cię opisał. Medyk miał swój gabinet nieopodal. Troisclerq wskazał drogę Lisicy. Wilki i dusiwino... Jakub wiedział przecież, jak trzymać się z dala od wilków, a dusiwino uchodziło za dawno wytępione w Lotaryngii, odkąd prawo nakazywało palenie pnączy, po tym jak siostrzenica Koślawego zginęła w ich uścisku. Lisica spotkała Jakuba w połowie drogi. Miał zabandażowane ręce i koszulę poplamioną krwią. Rzadko widywała go tak wściekłego.

– Bastard ma głowę.

Skrzywił się z bólu, kiedy go objęła. Niełatwo było wydobyć z niego, co dokładnie się wydarzyło. Na szczęście zraniona duma kazała mu na chwilę zapomnieć o śmierci, ale Lisica nie potrafiła myśleć o niczym innym. Cały ten pośpiech, niebezpieczeństwa, czas, jaki poświęcili na odnalezienie głowy... na próżno! Mieli puste ręce. Na moment zemdliło ją ze strachu i mocniej zacisnęła palce na pudełeczku, które trzymała w kieszeni.

– Rękę też już ma! – Jakub spojrzał w górę na posąg olbrzyma. W uszach giganta gnieździły się ptaki, ale Lisica była pewna, że Jakub zamiast rzeźbionego kamienia widzi tylko ciemną onyksową twarz Bastarda. – Przeklęty łotr – wydusił przez zęby. – Znajdę serce wcześniej niż on, a potem odbiorę mu głowę i rękę. Jeszcze dziś wyruszamy do Weny.

– Nie możesz wsiąść na konia w tym stanie. Troisclerq powiedział, że wilk ugryzł cię w bok.

Nawet najlepszemu wierzchowcowi dotarcie do Weny musiałoby zająć co najmniej dziesięć dni.

– Ach tak? Co jeszcze ci opowiedział?

– Nie mówił nic więcej!

Och, ta jego duma. Pewnie wolałby dać się pożreć wilkom, niż przyjąć ratunek z ręki obcego.

– Dlaczego musimy jechać do Weny? Masz jakieś wieści od Dunbara albo Chanutego?

– Tak, ale oni nie wiedzą więcej ode mnie. Córkę Gizmunda pochowano w Wenie, w Mauzoleum Rodziny Królewskiej. To jedyny trop, jaki mam.

Nie było to wiele, a Jakub dobrze o tym wiedział.

– Dziś wieczorem wyrusza dyliżans.

– Podróż dyliżansem zajmie nam co najmniej trzy tygodnie! Wiesz przecież, że woźnice zatrzymują się w każdym napotkanym zajeździe. A goyl z pewnością wyruszył już w drogę.

Oboje wiedzieli, że ma rację. Nawet gdyby przekupili woźnicę, jechaliby dłużej niż dziesięć dni. Bastard dotrze do Weny przed nimi. A wtedy mogli liczyć tylko na to, że sam nie znajdzie serca. Tyle że z ręką poszło mu błyskawicznie.

Jakub złapał się za zraniony bok i przez chwilę Lisica zobaczyła na jego twarzy coś, czego nie widziała nigdy przedtem. Poddawał się. Trwało to jeden króciutki moment, ale ta przelotna chwila zdjęła ją większym strachem niż wszystko inne.

– Odpocznij trochę – powiedziała i pogłaskała jego podrapaną twarz. – Załatwię bilety na dyliżans.

Jakub tylko skinął głową.

– U twojej mamy wszystko w porządku? – zapytał, kiedy już miała odejść.

– Tak – odrzekła i zacisnęła dłoń na szkatułce.

Tak bardzo się o niego bała.

30
KONIEC JAZDY

Ośmioro ludzi cuchnących potem i wodą kolońską siedziało w źle resorowanym dyliżansie: adwokat z St. Omar wraz z córką, dwie guwernantki z Arlas wyszywające przez całą drogę, mimo że kłuły się w palce na każdym wyboju, oraz ksiądz usiłujący przekonać ich wszystkich, że goyle w prostej linii pochodzą od szatana. Jakub marzył, by znaleźć się w Czarnym Lesie, na Krwawym Weselu, na pokładzie tonącej „Titanii"... a byli w drodze dopiero od trzech dni.

Talary wypluwane przez chusteczkę stawały się coraz żałośniejsze, ale woźnica z błyskiem w oczach przyjął monetę. W porównaniu z miedziakami, jakimi go opłacano, złoto, nawet cienkie jak papier, stanowiło majątek. Złoty talar zdopingował go tak bardzo, że pozostali pasażerowi już wkrótce zaczęli narzekać na brak postojów, a piątego dnia w górskim wąwozie złamało im się koło. Zajęło im całe godziny, zanim wyprzęgli konie i doprowadzili je oblodzonym traktem do najbliższej stacji postojowej. Jakub nie wiedział, co było gorsze: bolący bok czy głos rozbrzmiewający w jego głowie: „Trzeba było pojechać wierzchem. Bastard na pewno jest już w Wenie. Nie żyjesz, Jakubie...".

Naczelnik stacji odmówił wysłania po nocy parobków do naprawienia koła, wspominając o leśnych duchach i koboldach, rzekomo zamieszkujących wąwóz. Za zimne pokoje, w których ich ulokował, zażądał horrendalnej zapłaty, a kucharza pogonił do roboty dopiero wtedy, gdy Troisclerq rzucił srebrną monetę na wypolerowany do połysku kontuar. Troisclerq zapłacił za wszystkich. Zatroszczył się o to, by w izbie zapłonął ogień, a Lisicę, gdy drżąc, strzepnęła z włosów śnieg, otulił własnym płaszczem. Jakubowi nie umknęło, że obdarzyła go za to pełnym wdzięczności spojrzeniem. Miała na sobie sukienkę, którą kupiła w Gargantui, kiedy czekali na dyliżans, i Jakub przyłapał się na myśli, czy włożyła ją dla tamtego.

Troisclerq jednak i o niego się troszczył. Spostrzegłszy, że Jakub coraz częściej przyciska dłonią pogryziony bok, podał mu dwie czarne pastylki. Czarkarmel. Nie każdy nosił przy sobie coś takiego. Wyrabiały go wiedźmy pożerające dzieci – z jakich składników, lepiej było nie pytać. Jakim cudem ktoś odziany w tak wytworne szaty, o takich manierach, wszedł w posiadanie czarkarmelu?

„Pewnie tak samo, jak nauczył się rozprawiać z wilkami, Jakubie".

Poza tym w Lotaryngii aż się roiło od czarownic, odkąd Koślawy dał im azyl w swym królestwie w podzięce za wyprostowanie kręgosłupa.

Pastylki skutkowały jeszcze lepiej niż korzeń grzęzawca, a czarkarmel nie miał żadnych działań ubocznych. Jakub musiał przyznać, że zaczynał lubić swojego wybawcę. Troisclerq nie wspomniał ani słowem, jak znalazł go w lesie – ani Lisicy, ani nikomu ze współpasażerów. Może odrobinę zbyt często na nią zerkał, ale Jakub mu to wybaczał. W końcu nie można wymagać, by udawał ślepca.

Czarkarmelu lepiej nie popijać winem, ale na zranioną dumę nie pomagały nawet pastylki pożeraczek dzieci. Jakub wciąż miał przed oczami Bastarda spoglądającego nań z góry z szyderczym uśmiechem. Gdy zamówił drugi dzban wina, Lisica zmierzyła go zatroskanym spojrzeniem. Odwzajemnił je z uśmiechem, modląc się, by nie spostrzegła, jak pod uśmiechem w żenujący sposób użala się nad sobą. Pławienie się w litości nad sobą samym, zraniona duma i śmiertelny lęk – to była wybuchowa mieszanka, a oni nadal mieli przed sobą wiele dni jazdy w zaduchu dyliżansu. Napełnił kieliszek po brzegi.

Ból trafił go tak niespodziewanie, że wydało mu się, jakby serce za chwilę miało rozsadzić mu żebra. Nic nie było w stanie go złagodzić. Jakub zacisnął palce na stole, przy którym wszyscy siedzieli, i stłumił jęk wydobywający mu się z krtani.

Lisica popatrzyła w jego stronę i odsunęła krzesło. Jej twarz rozpłynęła mu się przed oczami, podobnie jak twarze pozostałych. Poczuł, że drży na całym ciele.

– Jakubie!

Lisica złapała go za rękę. Mówiła coś do niego, ale nie mógł jej usłyszeć. Istniał tylko ból wypalający z jego pamięci imię nimfy. Jakub poczuł, jak Troisclerq chwyta go pod pachy i razem z woźnicą wnosi po schodach, jak kładą go na łóżku i oglądają ranę wygryzioną przez wilka. Chciał im powiedzieć, żeby oszczędzili sobie trudu, ale ćma jeszcze nie skończyła, a potem zanurzył się w niebycie.

Kiedy doszedł do siebie, ból minął wprawdzie, ale ciało pamiętało go doskonale. W pokoju było ciemno. Tylko na stole paliła się gazowa lampa. Lisica stała obok i wpatrywała się w coś, co trzymała w ręku. Światło lampy barwiło jej skórę na mlecznobiały odcień. Drgnęła, kiedy usiadł, i ukryła trzymany w dłoni przedmiot za plecami.

– Co tam masz?

Nie odpowiedziała.

– Ćma na twej piersi ma już trzy plamy – rzuciła. – Kiedy to się zdarzyło ostatnio?

– W St. Riquet. – Jakub jeszcze nigdy nie widział jej tak bladej. Wyprostował się. – Co masz w ręku?

Cofnęła się.

– Co trzymasz w ręku, Lisico?

Nogi wciąż mu drżały po ataku bólu, ale nie przeszkodziło mu to chwycić jej za rękę i przyciągnąć chowaną za plecami dłoń. Lisica rozprostowała palce. Szklany pierścień. Jakub widział podobny okaz w Gabinecie Osobliwości cesarzowej.

– Jeszcze mi go nie wsunęłaś na palec, prawda? Lisico! – Złapał ją za ramiona. – Powiedz prawdę! Nie znalazł się na mym palcu. Proszę!

Po twarzy popłynęły jej łzy. W końcu potrząsnęła głową. Jakub wyjął jej pierścień z dłoni, nim zdążyła z powrotem zacisnąć palce. Wyciągnęła po niego rękę, ale włożył go do kieszeni. Potem przygarnął ją do siebie. Szlochała jak dziecko, a on ją trzymał tak mocno, jak tylko mógł.

– Obiecaj mi! – wyszeptał do niej. – Obiecaj mi, że nigdy więcej nie spróbujesz tego zrobić. Obiecaj!

– Nie! – sprzeciwiła się.

– Słucham?! Myślisz, że chciałbym, żebyś umarła, ratując moje życie?

– Chciałam ci tylko dać trochę czasu.

– Te pierścienie są niebezpieczne! Każda sekunda, którą pierścień pozostaje na moim palcu, kosztować cię będzie rok życia! Czasami nie da się ich ściągnąć z palca, dopóki nie odda się całego życia.

Wyswobodziła się z jego objęć i otarła łzy z twarzy.

– Chcę, żebyś żył – wyszeptała, jakby się bała, że śmierć może ją usłyszeć i zrozumieć jako wyzwanie.

– Dobrze! W takim razie znajdźmy serce przed goylem! Jestem pewien, że mogę wsiąść na wierzchowca. Kto wie, kiedy naprawią dyliżans.

– Nie ma koni. – Lisica podeszła do okna. – Przedwczoraj karczmarz sprzedał swoje jedyne wierzchowce czterem mężczyznom. Chełpił się, że jednym z nich był sam Louis Lotaryński. Towarzyszył mu goyl z poznaczoną zielonymi żyłkami skórą. Zatrzymali się na krótko i po południu pojechali w dalszą drogę.

Przedwczoraj.

„Jest jeszcze bardziej beznadziejnie, niż sądziłem" – pomyślał.

Lisica pchnęła okno, jakby chciała wypuścić na zewnątrz strach. Powietrze, które wdarło się do środka, było wilgotne i zimne jak śnieg. Z dołu dobiegły śmiechy i Jakubowi wydało się, że słyszy donośny głos adwokata, który siedział w dyliżansie obok niego.

Louis Lotaryński… Bastard szukał kuszy na zlecenie Koślawego.

Lisica odwróciła się do niego.

– Troisclerq usłyszał, że chcę kupić konie, ponieważ musimy pilnie jechać dalej. Przekupił karczmarza, by posłał parobków do dyliżansu. Zapewniłam go, że oddamy mu ten dług, ale nie chciał o tym słyszeć.

Zwrócą mu wszystko. Jakub wyciągnął z kieszeni złotą chusteczkę. Już wystarczająco dużo mu zawdzięczał.

– Próbowałam już – powiedziała Lisica.

Miała rację. Jakub z całej siły pocierał materiał, ale jedyną rzeczą, jaką wypluła z siebie chustka, była wizytówka, na której wciąż widniały te same słowa.

Zapomnij o ręce, Jakubie.

To była dobra rada.

– Moglibyśmy poprosić Chanutego o przysłanie pieniędzy – zaproponowała Lisica. – Przecież masz coś jeszcze w banku w Szwansztajnie, prawda?

Tak, miał jeszcze trochę. Ale niezbyt wiele.

– Kiedy to wszystko się skończy, oddam ci pierścień – obiecał, chwytając ją za rękę. – Jeśli przyrzekniesz, że nigdy go nie użyjesz.

31
GDZIE KUCHAREK SZEŚĆ...

B Był najlepszy. Nie, Nerron nie przypominał sobie, by kiedykolwiek czuł się tak znakomicie. Odebrał łup Jakubowi Recklessowi, mało tego, upokorzył go jak żółtodzioba!

Humoru nie mógł mu zepsuć nawet Louis, choć książątko rozpowiadało na prawo i lewo, że z winy Nerrona wymknął im się albioński szpieg, a przecież on, książę, przyprowadził mu idealną dziewicę. Przez cały dzień wzbraniał się przed wyruszeniem w dalszą drogę do Weny i od tamtej pory wykradał się z każdą dziewką, której zaimponowały jego diamentowe guziki. Wodnik spędzał noce na przeczesywaniu stodół i wiejskich zagród w poszukiwaniu księcia. Mierzył go przy tym spojrzeniem tak pełnym awersji, że Nerron nie zdziwiłby się, gdyby pewnego ranka znalazł księcia utopionego w cebrzyku z wodą dla koni. W dzienniku podróży, niezmordowanie kreślonym przez Lelou, oczywiście nie było o tym ani słowa. Zamiast tego Żuk opisywał każdy mijany zamek, oblodzone trakty i każdego górskiego skrzata, który obrzucił ich kamieniami.

Nerron co wieczór dokonywał oględzin jego pisaniny (Żuk miał na szczęście bardzo czytelny charakter pisma), zasypiając przy tej czynności.

Tak, wszystko było w najlepszym porządku. Mimo Louisa. Mimo Lelou. Mimo rybiego fetoru, jaki wydzielał Eaumbre. Wkrótce dotrą do Weny, gdzie znajdzie serce, odbierze Louisowi rękę i wzniesie toast za Recklessa.

W Bawarii zatrzymali się na noc w gospodzie, skąd od Weny dzielił ich tylko dzień jazdy, kiedy Nerron uświadomił sobie, że ostatni etap podróży być może wcale nie przebiegnie tak gładko.

Obudził się, czując na gardle chłód metalu. Obok łóżka stał Louis i ze wzrokiem przymglonym od elfiego pyłku dźgał go szablą w krtań.

– Okłamałeś mnie, goylu – warknął i pokazał mu łudziworek, a Nerron rozpoznał własność Recklessa, i to mimo wypitej znacznej ilości grzańca, który w Bawarii podawano w każdej karczmie.

Wystarczył mu rzut oka na przypominającą chrząszcza twarzyczkę Lelou, która wychynęła zza łokcia Louisa, by pojąć, kto naprowadził książątko na ślad łudziworka.

– To głowa! – skonstatował z wyrzutem Lelou. – Uderzyła mnie. I w dodatku wrzeszczy.

– Prawdopodobnie wreszcie rzuciła na ciebie urok – warknął Nerron, odtrącając szablę na bok.

Lelou pobladł wokół spiczastego nosa, a Louis pochylił się groźnie nad łóżkiem Nerrona.

– Próbowałeś mnie oszwabić, goylu. Od jak dawna masz głowę?

– Chciał ci ją pokazać. – W otwartych drzwiach zarysowała się ciemna sylwetka wodnika. – Goyl wypytywał, gdzie może cię znaleźć, ale w alkowie cię nie było, panie.

To było najbardziej nieudolne kłamstwo, jakie Nerron usłyszał w swoim życiu, ale wyszeptane przez wodnika zabrzmiało jak najszczersza prawda.

– Pracuję dla twojego ojca – dorzucił Nerron, odbierając łudziworek z rąk Louisa. – Zapomniałeś o tym? Wykonuję tylko jego polecenia. Głowa zostanie u mnie. Chyba że życzysz sobie, bym cię nauczył, jak się chronić przed zaklęciami.

Lelou nadal chował się za plecami Louisa.

„Poczekaj tylko, Żuku. Poszczuję cię każdym górskim skrzatem, którego spotkamy po drodze".

Louis przejechał palcami po ostrzu szabli, jakby wyobrażał sobie, że przecina skórę goyla.

– Dobrze więc. Zatrzymaj głowę. Na razie.

Eaumbre nadal stał w drzwiach. Lelou być może domyślał się, że Nerron kłamie. Ale wodnik był tego pewien. Gdy tylko zza drzwi Lelou dobiegło chrapanie przypominające granie świerszcza, a z pokoju Louisa chichot dziewki, Nerron udał się do izby wodnika. Eaumbre leżał na łóżku i wodą z miski polewał swą łuskowatą skórę.

– Jaka jest cena? – zapytał Nerron.

– To się okaże – szepnął wodnik.

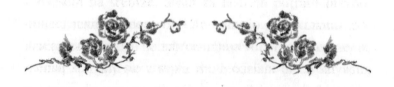

32
SERCE NA WSCHODZIE

Ostatecznie, mimo srebrników Troisclerqa, podróż zajęła im piętnaście dni – a z każdym kolejnym dniem Jakub nabierał pewności, że Bastard już dawno odnalazł serce.

Po jego ataku pozostali podróżni z oporami wsiedli z nim do dyliżansu (w Bawarii i Austrazji szalała ospa), ale Troisclerq demonstracyjnie zajął miejsce obok niego. Tak, Jakub zaczynał go lubić. Troisclerq sporo wiedział o koniach, nie gorzej znał się na najnowszej broni goyli i z zapałem dyskutował godzinami o wyższości ostrzy z Albionu nad katalońskimi czy odwrotnie. Podzielał jego namiętność do szermierki, ale szpadę przedkładał nad szablę. Reszta podróżnych zapewne przeklinała ich skrycie za niekończące się dysputy, w których roztrząsali, czy najbrudniejszym zagraniem było *inquarto*, czy *sparita de vita*.

Za oknami powozu przesuwały się ciemne doliny i jeziora, w których przeglądały się pałace i zaśnieżone szczyty. Na jednym z nich Jakub znalazł szklany pantofelek, który przyniósł mu order cesarzowej. Wreszcie w oddali ujrzeli las, gdzie odebrał bandzie rozbójników siedmiomilowe buty, których poszukiwał dla jednego z Wilczych Książąt ze wschodu. To przecież nie mógł być koniec, jeszcze nie teraz. Ale przez niego cesarzowa spędzała dni w podziemnej fortecy, las, odkąd jego drewno służyło do wytapiania stali w dolinie, zmniejszył się o połowę, a w Wenie rządzili goyle. Wszystko przemijało, nawet w świecie za lustrem.

Guwernantki zarumieniły się, słysząc żart opowiedziany przez Troisclerqa, a Jakub wyglądał przez okno, by nie widzieć, jak Lisica popatruje na jego wybawcę z coraz większą sympatią. Po lewej stronie podmokłe łąki przecinała leniwie Duna, a na horyzoncie pojawiły się wieże Weny.

– Jakubie? – Troisclerq położył mu rękę na kolanie. – Celestyna zapytała mnie, czy wiem, gdzie w Wenie zatrzymuje się zwykle Louis Lotaryński.

Celestyna. Dziwnie było słyszeć jej prawdziwe imię z ust innego. Jakub sam poznał je ledwie parę miesięcy temu.

– Przypuszczam, że Louis będzie mieszkał u kuzyna – ciągnął Troisclerq. – Znam go dość dobrze. Jeśli zechcesz, postaram się, żeby was przyjął.

– Oczywiście. Dziękuję.

Celestyna… Dyliżans zwolnił. Trakt był podtopiony. Woda z roztopów, spływająca z gór, sprawiała, że rzeki wystąpiły z brzegów. W świecie za lustrem rzeki same szukały sobie koryta i rok w rok zatapiały wsie i zagrody, ale Jakub lubił widok porośniętych sitowiem brzegów, niezliczonych odnóg i zalesionych wysepek przeglądających się w leniwie płynącym nurcie. Tutejsze rzeki skrywały nie tylko rusałki i błotne gnomy, ale i skarby, które niejednego odzianego w łachmany rybaka uczyniły bogaczem.

Celestyna… Woźnica skierował dyliżans na ten sam most, którym goyle opuścili miasto po Krwawym Weselu. Wena poddała się niemal bez walki, kiedy córka cesarzowej oświadczyła publicznie, że to jej matka ponosi całkowitą winę za jatkę w kościele. Goyle nie byli bardziej okrutni od innych okupantów, ale Jakub czuł się paskudnie, patrząc na domy z zamurowanymi oknami i szare mundury oraz zadając sobie pytanie, czy to wszystko by się zdarzyło, gdyby nie on.

Dyliżanse nadal zatrzymywały się na tyłach dworca, mimo że hałas wjeżdżających pociągów łatwo płoszył konie. Być może ich właściciele nie chcieli bez walki oddać pola żelaznym wagonom, ale ta wojna już dawno była przegrana. Tuż przy dworcu goyle wydrążyli wejście do rozpościerających się pod miastem katakumb, które wykorzystywali jako kwatery mieszkalne. Pozostali pasażerowie mierzyli wzrokiem żołnierzy pilnujących wejścia z nieukrywaną odrazą, jaką nadal u większości ludzi budziły kamienne twarze. Małżeństwo Kamiena nic tu nie zmieniło.

Do murów dworca przylepione były dziesiątki listów gończych. W Wenie działały anarchistyczne ugrupowania nawołujące do oporu przeciwko nowej cesarzowej, do zamachów na jej ministrów, na posterunki policji i wojska oraz na kwatery goyli. Lisica z niepokojem obrzuciła wzrokiem plakaty, ale Jakub nie znalazł na nich ani swojej twarzy, ani Willa. Cokolwiek Czarna Nimfa powiedziała swemu kochankowi, Kamien nie rozkazał ścigać nefrytowego goyla.

„A gdy ciebie już nie będzie, Jakubie, nikt nigdy się nie dowie, gdzie zniknął".

Może Czarna Nimfa chciała właśnie, by rzeczy przybrały taki obrót…

Pod drzewami rosnącymi po przeciwległej stronie placu dworcowego czekało parę dorożek.

– Ty idź szukać serca! – wyszeptała Lisica, kiedy Jakub przywołał fiakra. – Ja udam się z Troisclerkiem, który pokaże mi, gdzie mieszka kuzyn Louisa, i dowiem się, czy jest z nim Bastard.

Ten plan nie podobał mu się ani trochę. Goyl był niebezpieczny. Lisica przyłożyła palec do ust, gdy chciał zaprotestować.

– Nie trwońmy więcej czasu – szepnęła. – Proszę. Dopilnuję, żeby mnie nie zobaczył.

Za ich plecami Troisclerq żegnał się z resztą pasażerów. Lisica spoglądała na niego, a Jakub usiłował zignorować, jak bardzo go to ukłuło.

– Dobrze. Weź dorożkę. Ja pójdę pieszo – zgodził się. Piętnaście dni spędzonych na ławce dyliżansu w zupełności mu wystarczyło. – Spotkamy się w hotelu.

Jego słowa zabrzmiały chłodniej, niż chciał.

„O co ci chodzi, Jakubie?".

Wzrok Lisicy mówił to samo.

Troisclerq kupił od jednej z kwiaciarek stojących przed dworcem bukiet narcyzów. Odłamał jeden z kwiatów i przypiął Lisicy do sukienki.

– Dobrze się czujesz? – zapytał, obejmując Jakuba ramieniem. – Znam tu dobrego medyka. Może powinieneś się zbadać?

– Nie, ze mną wszystko w porządku. – Jakub gestem przywołał fiakra.

– Znajdziesz serce! – wyszeptała do niego Lisica. – Wiem to.

Troisclerq otworzył jej drzwi dorożki. Lisica zebrała fałdy sukni.

– Zatelegrafujesz do Chanutego w sprawie pieniędzy?

– Pewnie.

Uśmiechnęła się do niego raz jeszcze i wsiadła do powozu. Troisclerq odprowadził wzrokiem dwie mijające ich kobiety. Odwzajemniły jego spojrzenie, a jedna się zarumieniła.

– Tyle jest pięknych kobiet – szepnął Troisclerq do Jakuba – ale niektóre są bardziej niż piękne. O wiele bardziej. – Podszedł do dorożki i rzucił fiakrowi torbę. – Dziś ruszam w dalszą drogę – ciągnął – ale jestem pewien, że jeszcze się spotkamy.

I dosiadł się do Lisicy. Celestyna... Jakub wolał ją nazywać Lisicą.

Patrzył w ślad za dorożką, aż zniknęła za tramwajem.

„Znajdziesz serce".

Obejrzał się.

„Dokąd teraz, Jakubie?".

Do archiwum państwowego zawierającego spis wszystkich skarbów Austrazji? Do mauzoleum, w którym pośród cesarskich potomków spoczywała córka Gizmunda?

Z trudem przypominał sobie wściekłość, jaką odczuwał w lesie, chęć odpłacenia się Bastardowi... Ale nie czuł nic.

Jakby ćma naprawdę zżerała mu serce.

33
RÓŻNE METODY

Jakie to zabawne, że zakazane rzeczy ludzie tak chętnie robią w piwnicach. Jakby wystarczyło wpełznąć pod ziemię, by pozostać w ukryciu. Goyl zawsze wybierze światło dzienne.

Człowiek, którego nazwisko Nerron dostał od pewnego grabarza, prowadził swoje podejrzane interesy w piwnicach pod renomowanym sklepikiem rzeźniczym. Wonie rozchodzące się zza drzwi stanowiły bez wątpienia znakomitą przykrywkę dla towaru, którym handlował.

Schody do piwnicznych pomieszczeń, w których prowadził działalność, były nieoświetlone i kończyły się drzwiami. Umieszczona na nich emaliowana tabliczka informowała: „Czynne tylko po uzgodnieniu". Na pukanie Nerrona otworzył grabarz, który zdradził mu ten adres. Był łysy jak bursztynowy gnom, a pod czarnym surdutem chował nóż. Pomieszczenie, do którego zaprosił go gestem, było tak ciemne, że tylko goyl mógł zorientować się na pierwszy rzut oka, czym tutaj handlowano. Wszędzie stały słoje z gałkami ocznymi, zębami i wszelkiego rodzaju pazurami, a w rozlicznych gablotkach pełno było rąk, łap i kopyt, a także uszu, nosów i czaszek o przeróżnych kształtach i rozmiarach. Dla tych, którzy pragnęli przysporzyć sąsiadowi migreny, a niewiernemu mężowi doprawić kozie kopyta, były to skuteczne ingrediencje. Medycyna szkodząca, tak nazywano to zabronione rzemiosło, którym gardziły czarownice, określając je mianem ludzkich zabobonów. Ale nawet córka cesarzowej lubiła podrzucać wrogom pod łóżko oczy lub zęby mające zaszkodzić ich zdrowiu. Uwadze Nerrona nie umknęło, że ta szczególna apteka miała w asortymencie pokaźną liczbę odnóży goyli. Ścierano je na proch i aplikowano, by wywołać paraliż.

Mężczyzna, który handlował tym dobrem, wyglądał, jak gdyby sam stał się ofiarą własnego rzemiosła. Jego żółta skóra opinała kości, jakby przed nim użytkował ją już ktoś inny. Miał na sobie biały kitel, jak wszyscy aptekarze, którzy przeszli z medycyny leczniczej na szkodzącą ze względu na większe zyski, a dodatkowo klienci nie bardzo mogli wnosić reklamacje dotyczące nieskuteczności mrocznych kuracji.

– Czy grabarz przekazał, czego szukam?

– A owszem. – Zdumiewająco mięsiste wargi rozciągnęły się w przychylnym uśmiechu. – Chodzi o serce. O wyjątkowe serce. Bardzo kosztowny towar.

Nerron wyjął sakiewkę i wyłożył czerwony kamień księżycowy na nieskazitelnie czyściutki kontuar. Uśmiech poszerzył się jeszcze bardziej.

– To powinno wystarczyć. Zdobycie tego towaru stanowiło pewne wyzwanie, ale ma się te źródła.

Aptekarz odwrócił się i otworzył jedną z emaliowanych szuflad. Znajdujące się w nich serca miały wszelkie możliwe rozmiary i kształty. Niektóre były maleńkie jak orzech laskowy, a największe wyglądało na świetnie zachowane serce olbrzyma.

– Lepszego asortymentu nie znajdzie pan w całej Wenie. – Kolejny uśmiech pełen dumy, jak u kwiaciarza zachwalającego najlepszy gatunek róż. – Zaklęcie konserwujące mój towar jest bardzo skomplikowane i nie całkiem bezpieczne, ale w przypadku tego serca jego zastosowanie było zbędne z oczywistych względów. W końcu to serce czarownika. Nie muszę wyjaśniać, co to oznacza.

Sięgnął po srebrną szkatułkę leżącą obok serca olbrzyma. Znajdujące się w niej serce było nie większe od figi i miało konsystencję czarnego opalu. W gładkiej powierzchni wyryty był herb Gizmunda. Wilk w koronie.

– Jest w stanie nienaruszonym, jak widać. Ostatecznie od stuleci znajdowało się w posiadaniu rodziny cesarskiej.

„Najpierw grabarz, Nerronie".

Odwrócił się i zanim ten ciołek zdążył się zorientować, co się dzieje, uderzył jego głową o ścianę.

– Jakim trzeba być idiotą, żeby chcieć sprzedać fałszywkę goylowi? – syknął w stronę aptekarza. – Wydaje ci się, że jesteśmy takimi samymi ignorantami jak wy i nie potrafimy odróżnić skamieniałego serca czarownika od opalu? Że każdy czarny kamień wygląda tak samo? Jak myślisz, z czego jest moja skóra? Z jaspisu?

Strącił szkatułkę z kontuaru. Co za zawód. Wielki zawód.

„Sam sobie jesteś winien, Nerronie. Chcesz znaleźć serce króla, a szukasz w rynsztoku!".

Reckless nie byłby taki głupi. Wycelował pistolet w trzęsącego się aptekarza i wskazał na słój stojący przy kasie. Pośród ludzkich i karlich oczu pływała w nim para oczu goyla.

– Spróbuj tych złotych – zachęcił, chowając kamień księżycowy z powrotem do sakiewki. – Jestem pewien, że smakują lepiej. I kto wie, może zobaczysz moich pobratymców w innym świetle.

Pomysł, który przyszedł mu do głowy, kiedy aptekarz, dławiąc się, spożywał pierwsze oko, był brudny, ale z drugiej strony szukał serca już prawie od tygodnia, a cierpliwość nigdy nie była jego mocną stroną. Nerron chwycił bladą, rozdygotaną rękę w momencie, gdy ponownie zanurzyła się w słoju.

– Daruj sobie drugie oko. Masz język czarownicy? Ale tym razem radziłbym bez podróbek.

Aptekarz pospiesznie wyciągnął szufladę. Język, który szczypcami wydobył ze środka, różnił się od ludzkich okazów wyłącznie wąską szparą na czubku. Nerron wyrzucił ze szkatułki fałszywe serce Gizmunda i włożył do środka język. Wyszedł już na zewnątrz, kiedy grabarz zaczął odczuwać skutki spożycia oka. Nie podążył za swoim klientem.

34
GRA

Na pokonanie drogi z dworca do archiwum państwowego potrzeba było mniej niż pół godziny, ale szerokie aleje prowadzące do pałacu blokowały policyjne zapory. Na chodnikach kłębiły się niemal takie tłumy jak w dniu Krwawego Wesela. Jakub miał wrażenie, jakby nurt poniósł go z sobą niczym dryfujące na powierzchni drewno. W Wenie przebywał Kamien i przygotowywano paradę dla uczczenia potomka, którego spodziewała się jego ludzka żona. Cesarska gwardia dekorowała latarnie i frontony kamienic girlandami. Wszyscy bez wyjątku byli goylami. Amalia pozwalała się strzec wyłącznie żołnierzom małżonka. Ludzie gadali, że wybierała z upodobaniem wojaków o karneolowej skórze, jak u Kamiena. Girlandy były z kwiatów z kamienia księżycowego, a zapory uliczne zdobiły gałązki ze srebra. Jakub miał jednak przed oczami tylko Troisclerqa, który przyczepił Lisicy kwiat do sukni. Co się z nim działo? „Jesteś zazdrosny, Jakubie. Nie masz innych zmartwień?".

Skręcił w najbliższą uliczkę – i znowu stanął przed zaporą. A niech to diabli. Czemu w ogóle się łudził? Bastard pewnie już dawno znalazł serce.

„Przestań, Jakubie".

Nie pamiętał, czy kiedykolwiek w życiu był tak zmęczony. Nawet lęk przed śmiercią nie przebijał się już przez mgłę spowijającą jego umysł.

Wyjął z torby przewodnik, który kupił na dworcu. Był to gruby jak przegadana powieść nieporęczny tom, wydrukowany drobną czcionką, ale goyle przeprowadzili w Wenie tyle zmian, że ledwie poznawał miasto. Archiwum leżało przy jednej z ulic, którą miała przejść parada. Może jednak lepiej będzie zacząć od mauzoleum. Przewrócił parę gęsto zadrukowanych stron – i do ręki wpadła mu wizytówka Earlkinga.

Trwonisz czas, Jakubie.
Muzeum Historyczne Austrazji
Sala 33
Mężczyzna, który był oczami Gizmunda,
ma także jego serce.

Jakub potoczył wzrokiem wzdłuż ulicy. Ból w piersi ćmił nieustannie, jak rana, która nie chciała się goić. „Cena nie będzie wygórowana". Przywołał dorożkę i podał fiakrowi adres muzeum.

Kolumny uformowane jak ciała skrępowanych olbrzymów, okalający wejście fryz z pokonanych smoków, karły i skrzaty domowe tworzące ornamenty pod oknami – wszystko to dowodziło, że gmach, w którym mieściło się Muzeum Historyczne Austrazji, był kiedyś pałacem. Jeden z przodków obalonej cesarzowej sam zaprojektował każdy detal budynku. Nazywano go Księciem Alchemikiem, ale to nie jego pomnik stał na placu przed muzeum, lecz jego prawnuka, w otoczeniu dwóch zwycięskich generałów na koniach. Jakub przecisnął się przez grupkę uczniaków w mundurkach wysypującą się po schodach w jego kierunku, a gdy dotarł do okienka, przesunął po ladzie zapłatę za wstęp. Miał szczęście, że pewien złotnik wymienił parę jego żałosnych talarów, które wydała jeszcze chusteczka, na nowiutkie guldeny z wizerunkiem Kamiena wybitym miast podobizny cesarzowej.

Muzeum nie eksponowało przedmiotów magicznych jak cesarski gabinet osobliwości, ale w jego salach Jakub więcej nauczył się o świecie za lustrem niż niejeden tu urodzony.

Wystawiona tu była broń i zbroje austrazyjskich rycerzy, piki do walki przeciwko olbrzymom, pułapki na ludojady, obijane złotem smocze siodła, kopia pierwszego cesarskiego tronu i głowa konia, który ostrzegł matkę cesarzowej przed zatrutym jabłkiem... Tysiące przedmiotów, które mówiły o przeszłości Austrazji. Jakub doskonale pamiętał swoją pierwszą wizytę w tym miejscu. Przyprowadził go tu Chanute, poszukując informacji o pewnym zamku zatopionym w jeziorze ponad sto lat temu. Jakub przystawał przed każdym eksponatem, aż Chanute złapał go za kark i szorstko popchnął dalej. Ale on wracał po kryjomu za każdym razem, gdy zatrzymywali się w Wenie, a Chanute odsypiał pijaństwo. Mógł z zamkniętymi oczami przechadzać się po poszczególnych salach, ale goyle zmienili nie tylko wizerunek miasta. To samo zrobili z historią Austrazji.

W sali, w której się zatrzymał, jeszcze parę miesięcy temu można było podziwiać oficjalne stroje obalonej cesarzowej. Teraz w pomieszczeniu królowała zakrwawiona suknia ślubna jej córki. Woskowa lalka, która ją prezentowała, w upiorny sposób przypominała Amalię. Kamiennej skóry jej małżonka wosk nie imitował ani w połowie tak dobrze. Jakub zbliżył się do figury woskowej stojącej obok króla. Nefrytowy goyl spoglądał nań złotymi oczami. Figura wykazywała tak niezwykłe podobieństwo do Willa, że patrząc na nią, odczuwał ból. Oczywiście nie zapomniano również o figurze Czarnej Nimfy. Stała nieco na uboczu, a u jej stóp leżały woskowe zwłoki pokryte czarnymi ćmami.

„To przeszłość, jak wszystko tutaj, Jakubie".

A jednak na parę sekund poczuł się znowu jak wtedy w katedrze... Klara leżała pośród nieżywych, Will ubrany był w mundur przesiąknięty krwią goyla, a jego własny język formułował imię, które zasiało mu w piersi śmierć. Szklany wzrok brata odprowadzał Jakuba z sali do sali. Prawie przegapił pomieszczenie oznaczone numerem 33. Czerwone ściany pokrywały portrety członków dynastii austrazyjskiej. Niezliczone twarze, zbrązowiałe od patyny minionych stuleci, tłoczyły się aż po sam strop. Byli tu pradziadowie obalonej cesarzowej, jej babka i owiani złą sławą bracia oraz cesarz, którego wszyscy nazywali Odmieńcem (i pewnie istotnie nim był). Oczywiście nie zabrakło portretu Gizmunda. Miał na sobie nie płaszcz czarownika podbity kocim futrem, jak na konterfekcie w krypcie, ale rycerską zbroję oraz hełm w kształcie wilczego łba w koronie, jaki widniał na jego herbie. Obok wisiał portret jego żony z trojgiem dzieci. Obraz przedstawiał ich w bardzo młodym wieku – cała trójka stała przytulona do boku matki. Źrenice małżonki Gizmunda nie były takie jak u czarownicy, ale to niewiele znaczyło. Każda czarownica potrafiła przybrać wygląd zwykłej kobiety. Jakub spostrzegł również portrety Feirefisa i Garumeta, przedstawiające ich jako królów, ale tylko omiótł je przelotnym spojrzeniem. Minął też portret Orgeluzy z jakimś mężczyzną. Obraz, przy którym się zatrzymał, był w sali 33 jedynym, który nie przedstawiał członka cesarskiej dynastii. Jakub już wcześniej zwrócił nań uwagę, ponieważ mężczyzna spoglądający z ciężkiej złoconej ramy był trochę podobny do jego dziadka. Henryk Golcjusz Memling był nadwornym malarzem Rzeźnika Czarownic i zasłynął nie tylko dziełami sztuki, jakie tworzył. Podejrzewano go również o gorącą miłostkę, która połączyła go z córką Gizmunda. Malowidło było autoportretem. Memling namalował go trzy lata po śmierci Gizmunda i sam go datował. Na jego szyi wisiał oprawiony w złoto kamień. Memling dotykał go palcami prawej ręki. Była kaleka, co podobno dawało mu zdolność wyjątkowo sprawnego posługiwania się narzędziami miedziorytnika. Kamień był czarny jak węgiel.

Złote i czarne serca... Głos Chanutego brzmiał niemal nabożnie, kiedy opowiadał o nich Jakubowi.

„Złote serca to serca alchemików. Wymyślili sobie kiedyś, że zamienią własne serca w złoto, by uzyskać nieśmiertelność. Wielu z nich wyjmowano je z piersi na żywca".

„A czarne?" – spytał wtedy Jakub.

Którego trzynastolatka obchodziła nieśmiertelność?

„Czarne to serca czarowników – odrzekł Chanute. – Do złudzenia przypominają czarne klejnoty. Kto je nosi na szyi, podobno dostaje wszystko, czego pożąda, ale jeśli się je nosi zbyt blisko serca, traci się nie tylko wszelką radość, ale też własne sumienie".

Jakub podszedł bliżej do obrazu. Memling spoglądał nań z góry chłodnym wzrokiem. Krążyły pogłoski, że otruł z zazdrości nie tylko własną żonę, lecz także Orgeluzę. Może to, że podarowała mężczyźnie, którego kochała, serce ojca, stało się jednocześnie jej zgubą.

35
PRAWDZIWY
KRÓL

Smocza jama skrywała się pod dziedzińcem browaru. Nikt w Wenie nie wiedział o jej istnieniu, aż pewnego dnia pewien patrol goyli zwietrzył jednoznaczny zapach siarki i jaszczurczego ognia.

Straż przyboczna Kamiena schowała się w cieniu bramy. Może strażnicy liczyli na to, że postronni wezmą ich alabastrową skórę za połysk księżyca. Przywykli do łatwości, z jaką można było omamić ludzkie oczy. Przemknięcie się obok nich niezauważenie sprawiło mu radość, a Nerron po wpadce z aptekarzem odczuwał nagłą potrzebę rozrywki.

W miejscu, gdzie za piwnymi wozami znajdował się wlot tunelu oddechowego smoka, ustawiono dwóch dodatkowych wartowników. Nerron minął ich, zanim zdążyli ruszyć głową, i wtopił się w mrok tunelu. Smok, który wykopał korytarz, nie żył już od ponad stu lat, ale jego zapach owionął Nerrona, jakby bestia nadal czekała na niego we wnętrzu jamy.

„Cicho, Bastardzie. Bądź jak wąż".

Pieczara otwierająca się na końcu tunelu była poczerniała od smoczego ognia. Tylko w paru miejscach spod sadzy prześwitywało złoto. Smoczy skarbiec. Był lepiej zachowany niż wszystkie, które Nerron widział w swoim życiu.

Przywarł do chłodnej skały. I oto stał tam ten, którego skóra nawet w ciemności płonęła jak ogień. Król goyli.

Kamien stał odwrócony plecami do tunelu. Wystarczyłaby jedna dobrze wycelowana kula. Albo zatruta strzała posłana między łopatki… Ilu skrytobójców opłacili Onyksowie na próżno, by stać dokładnie w tym miejscu, gdzie on teraz, a jakże łatwo mu to przyszło.

„Tak, jesteś najlepszy, Nerronie. Nawet jeśli nie znalazłeś jeszcze tego przeklętego serca".

– Jak długo to potrwa? – odezwał się Kamien tak niedbałym tonem, jakby na całym świecie nie było niczego, co mogłoby budzić jego obawy.

– Architekt wspomniał o dwóch miesiącach, ale mogę zatroszczyć się o to, by robotnicy skończyli wcześniej.

Oczywiście. U boku króla stał Hentcau. Jeszcze parę lat temu bez trudu zwietrzyłby zapach Nerrona, ale lata spędzone pod ziemią przytępiły wzrok i węch najwierniejszego kundla Kamiena, tak że upodobniły go pod tym względem do człowieka.

– Najmij, panie, karły. Ci pracują najszybciej – rzucił Nerron i wychynął z tunelu.

Hentcau drgnął i zasłonił króla własnym ciałem.

„Dobry piesek".

– Co to ma znaczyć? – naskoczył na Nerrona. – Chcesz, żebym przeszył ci kulką twoją żyłkowaną skórę? – Od czasu Krwawego Wesela jego jaspisową twarz żłobiły jeszcze głębsze bruzdy.

W porównaniu z nim Nerron był przystojniakiem. Z uśmiechem skłonił głowę i przycisnął pięść do serca w geście szacunku, który zwykle nie przychodził mu łatwo, ale nie wobec tego króla.

– Okaż mu wdzięczność, Hentcau. Udowadnia tylko, że potrzebuję lepszej obstawy.

Kamien odwrócił się z nonszalancją, jaka może cechować wyłącznie kogoś posiadającego połowę świata. Miał na sobie mundur, w którym przeżył swój ślub – księżycowe kamienie tam, gdzie materiał splamiła krew ludzi, rubiny w miejscu krwi goyli. Czarna Nimfa wiedziała, jak zamienić grozę w piękno.

– On ma rację. Najmij karły – zwrócił się do Hentcaua. – Chcę, żeby prace rozpoczęły się natychmiast. Mam dość pałacu zbudowanego przez ludzi. Mój gabinet będzie się mieścił tutaj. Tam grota sypialna. Niech powstanie tunel do pałacu, do dworca i jeden do traktu leżącego pod rzeką. – Rzucił Nerronowi chłodne spojrzenie. – Nadal nie znalazłeś serca?

– Nie. Ale mam rękę i głowę.

– Dobrze. – Kamien potarł palcem poczerniałą od sadzy ścianę, odsłaniając ukryte pod nią złoto. – Kusza Rzeźnika Czarownic... Może powinienem posłać moje samoloty do kopalni karłów, żeby ich nauczyć, że lepiej nie mieć przede mną tajemnic.

– Powinniśmy ich posłać nie tylko tam – warknął Hentcau. – Miękkoskórzy burzą się przeciwko nam nawet na wschodzie! Jego spytaj, kto ich jednoczy. Gdyby nie Onyksowie, nadal wyrzynaliby się wzajemnie.

Hentcau zmierzył Nerrona niechętnym spojrzeniem. Jak wszyscy starzy wojacy nie ufał nikomu, kto nie nosił munduru, a zwłaszcza bastardowi Onyksów bywającemu u wrogów jego króla. Może przeczuwał również, że Nerron mimo całego uwielbienia dla króla służył wyłącznie sobie. Jednak to jemu zawdzięczali nazwiska wielu szpiegów, a dzięki jego informacjom udało się udaremnić dwa zamachy na Kamiena. Nawet Hentcau zdawał sobie sprawę, że potrzebowali Bastarda. Ale i tak nie ufał mu ani na jotę.

– Szpiedzy Hentcaua donoszą, że masz poważnego rywala, jeśli chodzi o poszukiwania kuszy. – Twarz Kamiena była beznamiętna jak na wizerunku zdobiącym monety.

Nerron tylko raz widział, jak kruszy się jego opanowanie. Było to wtedy, gdy uświadomił mu, jak wielkie kręgi zatacza spisek Onyksów przeciw niemu.

– Wydaje się, że potrzebujesz, panie, nie tylko lepszej straży, ale też lepszych szpiegów – skwitował Nerron, rzuciwszy drwiące spojrzenie na Hentcaua. – Nie ma już żadnego rywala.

– Czyżby? – Hentcau wykrzywił wąskie usta w grymasie, który prawie można było wziąć za uśmiech. – Moi nic niewarci szpiedzy donoszą, że rywal jak najbardziej żyje i przebywa w Wenie. Jakub Reckless ma szczególne upodobanie do powstawania z martwych.

Nerron przyłapał się na tym, że serce wykonało mu parę nadprogramowych uderzeń. Co za niespodzianka... Z drugiej strony, czy to nie byłoby wielkie rozczarowanie, gdyby Jakub Reckless po cichutku dał się pożreć wilkom? Najlepszy...

– Reckless odwiedził Muzeum Historii. – Lewe oko Hentcaua błysnęło tym szczególnym mlecznym połyskiem powodowanym zbyt dużą dawką światła dziennego. – Przypuszczam, że wiesz, w jakim celu?

Nerron nie miał bladego pojęcia, ale liczył, że jego twarz się z tym nie zdradzi.

– Nasłałem na niego starego znajomego. Zajmie się nim. – Kamien schylił się i popatrzył na ślady smoczych pazurów. – Co za marnotrawstwo to wytępienie smoków – rzucił i przejechał palcami po wgłębieniach. – Stanowiły znakomitą broń, tyle że nieposłuszną. Maszyny o wiele łatwiej kontrolować.

Wyprostował się. Złocisty blask w jego oczach był jaśniejszy niż u Onyksów.

– Hentcau chętnie zlikwidowałby Recklessa, ale ja od czasu wesela mam do niego pewną słabość. Dla kogo szuka kuszy?

Nerron wzruszył ramionami.

– To nie ma znaczenia, ponieważ i tak ja ją znajdę.

– Razem z synem Kośławego? – wtrącił Hentcau obcesowo, jakby rozmawiał z jednym ze swych żołnierzy. „Miej się na baczności, starcze".

– Musimy wracać – zakomunikował Kamien i odwrócił się. – Hentcau ma rację. Od tej pory masz szukać w pojedynkę.

Hentcau rzucił Nerronowi trzos pełen srebrników na pokrycie wydatków. Król goyli płacił znacznie mniej szczodrze niż Onyksowie, ale Nerron pracowałby dla niego i bez zapłaty. Nie wszystko było na sprzedaż. Wsłuchiwał się w ich kroki w tunelu, aż ucichły.

Wkrótce rozpocznie się parada dla szemrających mieszkańców Weny. Goyl prezentował ludowi swą ciężarną ludzką żonę. Poddani już ochrzcili potomka licznymi imionami: „monstrum", „książę bez skóry"… Każdy zakładał, że to będzie chłopiec. Mieszańcy zrodzeni z człowieka i goyla nie żyli długo. Czasami można ich było zobaczyć na pokazach osobliwości podczas jarmarków. Niektórzy z nich byli skamieniali do tego stopnia, że niemal się nie poruszali, inni mieli skórę, przez którą widać było kości i narządy jak przez szkło – albo nie mieli skóry w ogóle. Kamien jednak był zdecydowany zachować to dziecko przy życiu. Podobno nawet poprosił o pomoc Czarną Nimfę.

Czego Reckless szukał w muzeum? Nerron oparł się o pooraną szponami skałę. Otaczający go mrok przesycony był smoczymi oparami. Kiedy otworzył medalion, pająk ospale wypełznął mu na dłoń. Dlaczego nie zapytał go wcześniej, czy Reckless naprawdę jest martwy? Może wcale nie chciał znać odpowiedzi? Ciekawe... Musiał nakarmić pająka dodatkową porcją lapis-lazuli, żeby wreszcie zaczął tańczyć.

Brak dorożek... przeklęte... zapory uliczne... wszędzie kwiaty...

Nerron poczuł, jak na usta wkrada mu się uśmiech. Tak, on naprawdę żył. Pająk wirował w tańcu.

Fiakier! Co? Nie. Do Ciernistej Bramy...

Proszę, proszę. Być może wcale nie będzie potrzebował języka czarownicy.

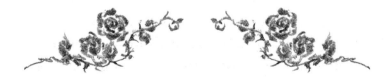

36
ZNIKNIĘCIE

Brama prowadząca do dzielnicy jubilerów oddawała sprawiedliwość swej nazwie tylko nocą. Jakub odczuł już na własnej skórze ciernie, które wyrastały o zmroku, ale tym razem przekraczał bramę w południe, a żelazne wrota stały otworem, jakby go zapraszały.

Dzielnica jubilerów należała do najstarszych w tym mieście. Uliczki były tutaj zbyt wąskie nawet dla lekkich dorożek, a w podwórzach można jeszcze było znaleźć kolonie malutkich domków z czasów, gdy wszyscy złotnicy zatrudniali elfy, a skrzaty domowe trzymano w charakterze przynoszących szczęście maskotek.

Hipolit Ramee przegonił skrzaty już wiele lat temu, przyłapawszy je na kradzieży, ale wciąż wykorzystywał do pracy elfy. Trzymał je na zapleczu, żeby nie uchodzić za staroświeckiego cudaka, ale srebrny pyłek, które pozostawiały w czasie lotu, osadził się na płaszczu Jakuba, gdy tylko otworzył drzwi zakładu.

Biżuteria, którą wytwarzał Ramee, była słynna nie tylko na całą Wenę. Jubiler pochodził z Lotaryngii, a terminował u cieszącego się niechlubną sławą złotnika z Ponte-de-Pile. Krążyło wiele opowieści o tym, jak Hipolit stracił na służbie u niego obie nogi, a jedna historia była bardziej makabryczna od drugiej. Złote stopy, które sobie wykuł, by uciec od mistrza, Jakub widział na własne oczy, tego dnia jednak były zakryte zapinanymi na guziki trzewikami.

Hipolit Ramee od trzydziestu lat piastował godność oficjalnego złotnika austrazyjskiej dynastii i o ile Jakub był dobrze poinformowany, goyle nic w tym nie zmienili. Wzrok Hipolita ucierpiał na długoletnim oprawianiu w złoto i srebro maleńkich klejnotów. Szkła jego okularów były tak grube, że zmącone wiekiem oczy spoglądały przez soczewki jak wielkie ślepia dziecka.

– Był pan umówiony? Jeśli nie, to szkoda fatygi.

Ramee słynął nie tylko z biżuterii, ale też z humorów. Bywało, że wyrzucał ze sklepu posłańców cesarzowej. Jednak uroda kosztowności wystawionych w wypełniających wnętrze sklepu przeszklonych gablotach przyćmiewała zawartość niejednego książęcego skarbca. Wisiory, bransolety, diademy i brosze, rubiny, szmaragdy, topazy i bursztyn, wplecione w złoto i srebro, wszystko to jakby samo rosło w palcach starca siedzącego za prostym drewnianym stołem.

– To ja, Hipolicie.

Ramee podniósł głowę i odłożył na bok dużą jak dłoń lupę, przez którą przyglądał się brylantowi wielkości ziarna grochu, ale nieufność zniknęła z jego twarzy dopiero wtedy, gdy Jakub stanął tuż przed nim.

– Rzeczywiście. Jakub – stwierdził złotnik, zaciskając poplamioną dłoń na szlachetnym kamieniu. Ramee nieustannie obawiał się, że zostanie obrabowany. Cesarzowa była jedyną osobą, którą wykluczył z grona podejrzanych. – Czyżby istniało zapotrzebowanie na broszeczkę, która zaimponowałaby jakiejś cesarskiej garderobianej?

– Nie. – Jakub przyglądał się diademowi z karneolu, którego kwiecie oplatały srebrne gałązki. Ramee dostosowywał asortyment do gustów nowych władców Weny. – Przypuszczam, że do twoich obowiązków należy opieka nad cesarskimi klejnotami?

Ramee poprawił okulary na nosie.

– Oczywiście. Można o goylach gadać, co się chce, ale niewątpliwie potrafią docenić, kto się zna na kamieniach.

Jakub stłumił uśmiech. Hipolit był starym pyszałkiem.

– To pożałowania godne, że nie gustują w złocie – ciągnął Ramee. – Dlatego muszę więcej pracować w srebrze, ale ich król nie tak dawno temu zamówił u mnie kilka eleganckich precjozów. Ta bransoletka, którą...

– Hipolicie – przerwał mu Jakub.

Ramee mógł godzinami rozprawiać o szlifie kamienia albo wartości czystego elfiego szkła, ale Jakub nie chciał marnować czasu, którego nie miał.

Starzec jednak trajkotał dalej, z ciężkim lotaryńskim akcentem, którego nie zdołał się pozbyć przez długie lata na wygnaniu. Najwyraźniej był już nie tylko na wpół ślepy, ale też głuchy.

– Hipolicie! Czy możesz mnie wysłuchać?!

Ramee zamilkł gwałtownie, jakby połknął jeden ze swoich brylantów.

– No co? – huknął na Jakuba. – Jestem trzykrotnie starszy od ciebie. Co ci tak spieszno?

– Żaden z nas nie wie, kiedy przyjdzie po niego kostucha, czyż nie? – Jakub strzepnął z rękawa pająka; jego odwłok był niebieski jak ametystowe pierścienie, z których słynął Ramee.

Stary zabił go, kiedy zaplątał mu się między palce.

– Pająki, myszy, karaluchy! – złorzeczył, ścierając pająka ze stołu. – Koty już sobie z nimi nie radzą! Trzeba będzie sprawić sobie znowu parę tych skrzatów złodziejaszków!

Inny konik staruszka. Skrzaty.

– Hipolicie! Czy mógłbyś mi powiedzieć coś o pewnym klejnocie? Widziałem go na portrecie w Muzeum Historii. Kamień jest czarny, trochę większy od winogrona, a oprawę stanowią splecione gałązki ze złota.

Ramee spoglądał na niego oniemiały. Potem opuścił głowę i uporządkował nerwowo narzędzia leżące przed nim na stole. Kiedy znów podniósł głowę, oczy ukryte za grubymi szkłami błyszczały od łez.

– Co to ma znaczyć? – syknął zduszonym głosem. – Czy to ma być jakiś okrutny żart? Wszystko wyznałem już wtedy cesarzowej.

Wstał raptownie, strącając ze stołu brylant, nad którym pracował.

– Przysłała cię tu Amalia? Jasne! Czego innego oczekiwać po księżniczce, która daje sobie zrobić bachora przez goyla?! – Przycisnął dłoń do ust, jakby chciał cofnąć swe słowa, i zerknął z niepokojem w stronę okna, ale jedynym przechodniem widocznym na ulicy był karzeł stojący przy przeciwległej wystawie.

O czym on mówi? Jakub podniósł brylant i położył go z powrotem na stole. Błyszczał jak kamienna łza.

– Nikt mnie nie przysłał – wyjaśnił. – Sam poszukuję tego klejnotu. Chciałem cię tylko zapytać, czy umożliwiłbyś mi zerknięcie na to cacko.

Ramee zdjął okulary i niezgrabnie przetarł rękawem zaparowane szkła.

– Zapomnij o tym! – wycedził szorstko. – Kamień zaginął. Tak samo jak Marie.

Jakub wyjął mu okulary z ręki. Wypolerował je i podał starcowi.

– Marie?

Dłonie jubilera drżały, kiedy brał od niego okulary. Pokazał na fotografię, która wisiała na ścianie przy drzwiach. Wokół ramki przewieszono czarną opaskę. Zdjęcie przedstawiało może osiemnastoletnią dziewczynę. Jakub podszedł bliżej. Miniona rzeczywistość uchwycona światłem i kwasem na srebrze. Świat za lustrem potrafił przypomnieć, jakim cudem była fotografia. Dziewczyna spoglądająca na niego ze zdjęcia miała włosy tak ciemne, że niemal stapiały się z sepią tła. Siedziała nieco sztywno, w końcu do takiego zdjęcia trzeba długo siedzieć nieruchomo, ale pewny siebie wzrok mówił: „Popatrz. Czyż nie jestem piękna?".

– To był jej pierwszy bal. – Ramee podszedł do Jakuba. Złote stopy zdradzały się ciężarem kroków. – Właśnie otrzymałem z pałacu naszyjnik wraz z kilkoma innymi klejnotami. Nadal nie wiem, co to był za kamień. Miał osobliwą konsystencję. Ale tak pięknie wyglądał na białej skórze Marie. „Jak odłamek nocy oprawiony w złoto, dziadku". Tak wtedy powiedziała. Któż mógłby odmówić własnej wnuczce, a przecież chodziło tylko o jeden bal. Nigdy nie wróciła. Przepadła. Po prostu przepadła. Jakby nigdy nie istniała. Jej matka ze zgryzoty w ogóle nie wychodzi z domu. Wmawia sobie, że Marie uciekła z jednym z tych oficerów, którzy szwendają się po balach. Przypuszczalnie wie, że prawda jest znacznie bardziej okrutna.

Ramee odwinął rękaw. Kościsty nadgarstek opinała bransoletka. Delikatne ogniwa łańcuszka były poczerniałe.

– Słyszałeś o podobnych bransoletach, prawda? – zapytał.

Jakub skinął głową. Niewielu złotników potrafiło je wyrabiać. Złoto zaprawiano kroplą krwi. Jeśli metal połyskiwał, osobie, od której pochodziła krew, wiodło się świetnie; gdy bransoleta zabarwiała się na czerwono, znajdowała się w wielkim niebezpieczeństwie. Czarna patyna mogła oznaczać tylko jedno.

– Nie żyje. – Ramee wpatrywał się w zdjęcie. – Fotografia to niepokojący wynalazek, nieprawdaż? Sfotografowany wygląda jak zjawa. Ale przynajmniej mam jej wizerunek. – Zasłonił rękawem poczerniałą bransoletkę. – Tego dnia kiedy Marie tutaj przyszła, miała kwiat przypięty do sukni i zachwycała się jakimś obcym, pięknym niczym książę. Oczywiście, zarost miał gładko ogolony. Nie muszę ci chyba wyjaśniać, dlaczego nigdy nie wróciła.

Nie, nie musiał. Kwiat przypięty do sukni. Jakub poczuł, jak serce zaczyna bić mu szybciej.

„Czyś ty był głuchy i ślepy, Jakubie?".

– Sinobrodzi… – Ramee przetarł zamglone oczy. – Ludzie wierzą, że istnieją tylko w bajkach, do czasu gdy jeden z nich uprowadzi im własną wnuczkę. Jeśli kiedykolwiek znajdziesz naszyjnik, którego szukasz, zastrzel jego posiadacza, a potem sprawdź, czy w jego Szkarłatnej Komnacie leży martwa dziewczyna nosząca broszkę z rubinową gwiazdą. Podarowałem ją Marie na szesnaste urodziny.

Szkarłatna Komnata... Jakub już raz przekroczył próg podobnego pomieszczenia. Chętnie wymazałby to wspomnienie z pamięci. Ile czasu minęło, odkąd Lisica z nim odeszła? Trzy godziny?

Ramee rzucił jeszcze coś za nim, ale Jakub słyszał tylko szum własnej krwi w uszach. Troisclerq przypiął jej kwiat na jego własnych oczach! Kwiaty były nasączone olejkiem z zapominajek.

Potykając się, wypadł na uliczkę.

„Przeklęty głupiec".

Czyżby zapomniał wszystko, czego nauczył go Chanute?

„Rusz się, Jakubie".

Ale nie uszedł daleko. Szyję otoczyło mu czyjeś ramię i ktoś brutalnie wciągnął go do bramy, a potem na tylne podwórze, którymi usiana była dzielnica jubilerów.

– No i jak, podoba ci się Wena pod rządami twych nowych przyjaciół?

Donersmark nie nosił już cesarskiej bieli, lecz miał na sobie szary mundur goyli. Ostatnim razem, gdy się widzieli, był ich więźniem. Teraz jego dawny przyjaciel był osobistym attaché nowej cesarzowej. Najwyraźniej nie miała mu za złe, że niegdyś służył jej matce.

Donersmark był na rauszu. Niezbyt dużym, ale wystarczającym, by nad sobą nie panować. Uderzył Jakuba w twarz z taką siłą, że ten posmakował na języku własnej krwi. Jakub w odpowiedzi wbił mu kolano w brzuch i wyswobodził się, ale nie zdołał odejść zbyt daleko. Pod łukiem bramy stał Auberom, były ulubiony karzeł cesarzowej, i z pistoletu celował mu w głowę. Auberom uwielbiał popisywać się strzeleckimi umiejętnościami, posyłając kulkę prosto w czoło. Wszystkie karły cesarzowej były znakomitymi strzelcami. Amalia wolała mimo to otaczać się żołnierzami męża, a straż przyboczna jej matki ochraniała teraz jubilerów, bankierów i bogatych fabrykantów.

Jakub podniósł ręce.

– Pozwól mi odejść, Leo!

Spóźni się. Donersmark przyparł go do muru.

– Nigdzie nie pójdziesz. Złożyłem cesarzowej przyrzeczenie, w najciemniejszej ciemnicy, do której wtrącili ją goyle: że znajdę Jakuba Recklessa i że zapłaci on za to, co wydarzyło się w katedrze.

– Dlaczego nie zastrzelimy go od razu tutaj?

Jakub dobrze pamiętał napuchniętą twarz Auberoma, gdy ten wytoczył się z katedry. Tak, karzeł najchętniej wypaliłby od razu, ale Donersmark zignorował jego pytanie.

– Od miesięcy każę wyglądać cię na dworcu i stacjach dyliżansów.

– Naprawdę? Ach, widzę, że nadal jesteś możnym człowiekiem. Gratuluję munduru. Do twarzy ci w nim.

Jakub miał nadzieję, że Donersmark uderzy go za te słowa. Był tak pijany, że stracił równowagę, a Jakub przystawił mu pistolet do skroni, zanim zdążył podźwignąć się na nogi. Auberom dowiódł, że nikt w świecie za lustrem nie wykazywał takiej inwencji w przeklinaniu jak karły. Jednocześnie usiłował znaleźć dogodną linię strzału, ale Donersmark był rosłym mężczyzną i stanowił wyśmienitą osłonę.

– Chodziło o mego brata! – syknął Jakub w jego stronę. – Co ty byś zrobił w takiej sytuacji? Nosisz ich mundur tylko dlatego, by nie skończyć w ciemnicy jak twoja niegdysiejsza władczyni. Więc przestań udawać świętoszka i powiedz mi, co wiesz o Sinobrodym, który grasuje w tych okolicach!

Poczuł, jak Donersmark łapie głęboki oddech.

Sinobrody. Ścigali niegdyś jednego z nich. Przed wielu laty.

– No, mów. Jesteś przecież pieskiem nowej cesarzowej. Musisz coś wiedzieć!

– To brudna sztuczka!

Poza nim tylko Jakub widział widma, które sprawiały, że głos Donersmarka brzmiał ochryple.

– Gadaj! – Jakub puścił przyjaciela, by ten mógł zobaczyć strach na jego twarzy. – Czy w Wenie jest jakiś Sinobrody?

Donersmark wbił w niego wzrok.

„Pokaż mu swój strach, Jakubie. Na przekór temu, że jesteś świetny w jego ukrywaniu".

– Tak – odpowiedział tamten z wahaniem. – Pierwszą dziewczynę wziął dziesięć lat temu. Teraz zabrał już czwartą. Podobno pochodzi z Lotaryngii, ale z upodobaniem poluje tutaj. Wiesz, jacy są. Nigdy nie polują przed własnymi drzwiami. Dlaczego go szukasz?

– Ma Lisicę.

Jakub przecisnął się obok niego. Miał przed oczami wciąż ten sam obraz: ręka Troisclerqa przypinająca kwiat do sukni. Dlaczego zrobił to w jego obecności? Żeby w przyszłości co noc dręczyła go ta wizja? Złapał się na lep jego uroku tak samo jak kobiety, które zabijał.

„Tylko że Lisica poszła z nim wyłącznie dla ciebie, Jakubie. A ty dałeś mu ją jak upominek".

– Skąd w Lotaryngii?

– Znam jedynie pogłoski.

– Na przykład?

– Że ma posiadłość gdzieś w okolicach Champlitte.

Champlitte. Troisclerq nawet go nie okłamał.

„A co, jeśli wezmę sobie to, za czym tęskni twe serce, Jakubie? Przyjedziesz i mi to odbierzesz?".

Odepchnął karła z drogi i wyszedł na uliczkę. Donersmark dogonił go pospiesznie mimo utykania, jakie pozostało mu po wojnie, którą prowadziła jego cesarzowa.

– Gdzie ją widziałeś ostatnim razem?

– Przy dworcu.

Musiał odszukać tamtego fiakra… Serce waliło mu jak jeszcze nigdy, nawet po ugryzieniu ćmy. Strach zalewał mu rozum. Nie wiedział, że można odczuwać taki lęk.

„Znajdziesz ją! I to żywą".

Gdybyż potrafił uwierzyć sobie samemu. Wiedział tylko jedno – zabije Troisclerqa. Zabije go.

37
KWIATY

Zwiędłe kwiaty w dorożce i na peronie. Nie. Trois-clerq bynajmniej nie zadawał sobie trudu, by zatrzeć ślady. Donersmark stał u boku Jakuba, gdy ten zbierał z peronu płatki. Sinobrody. To jedno słowo z powrotem zamieniło wrogość Donersmarka w nieme poparcie, na które Jakub mógł liczyć do czasu Krwawego Wesela.

Minęły już trzy lata, odkąd cesarzowa poprosiła Jakuba o odnalezienie Sinobrodego, który uprowadził jedną z jej pokojówek. Donersmark poprosił ją, by mógł mu towarzyszyć jako wojskowa eskorta. Pokojówka była jego siostrą. Znaleźli ją w opustoszałym zamczysku, razem z siódemką innych dziewcząt tak samo martwych jak ona. Morderca zbiegł. Szukali go wiele miesięcy, aż w końcu to on zwabił ich w pułapkę, z której ledwie uszli z życiem, a potem jego trop się urwał. Zmarł parę lat później we własnym łóżku, bogaty i powszechnie szanowany, zamordowawszy jeszcze sześć kolejnych dziewczyn.

Polujący na ofiary Sinobrodzi zawsze byli gładko ogoleni, żeby nie zdradził ich błękitnawy zarost, któremu zawdzięczali swe miano. Podobno na świecie żyła zaledwie garstka z nich, ale Chanute zarzekał się, że musiały ich być setki. Powiadano, że wszyscy pochodzili od jednego przodka, mężczyzny o czarnej krwi i niebieskoczarnej brodzie, który znalazł sposób na żywienie się strachem innych, co zapewniało mu wieczny żywot. Sinobrodzi zabijali dopiero wtedy, gdy strach się wyczerpywał. W tym leżała cała nadzieja Jakuba: Lisica tak prędko nie da Troisclerqowi tego, czego był tak spragniony.

Jeden z zawiadowców zapamiętał młodą rudowłosą kobietę, tak zmęczoną, że jej mąż musiał ją podtrzymywać, kiedy wsiadali do pociągu. Tak działał kwiat...

Pociąg zatrzymywał się również w Champlitte. Następny odjeżdżał dopiero nazajutrz, a Jakub postanowił, że nie będzie czekał. Kiedy polecił fiakrowi zawieźć się na przedmieścia, gdzie powietrze cuchnęło sadzą i ubóstwem, Donersmark nie pytał po co. Potrzebowali szybkich wierzchowców, lepszych nawet od tych, które stały w stajniach cesarzowej. Donersmark wiedział równie dobrze jak Jakub, że takie konie można było znaleźć tylko w najmroczniejszych zakątkach Weny. Chłopi nazywali je czarcimi szkapami, bo żywiły się surowym mięsem, a ich oddech był tak gorący, że aż parzył. Chwytano je na bagniskach i mokradłach – białawe rumaki o grzywach niczym opadające im na szyję korzenie. Były dwukrotnie szybsze od zwykłych wierzchowców, ale zbyt ufnych właścicieli pożerały we śnie.

Te dwa, które kupił Jakub, z trudem ujarzmiał nawet handlujący nimi olbrzymiel. Donersmark od chwili bójki nie odzywał się zbyt wiele, jednak obaj wiedzieli, że lepiej nie wchodzić do domostwa Sinobrodego w pojedynkę. Robiło się ciemno, kiedy zostawili Wenę za sobą i razem ruszyli na zachód.

38
POWIETRZE

Powietrze! Rozpłynęli się w powietrzu – Reckless i człowiek, którego nasłał na niego Kamien. Nawet Hentcau nie wiedział, gdzie się podziali. A pająk podkulał nogi pod siebie i nie chciał tańczyć.

„Nadal się cieszysz, że nie pożarły go wilki, Nerronie?".

W nastroju mrocznym jak odcień jego skóry wrócił do pałacu kuzyna Louisa. Budynek przypominał przesadnie zdobione torty, oferowane przez miejscowe cukiernie, i miał więcej pokoi niż Lelou włosów na głowie. Nietrudno było jednak znaleźć w nim Louisa. Wystarczyło podążyć za chichotem aktualnej faworyty. No i proszę. Pralnia.

Louis wykorzystywał każde dostępne pomieszczenie. Nerron przyłożył ucho do drzwi.

Koniec z cywilizowanymi metodami. Potrzebował ręki. Potrzebował serca, zanim znajdzie je Reckless, no i musiał pozbyć się swej eskorty. Był tylko jeden sposób, by wszystko to załatwić jednym pociągnięciem. Ubić trzy muchy naraz.

– Co ty tu robisz? – szept Eaumbre'a zabrzmiał jeszcze bardziej wilgotno niż zwykle.

Nerron odwrócił się.

Mokre włosy kleiły się do kanciastej czaszki wodnika, jakby ten dopiero co wylazł z bajora. Przypuszczalnie było to zgodne z prawdą. Nerron odniósł wrażenie, że czuje nikły zapach złotych rybek. Wodniki wysychały, jeśli od czasu do czasu nie zanurzały się w jakiejś sadzawce, im bardziej zaszlamionej, tym lepiej. Wysychały również, gdy się je zmusiło do połknięcia płomienistej ćmy. Z pewnością był to interesujący widok.

„Odpuść, Nerronie. Bądź mu przychylny. Tak będzie znacznie korzystniej".

Nerron wskazał ręką na drzwi pralni.

– Twój pan i władca staje się niecierpliwy. Koślawy chce kuszy, ale jak mam się skupić na poszukiwaniach, skoro jego synowi tylko uwodzenie dziewek w głowie?

Twarz wodnika była pozbawiona wyrazu jak zwykle, ale jego wzrok zdradzał, co się działo pod łuskami: sześcioro oczu bezbrzeżnie wypełnionych nudą i urażoną

dumą. Louis nie omieszkał rozpowiadać po całej Wenie, że wodnik nie jest niczym więcej jak uciążliwą niań-
ką narzuconą mu przez ojca. Nie ulegało wątpliwości, że
Eaumbre gardził swym podopiecznym, ale to nie oznaczało, że kogokolwiek darzył sympatią. Poza tym był silny. Bardzo silny. Bezsprzecznie mógł jedną ręką połamać każdą kość, nawet goylowi. Niezbyt przyjemne
uczucie.

– No i? Co twoim zdaniem powinniśmy począć? – Szept
wodnika napełnił uszy Nerrona mulistym błotem.

Przez drzwi dobiegło westchnienie, od którego nawet
portrety na ścianach zalały się szkarłatem wstydu.

– Przyprowadź Louisa do biblioteki za jakąś godzinę –
polecił. – Porozmawiam z nim. – „To chyba nie powinno
wzbudzić podejrzeń", pomyślał i dodał: – I powiedz mu,
żeby wziął ze sobą rękę.

– Po co?

„Ostrożnie, Nerronie".

– Chcę sprawdzić, czy pokaże nam, gdzie jest serce.

Sześcioro oczu, a wszystkie mówiły: „Kłamiesz, goylu,
i ja o tym wiem".

– W bibliotece – powtórzył wodnik. – Za godzinę.

Metoda na Śnieżkę miała tak ciężkie skutki uboczne, że
w Albionie wieszano za użycie tego zaklęcia. Koślawemu zapewne przyszedłby do głowy jeszcze bardziej okrutny sposób egzekucji, gdyby dowiedział się, że została

301

wypróbowana na jego synu. Nerron jednak liczył na to, że następstwa łatwo było pomylić z przedawkowaniem elfiego pyłku.

Jeden z kuchcików z pałacowej kuchni wygotował mu język czarownicy – ten jełop wziął go za cielęcy – ale jabłko spreparował już Nerron osobiście. Metoda zawdzięczała swoją nazwę wyłącznie owocowi, mimo że jabłko, które ugryzła Śnieżka, było nasączone inną trucizną. Nerron wyciął ogonek i gniazdo nasienne, a potem nalał do środka wywaru z języka. Czarna magia to jednak nieapetyczne zajęcie. Zasklepił otwór ciemną czekoladą, by osłodzić całość. Louis nie potrafił się oprzeć czekoladzie.

Książki poustawiane na półkach kuzyna wyglądały tak nieskazitelnie, że podobne spotykało się tylko w bibliotekach, z których nikt nie korzystał. Kuzyn Louisa lubił sprawiać wrażenie człowieka wykształconego.

„Za godzinę”.

Wodnik dostarczył towar punktualnie. Oczywiście książę Lotaryngii nie uznał za stosowne zapukać.

– Wodnik mówi, że masz jakąś sprawę? – rzucił, jak zawsze rozsiewając wokół woń elfiego pyłku i tej odrażającej wody toaletowej, której używał rozrzutnie jak zwykłej wody. – Zostań na zewnątrz! – naskoczył na wodnika, kiedy ten wszedł za nim do środka. – Znowu cuchniesz rybą. Idź i poszukaj mego kuzyna. Chcę wyjść się zabawić.

Eaumbre omiótł Nerrona bezbarwnym spojrzeniem, po czym zamknął za sobą drzwi. Lelou najwyraźniej niczego nie nauczył Louisa o dumie wodników. To było karygodne zaniedbanie.

– Przyniosłeś, panie, rękę?

Louis uniósł ludziworek.

– Mam nadzieję, że przechowujesz go w bezpiecznej odległości?

– Dlaczego? – Louis zmarszczył brwi.

Elfi pyłek sprawiał, że myślenie przychodziło mu jeszcze trudniej niż zwykle.

– Czego ten Lelou cię uczy? Czarna magia jest niezdrowa! Oczywiście to ja będę musiał wypić nawarzone piwo, kiedy pojawią się skutki uboczne! – Nerron podetknął mu jabłko. – Proszę. Antidotum smakuje wprawdzie obrzydliwie, ale poprosiłem kucharza, żeby je trochę doprawił.

– Jabłko? – Louis cofnął się. – Nie tykam jabłek. Moje dwie ciotki zostały otrute w ten sposób.

– Jak chcesz. – Nerron położył owoc na pulpicie, na którym kurzyła się książka o historii rodziny austrazyjskiego kuzyna Louisa. – Udaj się do medyka, jeśli mi nie wierzysz. I obserwuj paznokcie. Kiedy zaczynają czernieć, przeważnie jest już za późno.

Louis wbił wzrok w paznokcie.

– Jak ja mam dosyć tego szukania skarbu! – wyrzucił z siebie. – Wszystkie te magiczne brednie. Wczorajszy śnieg.

Sięgnął po jabłko i zlustrował je tak podejrzliwie, że Nerron stracił wszelką nadzieję.

– To czekolada?

Po jednym kęsie niemal osunął się na ziemię. Nerron pochwycił go, zanim zwalił się na marmurową posadzkę. Przy wadze Louisa nie przyszło mu to łatwo.

– Co? – wybełkotał Louis.

Nerron zaklął tak głośno, że aż sam zatkał sobie usta ręką. Włóczęga, na którym sześć lat temu wypróbował metodę na Śnieżkę, w porównaniu z książątkiem był chodzącą mądrością.

– Giz... mund... Rzeź... nik... Cza... row... nic... – wyszeptał Nerron do książęcego ucha.

Louis chciał przekręcić się na bok, ale Nerron trzymał go mocno, mimo że kosztowało go to sporo sił.

– Lotaryngia – mruknął Louis.

– Gdzie w Lotaryngii?

Louisem wstrząsnęły drgawki.

– Champlitte... – wyszeptał – ...białe jak mleko. Czarne jak odłamek nocy oprawiony w złoto.

I zaczął chrapać. Przez kolejne dziesięć lat nie będzie robił nic innego. Zdolność jasnowidzenia miała swą cenę.

Nerron wyprostował się. Champlitte. Białe jak mleko. Czarne jak odłamek nocy oprawiony w złoto. Co to miało znaczyć, u diabła? Posypał ubranie i ręce Louisa elfim pyłkiem i dodatkowo wetknął mu parę torebek do kieszeni. Potem wsunął nadgryzione jabłko do łudziworka, w którym znajdowała się ręka, i oba przedmioty zapakował do torby, w której tkwił już worek z głową. Otworzył drzwi i natknął się wzrokiem na umundurowaną pierś wodnika.

Eaumbre zerknął mu ponad ramieniem.

– Co mu zrobiłeś? – Głos wodnika zaszeleścił jak tarcie mokrego pilnika o skórę.

– Przesadził z elfim pyłkiem – wyjaśnił Nerron i niepostrzeżenie zacisnął dłoń na rękojeści pistoletu.

– Na twoim miejscu bym tego nie robił – wyszeptał Eaumbre. – Dokąd się wybierasz? Sądzisz, że Koślawy będzie umiał cieszyć się kuszą, jeśli zamiast syna dostanie Śnieżkę? – Pokryta łuskami twarz rozciągnęła się w ponurym uśmiechu. – Ale Koślawy nigdy nie miał otrzymać kuszy, zgadza się? Zamierzasz ją sprzedać temu, kto da więcej. Cóż, przynajmniej nie domyślał się całej prawdy.

– A gdyby to była prawda? – Palce Nerrona oplotły mocniej rękojeść.

– Chcę mieć swój udział. Mam dość robienia za obstawę. Polowanie na skarby przynosi znacznie większe profity. A wodniki miały w tym spore doświadczenie. Na swój sposób. Dziewczęta zaciągane w sadzawki mogły to poświadczyć. Łuskowaci obsypywali je złotem i srebrem, by osłodzić im swe oślizgłe pocałunki.

Trzy muchy...

„Wygląda na to, że jedną z nich będziesz miał na głowie, Nerronie. Najtłuściejszą i w dodatku pokrytą łuskami...".

Rozległo się chrząknięcie. Pojawił się Żuk.

– Czy ktoś z obecnych może mi zdradzić, gdzie znajdę księcia koronnego? – Lelou stał na końcu korytarza z notesem pod pachą.

Ciekawe, co napisze na zakończenie tego dnia.

„Książę spał przez dziesięć lat, a jego chrapanie odbijało się echem po ojcowskim zamku...".

Nerron wskazał ręką drzwi biblioteki.

– Eaumbre właśnie go znalazł. Sądzę, że powinieneś do niego zajrzeć. Już się zastanawialiśmy, co on robi w bibliotece bez towarzystwa dziewek.

Stali na ulicy, gdy wrzask Lelou zaalarmował strażników na dole. Koślawy z pewnością wymyśli bardzo nieapetyczny sposób egzekucji Żuka. Nerron mimo to był pewien, że nie będzie tęsknił za Arsene'em Lelou.

39
PRZYJACIEL I WRÓG

Czarcie szkapy zasługiwały na swoje miano. Drugiej nocy jeden z rumaków podkradł się z obnażonymi zębami do Jakuba, a Donersmarkowi konie poparzyły oddechem palce, kiedy karmił je króliczym mięsem. Ale były rącze.

Mijali graniczne drzewa i oblodzone przełęcze, jeziora, lasy, wsie i miasta. Jakub odczuwał lęk o Lisicę jak jad trawiący mu ciało. Wizja, że znajdzie ją nieżywą, była tak dotkliwa, że usiłował ją odeprzeć, tak jak w dzieciństwie zamykał się przed tęsknotą za ojcem. Nie udawało mu się. Z każdym mijającym dniem, z każdą pokonaną milą obrazy stawały się coraz straszniejsze, a w jego snach były tak rzeczywiste, że budził się i szukał na rękach jej krwi.

Żeby skierować myśli na inne tory, wypytywał Donersmarka o cesarzową i jej córkę, o dziecko, które nie powinno się narodzić, o Czarną Nimfę... Ale głos przyjaciela nieustannie zmieniał się w głos Lisicy: „Znajdziesz serce. Wiem to". Teraz chciał odnaleźć tylko ją.

Kiedy wreszcie przekroczyli granicę Lotaryngii, od momentu gdy Troisclerq wsiadł z Lisicą do dorożki, minęło więcej niż sześć dni. Przekraczali rzeki, w których przeglądały się białe zamki, jechali piaszczystymi traktami przez wsie i wsłuchiwali się w kwiaty śpiewające w blasku księżyca jak słowiki... Serce Lotaryngii nadal biło starym rytmem, podczas gdy w Albionie inżynierowie pracowali nad jego mechanicznym odpowiednikiem.

W którymś momencie Donersmark ściągnął wodze. Na pastwisku wyżarta trawa usiana była białymi kwiatkami. Zapominajki. Bydło wystrzegało się tego niepozornego kwiecia. Sinobrodzi nasączali kwiaty ich odurzającym olejkiem i przyczepiali je ofiarom do sukni lub wpinali we włosy. Smarowali nim również gładko ogolone policzki.

Wkrótce potem natknęli się na drogowskaz. Do Champlitte zostały jeszcze tylko trzy mile. Popatrzyli po sobie, myśląc o tym samym. Tyle że we wspomnieniach Jakuba nawet martwa siostra Donersmarka miała twarz Lisicy.

40
ZŁOTA PUŁAPKA

„Obudź się, Lisico".
Miała wrażenie, jakby rudowłose zwierzę trącało ją spiczastym pyszczkiem w skroń.

„Lisico! Obudź się!".

Jednak kiedy otworzyła oczy, była w ludzkiej postaci, sama.

Nad nią rozpościerał się baldachim z materiału granatowego jak wieczorne niebo, a suknia, którą miała na sobie, była jej tak samo obca jak łóżko, na którym leżała.

Bolała ją głowa, a jej kończyny były ciężkie, jakby zbyt długo była pogrążona we śnie. Głowę wypełniały jej obrazy. Dorożka. Pociąg. Powóz ze złotymi poduszkami.

Kamerdyner za bramą z żelaznych kwiatów i... Trois-clerq.

Zakręciło jej się w głowie, kiedy usiadła. Otaczały ją wysokie, obite matowym złotogłowiem ściany, a z sufitu, otoczony białymi stiukowymi kwiatami, zwieszał się kandelabr z czerwonego kryształu... Jako dziecko marzyła o takim pokoju. Okna były zakratowane. Wsunęła rękę pod obszyte perłami wycięcie sukni. Jej futrzana sukienka zniknęła.

„Spokojnie, Lisico".

Jej serce nie słuchało.

„Przypomnij sobie, Lisico!".

Labirynt... Troisclerq przeprowadził ją przez labirynt. Powiódł do domu o szarych kamiennych murach porośniętych bluszczem... Więcej nie mogła sobie przypomnieć, choć bardzo się starała.

Dodał jej coś do wody, którą poczęstował ją w dorożce? Elfi pyłek? A może miłosny eliksir sporządzony przez jakąś czarownicę? Nie czuła jednak miłości. Tylko złość na samą siebie. Dokąd ją zabrał? I gdzie była jej futrzana sukienka?

Jakub... Co sobie pomyśli? Że porzuciła go w potrzebie dla uśmiechu Troisclerqa i jednego kwiatu przypiętego do sukni?

Zebrała fałdy zbyt obfitej spódnicy. Jej suknia była wystarczająco kosztowna, by iść w niej na królewski bal.

„Kto ci ją włożył, Lisico?".

Wzdrygnęła się. Nawet buty, które miała na nogach, widziała pierwszy raz w życiu. Zdjęła je i pobiegła boso po drewnianych kwiatach zdobiących wypastowany woskiem parkiet.

Drzwi pokoju nie były zamknięte. Korytarz ciągnący się za nimi prowadził wzdłuż tuzina innych drzwi. Z której strony przyszła?

„Przypomnij sobie, Lisico!".

Nie. Najpierw musiała znaleźć lisią suknię.

Wydawało jej się, że wciąż czuje rękę Troisclerqa na swej dłoni. Delikatną. Taką ciepłą. Co on sobie myślał? Że zdoła uwieść ją dużym domem i nową sukienką? Czyżby zbyt chętnie odwzajemniała jego uśmiechy, zbyt często śmiała z jego żartów? Tak łatwo było śmiać się razem z nim. Spojrzeniami wciąż dawał jej do zrozumienia, że jest piękna. Próbował ją pocałować? Tak. Obrazy powróciły jak wspomnienia obcej dziewczyny. Całował ją – w pociągu, w powozie.

„Co ty narobiłaś, Lisico?".

Ile tych drzwi! Próbowała je otworzyć, ale wszystkie były pozamykane. Na portretach rozwieszonych pomiędzy nimi widniały wyłącznie kobiety. Korytarz kończył się schodami. Lisicy wydało się, że je pamięta. Już miała iść na dół, kiedy z naprzeciwka po szerokich stopniach nadszedł w jej kierunku sługa. Ten sam, który otworzył żelazną bramę. Był tak wysoki, że musiał chować głowę w barczystych ramionach.

Pokój, w którym się ocknęła... suknia... te obrazy... kamerdyner we fraku z czarnego aksamitu. Poczuła się, jakby przegrała jedną z zabaw, w które jako dziecko godzinami bawiła się w lesie.

– Gdzie jest twój pan?

Służący w odpowiedzi chwycił ją bez słowa za ramię. Jego ręce pokryte były matowym brązowym futrem. W Lotaryngii wszędzie opowiadano historie o szlachcicach, którzy kazali obsługiwać się przez zaczarowane zwierzęta, bo okazywały się wierniejsze od ludzi.

Dom był ogromny, ale po drodze nie spotkali żywej duszy. Drzwi, przed którymi w końcu przystanął sługa, były z takiego samego ciemnego drewna, jakim wyłożono ściany jadalni, do której zaprosił gestem Lisicę. Wieczorne światło wpadające do środka przez okna zatrzymywały firany z czerwonej koronki.

– Witaj w moim domu.

Troisclerq siedział na końcu długiego stołu. To był pierwszy raz, kiedy Lisica zobaczyła go nieogolonego. Skóra wokół ust i na podbródku połyskiwała niebieskawo.

„Oddychaj, Lisico. Wdech i wydech. Tak jak to robi zwierzę, patrząc w oczy śmierci".

Sinobrody.

Na stole stało dziesięć talerzy. Oni zawsze nakrywali dla wszystkich swoich ofiar. Troisclerq uśmiechnął się do niej. Miał na sobie jak zwykle śnieżnobiałą koszulę. Nawet podczas tamtej niekończącej się podróży dyliżansem był zawsze nienagannie ubrany, jakby podróżował ze sługą.

– Ależ usiądź. – Wskazał zapraszająco na krzesło po swojej lewej stronie. – Do twarzy ci w tej sukni.

Służący odsunął Lisicy krzesło. Kiedy usiadła przed pustym talerzem, wydawało jej się, że poczuła obecność wszystkich nieżywych kobiet, które przed nią zasiadały na obitych czarnym pluszem krzesłach. Usiłowała przypomnieć sobie twarze, które spoglądały na nią z obrazów. „Oddychaj, Lisico. Wdech i wydech". Musiała znaleźć lisią sukienkę. Bez niej nie mogła odejść.

Troisclerq ujął ją za rękę. Pocałował jej palce tak delikatnie, jakby jego usta jeszcze nigdy nie dotykały czegoś równie pięknego.

– Zwykle wręczam moim kobiecym gościom pęk kluczy do wszystkich drzwi mego domu z prośbą, by jednego z nich nigdy nie użyły. To stara tradycja mego klanu. Może o niej słyszałaś?

Położył pęk na stole. Klucze były posrebrzane, wszystkie, z wyjątkiem jednego. Ten jeden był nieco mniejszy, a jego złota główka miała kształt kwiatu.

– Tak – odrzekła Lisica. – Tak, słyszałam o tym.

– Dobrze. – Troisclerq przesunął pęk koło jej talerza. – Nie sądzę, żebyś potrzebowała tego klucza, by dowiedzieć się, co się kryje za tymi drzwiami. Lisica na pewno to wyczuje.

313

Oczywiście. Zobaczył przecież jej futrzaną suknię. Nie zapytała, czy to on ją rozebrał. Zacisnęła palce wokół kluczy, jakby mogła mu w ten sposób udowodnić, że się nie boi. Służący nalał jej wina. Było czerwone jak krew.

– Tym razem schwytałeś niewłaściwą.

Czuła obcą suknię na ciele.

„Jesteś udekorowana do kolejnego obrazu na jego ścianie, Lisico".

– Naprawdę? Dlaczego?

Sługa nałożył jej potrawy na talerz. Kaczka, pieczone ziemniaki. Poczuła, że jest głodna.

– Nigdy nie bałam się śmierci.

Lisica spojrzała mu w oczy, żeby się przekonał, że mówi prawdę, w jego ciemne oczy pełne cieni, które powinny były ją ostrzec.

„Ale podobało ci się, jak na ciebie patrzył. Podobało ci się, kiedy niby przypadkiem dotykał twojej ręki albo chwytał cię za ramię".

Wszystko to, czego Jakub z każdym dniem unikał coraz bardziej. Nosiła w sobie pożądanie, jak tajemnicę, i może Troisclerq zwietrzył je, podobnie jak sierść pod ubraniem, jak krwawy trop w lesie, mimo że ostatecznie sam gnany był innym głodem. I co z tego… Cokolwiek go zwabiło, wiedziała, jak się umiera. Nauczyła ją tego lisica. Żyła za pan brat ze śmiercią; była łowczynią i zwierzyną łowną jednocześnie.

– Niewłaściwą, powiadasz? O nie. – Głos Troisclerqa był miękki jak mech w lesie. – Nie obawiaj się. Starannie wyszukuję swoje ofiary. To mnie trzyma przy życiu, i to już prawie trzysta lat. – Skinął głową służącemu. – Dasz mi to, czego chcę. Jak wszystkie inne. A nawet więcej niż inne.

Służący postawił na stole karafkę. Światło wieczoru odbijało się w załomkach kryształu jak w odłamkach umierającego dnia.

Troisclerq wstał i pogłaskał Lisicę po nagim ramieniu.

– Strach ma wiele odcieni, wiesz? Najbardziej pożywny jest biały strach, strach przed śmiercią. Większość najbardziej boi się własnej śmierci. Ale w twoim przypadku od razu wiedziałem, że jest inaczej. Dzięki temu łowy były jeszcze bardziej ekscytujące. – Rozsypał garść płatków kwiatów po stole. – Zostawiłem mu wyraźny trop. Jestem pewien, że już się zbliża. Nie sądzisz?

Jakub. Nie. Lisica najchętniej zapomniałaby jego imię, byle Troisclerq nie znalazł go w jej sercu. Czuła, jak lęk odbiera jej oddech. Na dnie karafki zebrało się parę kropel.

Troisclerq pogłaskał ją po policzku.

– Labirynt, który otacza mój dom – wyszeptał – przepuszcza tylko mnie. Każdy inny gubi się w nim bez nadziei na wyjście. Zapomina, kim jest, zapomina, dlaczego przybył, błądzi pośród żywopłotów, aż umiera z głodu. Na koniec nieszczęśnicy zjadają nawet trujące liście i zlizują rosę ze ścieżek.

Lisica chlusnęła mu winem w twarz. Kieliszek pękł pod naciskiem jej palców. Wino zabarwiło Troisclerqowi koszulę na czerwono jak krew, która spływała jej po pociętych palcach. Mężczyzna podał jej serwetkę.

– On także cię kocha, wiesz? Nawet jeśli bardzo się stara, żeby tego nie okazywać. – Żaden głos nie mógł brzmieć czulej. Odsunął krzesło. – Masz stąd dobry widok na labirynt. Kiedy wzbije się w powietrze chmara gołębi, będzie to oznaczać, że wszedł do środka. Poza Jakubem nie oczekuję innych gości.

Dno karafki pokrywała biała jak mleko kałuża. Troisclerq przemaszerował wzdłuż stołu, mijając puste nakrycia.

– Może cię to pocieszy – dodał, zanim zamknął za sobą drzwi – ale ciebie też zabije strach. Miłość to zabójcza rzecz.

Zapragnęła przegryźć mu krtań i zdusić ten aksamitny głos. Ale Lisica była tak samo zagubiona jak Celestyna.

41
REWIR ŁOWCZEGO

Jakub wiedział, że dotarli we właściwe miejsce, gdy tylko wjechali do Champlitte. Wiele domów miało świeżo pomalowane ściany, a na uliczkach wieczór rozświetlały gazowe latarnie – luksus, na który w świecie za lustrem mogły sobie pozwolić jedynie duże miasta. Sinobrodzi dbali o dobre sąsiedztwo. Nigdy nie wyszukiwali swych ofiar tam, gdzie żyli, i wspierali finansowo budowę nowych dróg, kościołów i szkół. Milczenie, które kupowali sobie w ten sposób, było najlepszą ochroną. Jakub był pewien, że zza firanek Champlitte śledziło ich jednak wiele par oczu.

Większość Sinobrodych żyła w położonych na uboczu wiejskich posiadłościach, otoczonych rozległymi terenami.

W okolicy był tylko jeden dwór, do którego pasował ten opis. Leżał nieco na południe od miasta, więc Jakub przy wyjeździe z miasteczka skierował wierzchowca na północ, by żaden prawy obywatel nie uznał za konieczne powiadomić Troisclerqa o ich przybyciu.

Zostawili konie w lesie. Czarcich szkap nie ważyły się zaatakować nawet wilki, a Jakub wymienił wodze na łańcuchy, żeby się nie wyswobodziły. Jego ogier nawet się już z nim zaprzyjaźnił. Prawie po przyjacielsku chwycił go pyskiem za rękę, gdy Jakub odpinał plecak od siodła.

Wieczór pachniał kwitnącymi drzewami i świeżo zaoranymi polami. Wszystko wokół wydawało się takie sielankowe – senna idylla. Nie musieli maszerować długo, by napotkać obsadzoną platanami aleję, z odciśniętymi w mokrym żwirze śladami powozu. Wkrótce potem zza drzew wyłoniła się żelazna brama.

Złudny spokój, zamknięta brama… Nawet aleja przypominała tę, którą szli, szukając siostry Donersmarka. Wówczas przybyli za późno.

„Nie tym razem, Jakubie".

Prawie go mdliło ze strachu. Nie wiedział, ile razy podczas tej niekończącej się jazdy na grzbiecie wierzchowca przyłapywał się na tym, że rozgląda się za Lisicą. Albo wydawało mu się, że słyszy przy sobie jej oddech, pogrążonej we śnie.

„Jaki jest największy skarb, który kiedykolwiek znalazłeś?" – zapytał go niedawno Chanute.

Jakub wzruszył ramionami i wymienił parę artefaktów.

„Jesteś jeszcze większym durniem niż ja – warknął Chanute. – Mam nadzieję, że kiedy wreszcie odgadniesz właściwą odpowiedź, nie okaże się, że go straciłeś bezpowrotnie".

Kratę bramy zdobiły żelazne kwiaty. Donersmark bez słowa wyciągnął z kieszeni klucz. Jakub sam kiedyś miał podobny, ale jak wiele rzeczy utracił go w twierdzy goyli. Klucze, które otwierały każdy zamek... Niektóre z nich działały tylko w kraju, w którym je wykuto, jednak ten wykonał swoje zadanie i tu. Brama otworzyła się, gdy tylko Donersmark wsunął go w dziurkę.

Zobaczyli powozownię, stajnie, szeroki podjazd okolony mokrymi od deszczu drzewami, a na jego końcu dom, który obserwowali z oddali. Był otoczony wysokim, wiecznie zielonym żywopłotem.

Labirynt tamtego Sinobrodego był zwiędły i martwy, ponieważ jego pan wziął nogi za pas. Musieli przedzierać się przez obumarłe krzewy, torując sobie drogę szablami. Ten labirynt jednak żył.

„Dobrze, Jakubie. To znaczy, że on tu jeszcze jest".

Krzaki zaszeleściły, gdy tylko się do nich zbliżyli, jakby zielone gałązki chciały ostrzec mordercę, którego chroniły. Troisclerq. Tym razem Sinobrody miał nazwisko i znajomą twarz. Jakub przypomniał sobie te wszystkie wieczory spędzone wspólnie na stacji powozowej, kiedy razem pili, wymieniali się opowiastkami o zazdrości nimf

i córkach fabrykantów, o przegranych i wygranych poje-
dynkach, o dobrych kowalach i kiepskich krawcach.

„No i uratował ci życie, Jakubie".

Chciał go zabić. Niczego w życiu nie pragnął bardziej.

Gromada gołębi wzbiła się w powietrze nad żywopłotem. Jakub popatrzył za nimi z niepokojem. Co, jeśli tamten zabije Lisicę, gdy tylko zauważy nadejście jego i Donersmarka?

„Przestań, Jakubie. Ona żyje – powtarzał to sobie bez-
ustannie. – Ona żyje".

Chyba zwariuje, jeśli spróbuje choćby pomyśleć inaczej.

„Jestem pewien, że się jeszcze spotkamy".

Zabije go.

42
BIEL

Gołębie. Ich pióra były białe jak jej strach. Wypisywały go skrzydłami na wieczornym niebie.

Lisica przycisnęła ręce do szyby. Wyszeptała imię Jakuba, jakby mogła poprowadzić go głosem przez labirynt Sinobrodego. Już raz uwolnił ją z pułapki, ale wtedy była ofiarą, teraz – przynętą.

Tak bardzo się cieszyła, że przyjechał. I tak bardzo pragnęła, by nigdy jej nie znalazł. Za jej plecami, pośród pustych talerzy, stała karafka i powoli napełniała się jej strachem.

43

ZGUBIENI

Jakub żałował, że nie ma kłębka, którego nić nie mogłaby się zerwać albo który sam odnalazłby drogę, gdyby potoczyć go po wysypanej żwirem ścieżce. Donersmark na próżno szperał po gabinecie osobliwości w poszukiwaniu podobnego przydatnego czaru. Kłębek, którego jeden koniec Jakub przywiązał do żywopłotu przy wejściu do labiryntu, pochodził z pewnego zakładu krawieckiego w Wenie i nie zawierał nic magicznego – był tylko efektem zręczności, jakiej wymagało uprzędzenie mocnej włóczki z owczej wełny. To ona miała się stać ich nicią życia – jedyną nadzieją, że się nie zgubią w ścieżkach labiryntu.

Zagłębili się w gęstwinę chaszczy, a Jakub ostrożnie przesuwał nić między palcami. Morderca zarzucił swą zieloną sieć na sporym obszarze. Po paru załomach natknęli się na zardzewiałą szablę. Obok znaleźli ogryzione do czysta blade kości, zbutwiałe trzewiki, staroświecki pistolet. Wkrótce stracili orientację, z której strony przyszli. Najbardziej niepokoiły ich jednak białe kwiatuszki rosnące w cieniu krzewów. Zapominajki. Próżno było je deptać lub wyrywać. Ich działanie wzmagało się tylko, gdy więdły. Zawiązali sobie chusty na ustach i nosach, a maszerując, powtarzali na głos swe imiona oraz wydarzenia, które razem przeżyli. Mimo to ich wspomnienia blakły z każdym krokiem, a jedynym, co ich łączyło z zapominanym światem, była włóczkowa nić. Liście. Gałęzie. Ścieżki kończące się zieloną ścianą. Bez kresu.

Jakubowi już nieraz udało się wymknąć z miejsc, w których człowiek zapominał siebie, ale nawet Wyspa Nimf nie wymazywała świata aż tak. Wymacał palcami bliznę na ręku, którą zostawiły zęby Lisicy, żeby nie zatracił się w ramionach Czerwonej Nimfy.

„Nie zapomnij o niej, Jakubie. Zapomnij siebie, ale nie ją".

I znowu ścieżka zakończyła się ścianą. Donersmark, klnąc, zagłębił szablę w gąszczu. W lewo. W prawo. Nawet słowa traciły swe znaczenie. Jakub zaczął nawijać nić na kłębek, żeby zaprowadziła ich do ostatniego rozstaju dróżek.

„Nie zapomnij o niej".

Od ilu godzin błądzili w kółko? A może dni? Czy kiedykolwiek istniało coś poza tym labiryntem? Jakub drgnął i chwycił za pistolet, widząc nagle za swymi plecami mężczyznę z obnażoną szablą. Obcy opuścił klingę.

– Jakubie, to ja! Donersmark.

„Powtarzaj to nazwisko, Jakubie".

Nie, było tylko jedno imię, którego nie wolno mu było zapomnieć. Lisica.

„Ona żyje – powtarzał bez końca. – Ona żyje".

Opierał się zielonym liściom. Zapach zapominajek wypełniał mu głowę lepką nicością. Zataczając się, ruszył dalej – i chwycił się za pierś. Czwarte ugryzienie.

„Nie. Nie teraz".

Kłębek wypadł mu z ręki, kiedy ból powalił go na kolana. Donersmark rzucił się za nim i z wielkim trudem zdążył go złapać, zanim zniknął w gąszczu.

Ból sprawił, że serce łomotało mu jak oszalałe, ale w głowie kołatała mu tylko jedna myśl: „Nie teraz. Nie tutaj!".

Najpierw musiał ją znaleźć!

– Co z tobą? – Donersmark pochylił się nad nim.

„To minie, Jakubie. To mija za każdym razem".

Ból był teraz wszędzie. Przenikał całe ciało. Donersmark padł na kolana obok niego.

– Nigdy nie znajdziemy stąd wyjścia.

„Myśl, Jakubie".

Ale jak, skoro ból zaćmiewał mu umysł? Wsunął drżące palce do kieszeni. Gdzie ona się podziała? Znalazł wizytówkę w fałdkach złotej chusteczki. Już po chwili pojawiły się na niej słowa.

Potrzebujesz mojej pomocy?

Jakub przycisnął rękę do bolącej piersi. Odpowiedź nie chciała przejść mu przez usta. Taka transakcja nie mogła skończyć się dobrze.

– Tak.

– Co ty tam robisz? – Donersmark wpatrywał się z niedowierzaniem w wizytówkę.

Wypełniła się nowymi słowami.

Zawsze do usług. Mam nadzieję, że to początek owocnej współpracy. Jesteś gotów zapłacić cenę?

– Cokolwiek zechcesz.

Chyba nie mógł zażądać wyższej ceny niż Czerwona Nimfa. Dzięki temu może wyjdzie z labiryntu!

Trzymam Cię za słowo.

Zielony atrament. Prawie tak zielony jak oczy Earlkinga. Gizmund sprzedał duszę diabłu. Komu on sprzedał swoją?

Ból odpłynął, ale nadal mdliło go od zapachu zapominajek, z trudem przypominał sobie własne imię.

Wizytówka była pusta.

„Prędzej!". Litery pojawiły się nieznośnie powoli.

Dwa razy w lewo i raz w prawo.
Dwa razy w prawo i raz w lewo,
W ten sposób przędzie Sinobrody.

„Ruszaj, Jakubie!".

To był wzór. Zwykły wzór. Donersmark pomaszerował za nim. W lewo i jeszcze raz w lewo. W prawo. Jakub nadal przesuwał nić między palcami. W prawo. I znowu w prawo. I raz w lewo.

Spomiędzy rzędów krzaków wyłoniło się światło latarni. Pospieszyli w jego stronę, pewni, że za moment zniknie. Ale krzewy otworzyły się i wyszli na wolną przestrzeń.

Stojący przed nimi dom był stary, niemal tak stary jak mroczny klan jego właściciela. Herb ponad portalem był zwietrzały, ale wieki nie nadgryzły świetności szarych murów i wieżyczek. Ciemny zarys murów stapiał się z nocą. Tylko przy wejściu płonęła latarnia, a zza dwóch okien na pierwszym piętrze padało światło.

W jednym z nich stała Lisica.

44
SINOBRODY

N ie. Labirynt Troisclerqa nie zdołał pochwycić Jakuba w sidła. A ona jednocześnie życzyła sobie, by był
daleko stąd, i cieszyła się, że go widzi. Tak bardzo.

Jakub nie przybył sam. Lisica rozpoznała Donersmarka
dopiero po chwili. Wtedy miała jego siostrę za idiotkę, bo
dała się uwieść Sinobrodemu.

Kamerdyner Troisclerqa odciągnął ją siłą od okna. Mimo że ludzkie zęby nie dorównywały ostrością lisim, ugryzła go mocno w pokrytą sierścią rękę i wyrwała mu się.
Karafka była już wypełniona w połowie, ale Lisica prze-
wróciła ją, zanim sługa zdążył temu zapobiec. Złapał ją za
włosy i potrząsnął brutalnie, aż odebrało jej oddech. Nie

miało to dla niej znaczenia. Jej strach rozlał się bielą po stole. Jakub był tu i oboje jeszcze żyli.

– A zatem rzeczywiście jest tak dobry, jak mówią. Nie żebym kiedykolwiek w to wątpił. – Troisclerq stanął w drzwiach.

Podszedł do stołu i zaczerpnął dłonią kropli skapujących z blatu. Nie wydawał się ani odrobinę zaniepokojony, że Jakub zdołał wyjść z jego labiryntu.

– Nie możesz go zabić! – wykrzyknęła.

Co też jej chodziło po głowie? Sądziła, że słowa zamienią się w rzeczywistość, jeśli tylko wypowie je na głos? Lisica czuła, jak powraca jej strach.

Troisclerq musnął ustami białą wilgoć zebraną w dłoni.

– Zobaczymy. – Skinął głową w kierunku sługi. – Zaprowadź ją do pozostałych.

Kiedy służący ciągnął ją w dół korytarza, Lisica wołała imię Jakuba. Po co? Żeby go ostrzec, żeby go przywołać, zanurzyć się w jego imieniu jak w futrze, które ukradł jej Sinobrody?

„Nie wołaj go, Lisico!".

Sługa przystanął.

„Zaprowadź ją do pozostałych".

Drzwi niczym nie różniły się od innych, ale Lisica zwietrzyła dochodzący zza nich wyraźny zapach śmierci, jakby krew przesiąkła przez ciemne drewno.

– Zapomniałaś o czymś – odezwał się stojący tuż za nią Troisclerq.

W uniesionej dłoni trzymał pęk kluczy, który położył przy niej na stole. Może chciał zobaczyć, jak drżą jej ręce, kiedy wsunie pozłacany klucz do zamka.

Jakub nie pozwolił jej wejść do domu Sinobrodego, który zamordował siostrę Donersmarka. Wtedy naigrawała się z tego. Zbyt często sama już zabijała, by lękać się śmierci, a jednak widok, który ujrzała za drzwiami, zdjął ją grozą.

Ten łowczy nie pozwalał zwierzynie odejść. Dziewięć kobiet. Wisiały na złotych łańcuchach jak makabryczne marionetki zabite własnym strachem. Ich oczy spoglądały pusto, ale przerażenie na zawsze wyryło się na bladych obliczach. Morderca przetrzymywał je w Szkarłatnej Komnacie jak klejnoty w szkatułce. Zastygłe resztki przyjemności, jaką mu dały, resztki życia, które mu podarowały, resztki miłości, którą ich do siebie zwabił.

Służący owinął złoty łańcuch wokół szyi i nadgarstków Lisicy, jakby ostatni raz chciał ją przystroić dla Troisclerqa. W tym przerażającym domku dla lalek nie zostało już wiele miejsca. Dotknęła łokciem nieżywej kobiety, która wisiała obok niej. Zimna, a jednak wciąż piękna.

– Nie pozwalają mi odejść. – Troisclerq postawił pustą karafkę na stole, który stał przy zasłoniętym oknie. – Stają się częścią mnie i może dlatego je zabijam... By się od nich uwolnić. Ale zostają, nieme i nieruchome, by mi przypominać. O swych głosach. O cieple, którym emanowała niegdyś ich skóra...

Lampy gazowe rozświetlające komorę rzucały cienie zmarłych na czerwone ściany. Lisica odnalazła pośród nich własny cień. Już należała do nich.

Troisclerq podszedł do niej.

– Czy jego śmierć nadal napawa cię większym strachem niż twoja?

– Nie – zaprzeczyła. Było jej obojętne, czy wie, że kłamała. – On cię zabije. Dla mnie. I dla wszystkich innych.

– Wielu już próbowało. – Troisclerq skinął głową służącemu. – Przyprowadź go do mnie – polecił. – Ale tylko jego.

Oparł się plecami o obitą jedwabiem ścianę, nadającą komnacie wygląd krwawego wnętrza zwierzęcia, i czekał. A Lisica patrzyła, jak jej strach wypełnia karafkę.

45
FAŁSZYWI
WYBAWCY

Do studni. Wrzucili ich do przeklętej studni. Dlaczego? Przecież jedynym przewinieniem, którego się
dopuścił, było rozpowiedzenie niezrozumiałego bełkotu
Louisa w paru sklepikach przy rynku. Białe jak mleko.
Czarne jak odłamek nocy oprawiony w złoto.

„I co, Nerronie? Czy wrogie spojrzenie spasionego
rzeźnika nie ostrzegło cię wystarczająco?".

Wbił pazury w oślizgły mur. Eaumbre dryfował na dole
w stęchłej wodzie. Wodnik spoglądał ku niemu tak ponu-
ro, jakby to była jego wina, że tak skończyli. Ze swoją łuskowatą skórą mógł pewnie przeżyć tam na dnie wiele lat.

„Akurat, najlepszy! Akurat, wieczna chwała łowcy skarbów! Studnia, Nerronie!".

Mieszkańcy Champlitte potrzebowali jej wyłącznie do tego, by pozbywać się w niej niepożądanych gości. Bieżąca woda, gazowe latarnie... Skądkolwiek brał się ten dobrobyt, obcych tu nie lubiono, a zwłaszcza tych, którzy mieli kamienną skórę. Nerron przycisnął czoło do wilgotnej cembrowiny.

„Nie patrz na dół".

Woda. Postrach goyli. Próbował wyprzeć od dołu żelazną płytę, którą przykryto studnię, ale kiedy niemal natychmiast wylądował w wodzie u boku wodnika, zaprzestał dalszych prób. Ubranie wciąż miał mokre i oślizgłe jak ciało ślimaka.

Pocieszające było jedynie to, że Reckless również nie zdobył kuszy. Może pewnego dnia któryś z badaczy, po sto razy obracających w palcach każdy antyczny kamyk, wyłowi ze studni jego dobrze zachowane szczątki i będzie się zastanawiać, dlaczego miał ze sobą złotą głowę i odrąbaną rękę.

Nerron jęknął – pazury bolały go już, jakby ktoś mu je wyrywał – i zaparł się o zimny mur, kiedy usłyszał nad sobą głosy. Czyżby wrócili, postanowiwszy, że jednak spalą go żywcem, tak jak to niegdyś robiono w Austrazji z przedstawicielami jego rasy?

Żelazna płyta uniosła się. Kiedy wrzucono ich do studni, było ledwie popołudnie, ale teraz skrawek nieba, który zobaczył, był ciemniejszy od jego skóry. Zmrużył złociste oczy, gdy padło na niego światło lampy.

– Cóż za widok! – odbił się echem od cembrowiny nosowy głos.

Arsene Lelou spoglądał nań z góry z zadowoleniem dziecka, które schwytało owada. Nerron nigdy nie sądził, że widok Żuka kiedykolwiek napełni go takim szczęściem. Jego obolałe palce z trudem chwyciły linę, którą Lelou przerzucił przez brzeg studni. Ktoś obcesowo pociągnął go do góry, aż poobcierał sobie kamienną skórę. Nerron znał tę prostacką twarz z domu kuzyna Louisa. Należała do jednego z kuchcików. Młokos. Nawet się przedstawił w ten sposób. Cisnął Nerrona na ziemię, jakby przez całe swoje nędzne życie nie marzył o niczym innym, niż to, by dorwać goyla w swe toporne łapy.

– Zadaj mu ból, ale go nie zabijaj! – Lelou czubkiem buta dźgnął Nerrona w bok. Trzewik zalatywał szuwaksem. Żuk spędzał długie godziny na pucowaniu swych zapinanych na guziki butów. – Co wy sobie myślicie? – wysyczał. – Że przywiozę Koślawemu Królewnę Śnieżkę zamiast syna i dam się stracić zamiast was? Nie tak się umawialiśmy! Elfi pyłek! Jeśli chcecie zrobić głupca z Arsene'a Lelou, to musicie się bardziej postarać!

Żuk z upodobaniem mówił o sobie w trzeciej osobie.

– Zabierz mu plecak! – rozkazał.

Parobek tak mocno wbił mu obcas w krzyż, że Nerron obawiał się, iż zaraz usłyszy trzask pękającego kręgosłupa.

– Mam nadzieję, że masz jeszcze głowę i rękę – ciągnął słodkim głosem Lelou – w przeciwnym razie natychmiast wrzucam cię z powrotem do studni. Wspólnie znajdziemy kuszę, a jeśli znowu spróbujesz dać dyla, zatelegrafuję do Koślawego, wyjaśniając mu, co zrobiłeś z jego synem. Młokos dźwignął Nerrona na nogi. Nie byli sami. Mimo późnej pory połowa mieszkańców Champlitte zgromadziła się wokół studni. Nie tylko rzeźnik spoglądał z rozczarowaniem, że kamienna twarz nadal żyła. Przypuszczalnie był pierwszym goylem, którego zobaczyli na własne oczy. Zapragnął wykrzyczeć Kamienowi w twarz: „Zapomnij o Albionie! Wkrocz wreszcie do Lotaryngii". Nerron chciał widzieć ich wszystkich martwych – porządnych obywateli małego miasteczka, którzy zabawili się, zamierzając go utopić jak kocię.

Lelou przyłożył mu pistolet do boku.

– Do roboty. Wyłów wodnika! – huknął na parobka.

Jak, u diabła ciężkiego, zdołał ich tu odnaleźć?

Odpowiedź czekała przed sklepem nadgorliwego rzeźnika. Złoto zdobiące powóz kuzyna Louisa wyżywiłoby przez długie lata nie tylko tego tłuściocha, ale też całe Champlitte. Na koźle zasiadał psiarczyk, który układał do polowania sforę myśliwską książęcego kuzyna. Już w Wenie przeszywał Nerrona wzrokiem, jakby chciał poszczuć goyla psami. Dwa z nich zabrał ze sobą. Były to psy gończe. Siedziały przy nim na koźle i wpatrywały się w Nerrona, groźnie szczerząc zęby. Niech to szlag. A on nawet nie zadał sobie trudu, by zatrzeć za sobą ślady! Nie docenił Żuka.

– Wsiadaj! – Lelou pchnął go w stronę powozu.

Louis leżał z otwartymi ustami na jednej z wyścielanych złotogłowiem ławek i chrapał głośno. Lelou potrząsnął go za ramię.

– Obudź się, książę! Znaleźliśmy ich!

Obudzić się? Niedoczekanie. Ale Louis naprawdę otworzył oczy. Były zapuchnięte i nabiegłe krwią, lecz książątko naprawdę nie spało.

Lelou obrzucił Nerrona triumfalnym spojrzeniem.

– Żabi skrzek. – Rozciągnął usta w uśmiechu zadowolenia. – Dwie rozprawy z siedemnastego wieku zgodnie wymieniają żabi skrzek jako antidotum na jabłko królewny Śnieżki.

Nerron słyszał o tym pierwszy raz w życiu, ale skrzek wyraźnie działał, choć Louis wyglądał jeszcze bardziej głupkowato niż zazwyczaj.

– Jak to się stało, że psy tak prędko zwietrzyły nasz trop?

Lelou spoglądał na niego z mieszaniną pogardy i litości.

„Twój żałosny występ w studni na wieki zniweczył siłę oddziaływania Trzech Pamiątek, Nerronie".

– Nie potrzebowaliśmy psów. Louis całymi dniami powtarzał jedno jedyne słowo: Champlitte.

Zgadza się, jabłka Królewny Śnieżki mogły działać w ten sposób. Większość ofiar, o ile w ogóle się budziła, przez długie lata bełkotała słowa wyroczni.

Louis na nowo zaczął chrapać. Lelou zmarszczył czoło.

– Myślę, że powinniśmy zwiększyć dawkę – odezwał się do psiarczyka. – Dobrze. W ten sposób kwestia, czy potrzebujemy jeszcze wodnika, rozstrzygnęła się sama. Jestem pewien, że ma niezwykłe kwalifikacje, jeśli chodzi o zdobycie żabiego skrzeku.

Przeniósł spojrzenie na Eaumbre'a, któremu Młokos pomagał właśnie wydostać się ze studni. Mieszkańcy Champlitte cofali się, kiedy ten popychał ociekającego wodą wodnika przez rynek.

– A zatem, goylu – zwrócił się Lelou do Nerrona – zanim mi postanie w głowie myśl, że może jednak nie jesteś potrzebny... Gdzie jest serce?

– Pokaż psom worek z głową – rzucił Nerron.

Przy odrobinie szczęścia materiał powinien jeszcze pachnieć Recklessem.

46
PRZYPROWADŹ GO DO MNIE

K iedy dotarli do budynku, okno, za którym stała Lisica, było ciemne. Jakub zmusił się, by nie roztrząsać, co to mogło oznaczać. Donersmark wbiegł po schodach, jakby pośpiechem mógł odzyskać siostrę. Ciężkie wrota rozwarły się, gdy tylko pchnął je barkiem. Jakub nie musiał mu tłumaczyć, że otwarte drzwi w domu takim jak ten nie wróżyły nic dobrego. Obaj dobyli szabli. Pistolety były wobec Sinobrodych równie bezużyteczne jak wobec Krawca z Czarnego Lasu.

Westybul, do którego weszli, pachniał zapominajkami intensywniej niż niekończące się ścieżki labiryntu. Jakub powyjmował bukiety z wazonów przy drzwiach, a Donersmark otworzył na oścież wysokie okna, wpuszczając do środka nocne powietrze.

Z holu wychodziło kilka korytarzy i szerokie schody na piętro. I co teraz? Mieli się rozdzielić? Decyzję podjęto za nich. W jednym z korytarzy pojawił się kamerdyner. Sądząc po owłosionych rękach, nie zawsze był człowiekiem. Jakub dobył pistoletu. Może chociaż na niego zadziała, skoro już był bezużyteczny w przypadku jego pana.

– Gdzie ona jest?

Sługa milczał. Oczy, które się w nich wpatrywały, były całkowicie czarne, jak oczy zwierzęcia. Donersmark chwycił służącego za sztywny kołnierz i przystawił mu czubek szabli do krtani.

– Jeśli ona nie żyje, to i ty jesteś martwy, słyszysz? Gdzie ona jest?

Wszystko potoczyło się błyskawicznie. Poroże jelenia, które wyrosło kamerdynerowi ze skroni, rozpruło Donersmarkowi ciało, zanim ten zdążył obronić się szablą. Jakub wystrzelił, ale pociski nie odniosły skutku, a człowiek-jeleń bez trudu odparł atak szablą, tak jakby bronił się przed kijkiem dziecka. Jakub czytał historie o jelonkach, które karmione sianem z domieszką ludzkich włosów przybierały postać mężczyzny. Mówiono, że były ślepo oddane swym panom.

Człowiek-jeleń otarł z czoła krew Donersmarka i rozkazującym gestem wskazał korytarz, z którego się wyłonił, ale Jakub go zignorował. Uklęknął przy Donersmarku i sięgnął do sakiewki przytroczonej do jego paska. Tak, była w nim igła czarownicy. Jakub wbił mu ją w krwawiącą rękę. Tak ciężkiej rany igła uleczyć nie mogła, ale przynajmniej zasklepi ją nieco. Człowiek-jeleń wydał z siebie zniecierpliwione prychnięcie. Przemianie uległa tylko jego głowa. Krew skapywała mu z poroża, plamiąc czarny frak.

– Idź, Jakubie! – Głos Donersmarka przypominał rzężenie, ale może igła utrzyma go przy życiu wystarczająco długo.

„Wystarczająco na co, Jakubie?".

Podniósł się z klęczek.

Kamerdyner wskazał na korytarz, którym przyszedł. Jakubowi wydało się, że słyszy utyskiwanie Chanutego: „Do diaska, Jakubie! Czego cię uczyłem o Sinobrodych? Jak mogliście uwierzyć, że wpadniecie do jego domu i wykradniecie mu jego łup?".

Drzwi. Przy każdych kolejnych myślał, że za nimi leży martwa Lisica. Ale jeleni kamerdyner parskał groźnie, ilekroć Jakub przystawał.

Drzwi, do których go zaprowadził, były otwarte. Jakub już od progu spostrzegł czerwone ściany. I martwe dziewczęta wiszące na złotych łańcuchach. A między nimi Lisicę.

47
ŻYCIE
I ŚMIERĆ

Przez jedną chwilę Lisica obawiała się, że krew na koszuli Jakuba może należeć do niego, potem jednak spostrzegła zakrwawione poroże kamerdynera i brak Donersmarka. Jakub tylko musnął ją spojrzeniem. Wiedział, że oboje będą zgubieni, jeśli troska o nią odwróci jego uwagę od mordercy czekającego na niego pośród trupów. Jakub nie miał żadnej broni. Jego twarz rozmyła się przez zasłonę łez, które napłynęły Lisicy do oczu. Płakała nad własną bezradnością. Płakała również ze strachu o niego. Prawie się spodziewała, że potoczą się po jej twarzy łzy białe jak mleko, jak sok płynący z jej serca, który Troisclerq zbierał w karafce.

Sinobrody oderwał się od czerwonej ściany. Zagubiony w domu śmierci. Guy. Na chwilę odzyskał swoje imię. Podszedł do Lisicy i dotknął jej policzka, jakby chciał poczuć pod palcami jej łzy.

– Możesz odejść – odezwał się do służącego, który wciąż stał w drzwiach z ociekającym krwią porożem.

Człowiek-jeleń popatrzył na niego, nie rozumiejąc.

– Możesz odejść, powiedziałem! – W głosie Troisclerqa pobrzmiewała nonszalancja, jakby to on był panem czasu.

I rzeczywiście czas należał do niego. Wykupiły go dla niego otaczające go nieżywe kobiety.

Kamerdyner skłonił swą obciążoną porożem głowę. Potem z wahaniem wycofał się i zniknął w ciemnym korytarzu. Zostali sami. Sami z trupami i ich mordercą.

Lisica przypomniała sobie niezliczone godziny, które Jakub spędził w dyliżansie u boku Troisclerqa, w zażyłości, jakby byli starymi przyjaciółmi. Nadal widziała cień tej przyjaźni na twarzy Jakuba. Lubił go i jednocześnie gardził za to swym sercem.

– Od osiemdziesięciu lat nikomu nie udało się przejść przez labirynt, mimo to wiedziałem, że mnie nie zawiedziesz. Ostatni był oficer policji z Champlitte. Zachowałem na pamiątkę jego broń. – Troisclerq wskazał ręką sztylet wiszący na ścianie za martwymi dziewczętami. – Obsłuż się. Jestem pewien, że jego właściciel nie miałby nic przeciwko temu. Wiem, że preferujesz szablę, ale ponieważ jesteśmy w moim domu, na pewno się zgodzisz, żebym to ja wybrał broń.

Jakub podszedł do sztyletu. Nadal unikał wzrokiem Lisicy.

„Tak, zapomnij o mnie – chciała wyszeptać do niego. – Zapomnij o mnie, inaczej on cię zabije, Jakubie".

Widziała własny strach wypełniający karafkę. Troisclerq również go widział.

– Tylko dziewięć? – Jakub powiódł wzrokiem po ciałach. – Jestem pewien, że zabiłeś znacznie więcej.

Zdjął sztylet ze ściany.

– Owszem. Sprowadzam tu tylko te najpiękniejsze. – Troisclerq odgarnął z twarzy czarne włosy. – Pierwsze zacząłem zabijać w czasach wojen z olbrzymami. Dawno temu. Bardzo dawno.

– Zapominasz ich imiona, prawda? – Jakub wskazał ostrzem sztyletu nieżywą dziewczynę, która miała przypiętą do sukni rubinową broszkę w kształcie gwiazdy. – Ona nazywa się Marie Pasquet. Była wnuczką słynnego złotnika. Obiecałem jej dziadkowi, że cię zabiję, kiedy cię odnajdę.

– A ty zwykle dotrzymujesz obietnic, wiem. – Troisclerq uśmiechnął się. – Już wtedy gdy uwolniłem cię z pnączy, wiedziałem, że skończymy w tym miejscu. Taki jest minus długiego życia. Po stu latach jesteś w stanie przejrzeć innych, tak jakby byli ze szkła. Każdy przymiot, każdą przywarę, każdą słabostkę… widzisz, jak powtarzają się bez końca. Przeżywasz każde pragnienie po tysiąc razy, po stokroć tracisz każdą iluzję, wszystkie nadzieje są dziecinne, a niewinność jawi ci się żartem...

Podniósł sztylet.

– Zostaje tylko śmierć. I poszukiwanie idealnego ciosu.

I najdoskonalszej formy śmierci.

Pchnął tak niespodziewanie, że Jakub zatoczył się na martwe kobiety, by uniknąć ciosu. Strach. Ile było go dane? Nieboszczki spoglądające na niego pustymi oczami znały odpowiedź. Lisica umierała przy każdym potknięciu i każdym draśnięciu, które zadawał mu sztyletem Troisclerq. Bawił się nim. I chciał, by się przyglądała. Odsłaniał się, by sprowokować Jakuba do ataku, a potem rysował mu jego własną krwią linię po linii, jakby zamierzał naszkicować śmierć, zanim pomaluje go głęboką czerwienią. A karafka wypełniała się białym strachem i nowym życiem dla Sinobrodego.

Lisica często widziała Jakuba w walce, ale jeszcze nigdy przeciwko takiemu rywalowi. Powoli docierało jednak do niej, że dorównywał Troisclerqowi – i że chciał go zabić. Jeszcze nigdy przedtem nie widziała na jego twarzy takiej żądzy śmierci.

Sztylety zaplątywały się w jedwabne fatałaszki, ślizgały po złotych łańcuchach i cięły martwe ciała. Obaj mężczyźni dyszeli ciężko. Ich oddechy i cisza martwych... Lisica była pewna, że jedno i drugie będzie jej dźwięczeć w uszach do końca życia. O ile jeszcze je przed sobą miała. Desperacko próbowała się uwolnić, aż po ramionach pociekła jej krew, i krzyknęła, kiedy sztylet Sinobrodego o mały włos nie przebił krtani Jakuba. Tyle strachu. Zamknęła oczy, żeby się nim nie udławić, ale następny okrzyk nie był okrzykiem Jakuba. Troisclerq przyciskał rękę do rozpłatanego kolana.

– To było nieczyste zagranie – wydyszał. – Gdzie się tego nauczyłeś?

– W innym świecie – odparł Jakub.

Troisclerq zamierzył się na jego pierś, ale on przejechał ostrzem po drugim kolanie i kiedy Troisclerq padł, Jakub wbił mu sztylet między żebra aż po złotą rękojeść. Sinobrody pluł krwią i zwijał się na podłodze. Jakub osunął się na kolana obok niego i wyciągnął mu z kieszeni klucz.

„Już po wszystkim, Lisico".

Troisclerq wyciągnął zakrwawioną rękę i chwycił Jakuba za ramię.

– Zobaczymy się – wyszeptał.

Nie puścił go nawet wtedy, gdy jego wzrok stał się pusty jak oczy jego ofiar. Jakub wyswobodził rękę z uścisku sztywnych palców. Potem, zataczając się, dźwignął się na nogi i rzucił sztylet na ziemię. Krew, która przywarła do jego klingi, była czarna.

Drżącymi dłońmi przekręcając klucz Sinobrodego, uwolnił Lisicę z łańcuchów owiniętych wokół jej szyi i nadgarstków. Potem przystawił jej karafkę do ust.

– Pij! – wyszeptał. – Zapomnij o nim i pij. Wypij, ile możesz. Wszystko będzie dobrze.

48
ZBYT PÓŹNO

Dom Sinobrodego. Oczywiście. Teraz bełkot Louisa przynajmniej miał jakiś sens.

„Białe jak mleko".

Czy to nie było dość jasne? Nerron przeklinał własną tępotę, widząc podwiędły żywopłot i jelenia, który stał zagubiony przed nieoświetlonym domem. Jeleń umknął w podskokach, zanim zdołały dopaść go psy.

Sinobrody leżał w swej Szkarłatnej Komnacie otoczony dziewięcioma dziewczynami. Leżały u boku swego mordercy, jakby spały. Lelou zwymiotował na korytarzu. Żuk miał wrażliwy żołądek w obliczu śmierci. Ale nawet Eaumbre wpatrywał się zaszokowany w rząd pięknych zwłok, zanim udał się na poszukiwania skarbca. Wodniki przynajmniej zostawiały swe ofiary przy życiu, nawet jeśli niektóre z nich wolałyby śmierć od dozgonnego uwięzienia w sadzawce.

„Czarne jak odłamek nocy oprawiony w złoto. Jesteś idiotą, Nerronie".

Louis powiedział mu wszystko, co powinien wiedzieć. W jakimkolwiek ponurym zakamarku schowane było serce, Reckless je znalazł. Nerron był tego tak pewny, że założyłby się o głowę i rękę. I miał taką samą pewność, że krew na dole w westybulu nie była krwią jego rywala.

Na podwórcu znaleźli zatarte ślady, ale trudno było stać się niewidzialnym, kiedy się wiozło rannego. No i trzeba było jechać powoli.

Dogonią ich, i to wkrótce.

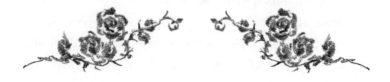

49
DWA KUBKI

Dom, który Lisica znalazła niecałe dwie mile za Champlitte w ciemnym świerkowym lesie, nie pachniał cynamonem i palonym cukrem. Do ścian nie lepiły się pierniki, ale nie trzeba było lisiej sukni, by poznać, że czarna magia wisiała nad nim niczym ciężki fetor. Jakub wolałby udać się do czarownicy bardziej przypominającej Almę, ale Donersmark walczył ze śmiercią, a pożeraczki dzieci potrafiły wyleczyć najgorsze rany. Lepiej było tylko nie pytać o składniki medykamentu.

Kobieta, która otworzyła na pukanie Jakuba, była bardzo młoda i piękna. Czarne wiedźmy zwykle pokazywały się w tej postaci, nawet gdy miały na karku parę wieków.

Ułożyli Donersmarka na kuchennym stole, żeby mogła obejrzeć jego obrażenia. Paznokcie czarownicy były długie i tak ostre, że Jakub ucieszył się z omdlenia przyjaciela. Donersmark płacił wysoką cenę za to, że im pomógł, a on niepokoił się nie tylko zadanymi mu przez kamerdynera ranami. Wiedźma potwierdziła jego obawy. Kiedy Jakub opisał jej sprawcę obrażeń, potrząsnęła głową ze złośliwym uśmiechem.

– Jego życie mogę uratować – oznajmiła – ale nie mogę zagwarantować, że pewnego dnia nie wyrośnie mu poroże. Możecie przenocować w stajni. Zajmie mi to co najmniej cztery dni, a jego życie będzie cię kosztować dwa kubki twej krwi.

Kiedy Lisica zaczęła protestować, fuknęła na nią:

– Miej się na baczności! W przeciwnym razie zażądam dodatkowo sukienki, która znajduje się w jukach uwiązanej na dworze czarciej szkapy. Pewnie ci do twarzy w futerku.

Czarownica fachowo nacięła Jakubowi rękę i prędko napełniła krwią dwa kubki. Potem kazała im wyjść. Nie było takiej wiedźmy, co lubiłaby, jak przyglądano się jej pracy. Jakub musiał wesprzeć się na Lisicy, gdy szli do stajni. W kubkach zmieściło się sporo krwi. Szkapy uwiązali do drzew, ale Lisica wzięła juki z sobą. Jakub znalazł futrzaną suknię w izbie kamerdynera i dopiero wtedy strach ostatecznie zniknął z twarzy Lisicy.

Zanim opatrzyła mu rękę w ciemnej stajni, schwytała parę błędnych ogników. Była to nędzna buda i z pewnością nie taki dach nad głową pragnął jej zapewnić po komorze Sinobrodego, ale otaczający ich las był nie lepszy.

„Zajmie mi to parę dni".

Jakub w gruncie rzeczy chciał jak najprędzej udać się z powrotem do Weny i odszukać Bastarda. Ćmie na jego piersi brakowało już tylko dwóch plamek, a serce nie zda mu się na nic, jeśli nie będzie miał ręki i głowy. Jednak Donersmark im pomógł i nie mogli zostawić go teraz samego z pożeraczką dzieci. Dzięki igle czarownicy wprawdzie nie wykrwawił się na śmierć, ale wiele życia w nim nie zostało. Jakub nie wspomniał Lisicy o czwartym ugryzieniu, które nastąpiło w labiryncie. Czuł tak przemożną ulgę, mając ją przy sobie, oddychającą i żywą, że ćma wydała mu się nagle senną marą, a śmierć czymś, co oboje zostawili w Szkarłatnej Komnacie Troisclerqa.

Lisica była tak wyczerpana, że zasnęła, zanim zdążył jej opowiedzieć, dlaczego zdjął naszyjnik z szyi jednej z martwych dziewcząt. Pewnie nawet tego nie zauważyła. Odchodziła od zmysłów z obawy, że Troisclerq mógł zniszczyć jej lisią suknię.

Jakub ułożył się przy niej na brudnej słomie, jednak nie mógł zasnąć. Wsłuchiwał się w jej oddech. Do stajni wśliznął się jeden z koronotników, węży, które występują tylko w Lotaryngii. Czarna lilia na głowie gada była warta sto złotych talarów, ale Jakub nawet na nią nie spojrzał. Miał dość myślenia o skarbach, o kuszy i o tym, że być może wkrótce umrze. Lisica spała twardo i głęboko.

Na jej obliczu malował się taki spokój, jakby wszystkie lęki zostawiła w domu Sinobrodego. Znowu nosiła męskie ubranie, w którym podróżowała do Albionu. Suknię od Sinobrodego zostawili przy jej nieżywych towarzyszkach. Jakub nie mógł oderwać wzroku od jej uśpionej twarzy. Jej widok przegnał wreszcie wizje prześladujące go od Weny. To był cud, że nic jej się nie stało, czar, który właśnie się skończył. Żadna Wyspa Nimf, żadna skowronkowa woda nie równała się ze szczęściem, jakiego doznał teraz, na brudnej słomie, wsłuchując się w jej miarowy oddech.

Przez wiele lat poszukiwał dla cesarzowej zaczarowanej klepsydry, która zatrzymywała czas. Sam nigdy nie mógł pojąć, dlaczego zaliczała się do najbardziej pożądanych skarbów świata za lustrem. Nie przypominał sobie chwili, którą chciałby zatrzymać w nieskończoność. Każda kolejna zawsze niosła w sobie obietnicę czegoś lepszego, a nawet najpiękniejszy dzień po paru godzinach bladł. A teraz leżał w stajni pożeraczki dzieci, z rozpłataną ręką i śmiercią na piersi, i marzył o posiadaniu takiej klepsydry. Przepłoszył błędnego ognika, który usiadł Lisicy na czole – czasami przynosiły złe sny – i odgarnął jej włosy z uśpionej twarzy.

Dotyk obudził ją. Wyciągnęła rękę i musnęła cięcie, zostawione na jego policzku przez sztylet Troisclerqa.

– Tak mi przykro – szepnęła.

Jakby to ona zawiniła, że zaślepiony nie zdołał ochronić jej przed Sinobrodym. Położył jej palce na ustach i potrząsnął głową. Nie wiedział, jak ma przepraszać za cały ten strach i grozę, której ona nie zapomni do końca życia. Nie usprawiedliwiało go nawet to, że oboje byli ofiarami Troisclerqa, że stali się posłańcami śmierci, za którą on, po tylu odebranych życiach, być może nawet tęsknił. Czy można zbyt długo umykać przed śmiercią? Czy można żyć zbyt długo? Tej nocy trudno mu było w to uwierzyć.

– Słyszałaś, co powiedziała wiedźma – zaczął cichym głosem. – Spędzimy tu kilka dni. A zatem śpij! Może to nie najlepsze miejsce, ale każde jest lepsze od tego, z którego przychodzimy, prawda?

Lisica nie odpowiedziała. Powędrowała spojrzeniem ku jego piersi, gdzie pod koszulą skrywała się ćma. Nie zapomniała o śmierci. Jakub wyciągnął z plecaka naszyjnik, który zdjął z szyi wnuczki złotnika. Lisica z niedowierzaniem dotknęła czarnego serca.

– Dwa skarby za jednym zamachem – wyszeptał do niej. – Kiedyś opowiem ci tę historię od początku do końca. A teraz odpoczywaj.

Była taka blada. Wydawało mu się, że jej skóra jest przezroczysta. Na dworze zarżała jedna z czarcich szkap. Lisica usiadła. Zrobiło się cicho, ale to nie była dobra cisza.

Prędzej od niego dopadła drzwi stajni. Jego oczy nie odkryły między ciemnymi świerkami niczego podejrzanego, ale ona sięgnęła po torbę, w której tkwiła jej lisia suknia.

– Tam ktoś jest.

– Pozwól, że sprawdzę.

Potrząsnęła głową. Podczas gdy ona wkładała futrzaną sukienkę, Jakub obserwował drzewa. Wierzchowce nadal były niespokojne. Może wyczuwały obecność czarownicy.

„Nie, Jakubie".

Noc była bezksiężycowa, więc ledwie zauważył, jak Lisica się wymyka. Przez okna czarownicy nadal padało światło; gdzieś zaszczekał pies.

„Dlaczego pozwoliłeś, żeby poszła, Jakubie? Jest zbyt osłabiona!".

Wciąż miał przed oczami karafkę wypełnioną jej strachem. Znowu rozległo się szczekanie. Jego ręka powędrowała w stronę pistoletu. Już miał go chwycić, gdy lisie futro otarło się o jego nogi.

– Są tam, po lewej stronie, między drzewami. Bastard i pięciu innych. – Lisica odciągnęła go od drzwi stajni. Wydało mu się, że poczuł na jej dłoniach sierść. – Wodnika czuć na kilometr. I mają ze sobą dwa psy gończe.

„Szlag by to".

Jakim cudem goyl trafił tu za nim? Miał wrażenie, że nie potrafi się go pozbyć, zupełnie jakby był jego cieniem. Jakub dotknął zabandażowanej ręki – lewej, serdecznej, jak mawiały czarownice. Niestety, również tej, którą lepiej strzelał i walczył. Nie mówiąc już o utracie krwi i o tym, że wciąż czuł w kościach walkę z Sinobrodym. Bastard z łatwością odbierze mu serce, jak dziecku.

– Może wiedźma przyjdzie nam z pomocą – wyszeptała Lisica.

– Na pewno. Ale nie mam na podorędziu kolejnych dwóch kubków krwi. A poza tym widziałaś wodnika? Na wodniki każde zaklęcie było tak samo użyteczne jak lont wrzucony do sadzawki.

– Mogę spróbować ich zwabić w inne miejsce.

– Nie.

Znała go wystarczająco dobrze, by wiedzieć, że to „nie" było ostateczne. Jakub powędrował wzrokiem ku wierzchowcom. Nawet gdyby udało im się uciec – co z Donersmarkiem?

„Szlag by to. Mamy za mało czasu i jesteśmy w niewłaściwym miejscu".

Wyjął czarne serce z torby. Lisica cofnęła się, kiedy zawieszał jej łańcuszek na szyi. Jakub owinął kamień kawałkiem materiału, żeby nie dotykał skóry.

– Zdejmuj naszyjnik do spania i uważaj, żebyś nigdy nie nosiła kamienia na sercu! – wyszeptał. – Materiał chroni tylko twoją skórę. Spróbuję dać ci przynajmniej godzinę przewagi.

– Nie! – Chciała zdjąć wisior, ale Jakub złapał ją za ręce.

– Nic mi się nie stanie. Poddam się, zanim zrobi się naprawdę niebezpiecznie!

– A potem? Goyl już raz próbował cię zabić!

– Ale nie teraz, kiedy jestem jego jedyną szansą na zdobycie serca! Tylko nie możesz dać się złapać. Spotkaj się z Valiantem. Niech karzeł podejmie negocjacje. W pobliżu Nekrogrodu jest opuszczona wieża strażnicza, powiem goylowi, że będziesz tam czekać…

Oparła się czołem o jego ramię.

– Wszystko będzie dobrze – wyszeptał do niej.

– Kiedy? – spytała również szeptem. – Spróbujmy razem. Proszę! Kiedy zaczną strzelać, będziemy już na koniach!

– A Donersmark? – Jakub zgarnął jej z włosów ognika. Klepsydra. Kiedyś taką znajdzie. Ta chwila już minęła. – Wyjdź drugą stroną. – Wyciągnął pistolet. – Deski ściany są tam tak zbutwiałe, że na pewno znajdziesz szczelinę.

Lisica odwróciła się, ale Jakub raz jeszcze przyciągnął ją do siebie. Otoczył ją ramionami i zanurzył twarz w jej włosach. Bicie jej serca stopiło się z jego własnym. Na zewnątrz coś poruszyło się między drzewami.

– Biegnij! – szepnął.

W miejscu, gdzie jeszcze przed sekundą była biała skóra, zamigotało rude futro. Zanim się odwrócił, już jej nie było.

50
HANDEL

Tak, Lisica ich zauważyła. Ale stajnia, w której zniknęła, miała tylko jedne drzwi i nawet Louis trafiłby w to, co przez nie wyjdzie. Książę ziewał niemal z taką samą częstotliwością, z jaką oddychał, ale jego wzrok był w miarę przytomny, a on sam był niezłym strzelcem.

– Mam je spuścić? – Psiarczyk z trudem utrzymywał na smyczy dyszące pupile.

– Nie. Jeszcze nie. – Wizja psów rozrywających na strzępy Lisicę przyprawiła go o mdłości. Jeszcze trochę i będzie wymiotował przy byle okazji, jak Lelou. O wilku mowa...

– Jesteś pewien, że jest tam w środku?

Żuk wpatrywał się w stajnie z taką intensywnością, jakby chciał wypalić wzrokiem dziurę w spróchniałych deskach. Od niedawna z dumą nosił u pasa pistolet.

– Tak. Stoi tuż za drzwiami.

Reckless sądził, że chroni go mrok, ale zapominał, że ma do czynienia z goylem.

– Najlepiej wypalę mu w łeb. – Louis przyłożył strzelbę. – Czy potrzebny nam żywy?

Jego klan zawsze żywił wielką namiętność do łowów. Louis nawet zapomniał o ziewaniu. Nadal wierzył w opowiastkę o albiońskim szpiegu.

– Nie. Możesz go spokojnie zastrzelić – odparł Nerron.

Nie chciał, żeby Louis miał go za większego mięczaka od niego. Reckless nie będzie taki głupi, by nadziać się na flintę. Nerron był pewien, że tamten zdobył już serce. Znów był dużo szybszy niż on.

„Dwa do jednego dla niego, Nerronie".

Lelou oblizał nerwowo wargi. Pistolet u pasa jeszcze nie czynił go wojownikiem. Eaumbre i Młokos czatowali przy domu wiedźmy. Po wydarzeniach w Wenie Louis traktował wodnika jeszcze bardziej opryskliwie, ale ten każdą obelgę przyjmował ze stoickim spokojem i zachowywał się tak, jakby nigdy nie zrezygnował ze swego zajęcia polegającego na ochronie książątka.

Na znak Nerrona Eaumbre kopniakiem otworzył drzwi do domu czarownicy. Tak, mógł być przydatny, ale nigdy nie było do końca wiadomo, po czyjej stoi stronie. Najpewniej po swojej. Pożeraczka dzieci minęła go z furkotem i skrzecząc głośno, wylądowała na dachu chaty. Czarownice z upodobaniem przyjmowały postać sroki. Białe wiedźmy preferowały jaskółki. Reckless pewnie obserwował całe zajście, ale zza drzwi stajni nie dochodził żaden ruch.

– Jedno jest pewne – mruknął Louis – kiedy już znajdziemy tę kuszę, pierwszy strzał należy do mnie.

– Ach tak? Ciekawe, kogo miałby trafić.

Louis obrzucił go chłodnym spojrzeniem.

– Goyla, oczywiście. A drugim strzałem zniszczę armię Albionu.

Eaumbre zatrzymał się przed Nerronem.

– Tylko jeden ranny. Śpi pogrążony w zaklętym śnie. Mam go tu przenieść, żeby wywabić tego drugiego ze stajni?

– Nie. Dorwę go i tak.

Nerron wyciągnął pistolet i sprawdził amunicję. Zasłużył na odrobinę zabawy. Eaumbre bez słowa odszedł na bok. Studnia najwyraźniej nie wybiła mu z głowy chętki na szukanie skarbów.

– Idę z wami – oznajmił Louis, tłumiąc ziewnięcie.

Do diabła z Lelou i jego żabim skrzekiem! Na szczęście Żukowi nie trzeba było tłumaczyć, że martwy książę równał się martwemu Lelou.

– Panie, pozwól, żeby zajął się tym goyl! – perswadował słodziutko. – Kto jak nie ty zastrzeli szpiega, jeśli wymknąłby się goylowi i wodnikowi?

Louis ziewnął ponownie.

– No dobrze. – Wycelował flintę w drzwi. – Na co czekasz, goylu?

Nerron najchętniej zaaplikowałby mu odrobinę jaszczurczego jadu używanego przez lordów Onyksów, by przemienić skórę ludzi w szklisty śluz. „Kusza, Nerronie. Będzie warta tego wszystkiego". Już niemal czuł pod palcami jej drewniane łuczysko. Każdy łowca skarbów na świecie straci spokojny sen z zawiści. Jego własne brzydkie oblicze pojawi się na pierwszych stronach wszystkich gazet, a książęta i królowie będą błagać o jego usługi. Tylko Onyksowie zapałają żądzą śmierci, kiedy Kamien włoży na głowę koronę Lotaryngii i Albionu. Będą przeklinać dzień, w którym posłali pięcioletniego bękarta do domu, miast go utopić.

Nerron zostawił psiarczyka i parobka z Louisem. Byli głupi i hałaśliwi, niegodni tego przeciwnika. Polecił tylko Młokosowi, by odwiązał czarcie szkapy i wypłoszył je do lasu. Wolał nie ryzykować wstydu, gdyby Reckless wymknął im się w ten sposób.

Nerron skradał się pod osłoną drzew, aż się upewnił, że nie można go dostrzec od strony stajni. Reckless nie potrafił widzieć w ciemnościach i nie miał skóry czarnej jak noc, ale była z nim Lisica, a jej zmysły były wyostrzone jak u goyla.

Paroma szybkimi krokami przemierzył podwórzec. Przywarł plecami do ściany... Reckless nie stał już za drzwiami, tyle Nerron zdołał zobaczyć. Bawił się z nim w kotka i myszkę.

Nerron wśliznął się do środka. W stajni był wózek, bele słomy, gałązki brzozy, potrzebne czarownicom do wyrobu mioteł. Lisica mogła kryć się wszędzie. Czy Reckless odważy się strzelić do niego bez ostrzeżenia? Możliwe. Mimo że bardziej trzymał się zasad niż Nerron. Z tego, co o nim opowiadano, miał staromodne wyobrażenia na temat honoru i poczucia przyzwoitości, choć pewnie otwarcie by się do tego nie przyznał.

Gdzie oni się podziali? Nerron zaniepokoił się, że mogli się wymknąć, stosując jakieś zaklęcie, ale przecież w rewirze czarnej wiedźmy działały wyłącznie jej własne czary. Miał nadzieję, że Lelou dopilnuje, by Louis nie zasnął i nadal osłaniał drzwi.

Wodnik przystanął z wahaniem przy wejściu. A on co? Zaczął się bać ciemności?

„No ruszaj, durniu!".

Nerron dźgnął szablą stertę rózeg.

– Widzę, że jesteś dobry w chowanego! – Jego głos zabrzmiał jak ciosany granit. Nadal czuł w kościach wilgoć studni. – Chcę tylko serca. Potem puszczę ciebie i Lisicę wolno. – On sam nawet by dotrzymał przyrzeczenia, ale oczywiście nie mógł dać głowy za Louisa.

Gdzieś obok przemknął follet, a w słomie zaszeleściły szczury. Cóż za zaciszny zakątek, pomyślał z sarkazmem, ale w towarzystwie Lisicy pewnie nawet zapyziała stajnia pożeraczki dzieci była romantyczna.

Tam. Usłyszał czyjś oddech.

„Zaraz go dopadniesz, Nerronie".

A cały ten trud dlatego, że zdał się na wilki.

Drgnął nagle na głośny łomot, ale to tylko wodnik wpadł na pułapkę na szczury.

„Łuskowaty cymbał!".

Wodnik jęczał i przeklinał, uwalniając nogę z żelaznych wnyków. Hałas na ułamek sekundy odwrócił uwagę Nerrona, ale to wystarczyło. Usłyszał trzask odwodzonego kurka i odwrócił się prędko.

Reckless stał niecały krok przed nim i celował w jego serce. Skąd on się tu wziął? Schował się między belami słomy? Eaumbre, kuśtykając, przyczłapał bliżej.

– Nie radziłbym. – Lewa ręka Recklessa była mokra; cały rękaw ociekał krwią.

– To zapłata za wyleczenie rannego przyjaciela? Jakie to szlachetne z twojej strony. – Nerron gestem przywołał wodnika. – Tak, pożeraczki dzieci tną głęboko.

Reckless wzruszył ramionami.

– Nie ma obawy. Zdołam jeszcze nacisnąć spust.

– Tak, a ile razy? Zanim dotrzesz do drzwi, będziesz martwy. – Nerron błyskawicznie spojrzał za niego, ale nigdzie nie dostrzegł Lisicy. – Gadaj. Gdzie masz serce?

Reckless uśmiechnął się.

„O, Nerronie. Jesteś takim idiotą".

51
BIEG

Strach. I znowu strach. Jak krótko trwał spokój między nimi. Lisica była tak zmęczona, że nawet sierść nie przynosiła jej ukojenia. Wypiła własny strach, ale mimo to ciągle go czuła. Jakby coś nieustannie drżało gdzieś głęboko w niej.

Wszystkie te miejsca, gdzie jej serce porosło pleśnią... nędzna chatynka, w której tak intensywnie pachniało morzem. Szkarłatna Komnata. Nie mogła się od nich odgrodzić. Jakkolwiek by pędziła. Tylko Jakub mógł ją przed tym ochronić.

Lisica chciała spać u jego boku. Być tylko z nim i czuć, jak ciepło jego ciała pozwala jej zapomnieć o Szkarłatnej

Komnacie. I o chacie pachnącej solą. Ale musiała biec. Niosła ze sobą jego życie owinięte wokół szyi. Jeszcze nigdy nic tak jej nie ciążyło.

52
PRZEBIEGŁOŚĆ
I GŁUPOTA

— Powinieneś był spuścić psy! Mój ojciec już szczeniętom wkłada lisice do kojca, by w nich zasmakowały! Trzeba ci widzieć, co z nimi wyczyniają!

Za każdym razem gdy przystawali na popas, Louis zasypywał go wściekłymi obelgami. Jabłko Królewny Śnieżki uczyniło go jeszcze bardziej nieobliczalnym, a może winny był żabi skrzek? Gdyby nie Lelou, książątko zastrzeliłoby Recklessa, gdy tylko Nerron wyprowadził go ze stajni. Przyszły król Lotaryngii naprawdę był takim głupcem, na jakiego wyglądał.

„Nie, Nerronie. On jest jeszcze głupszy".

– Lisy są chytrzejsze od psów.

Wodnik siedział w trawie i wpatrywał się w skaleczoną nogę. Posmarował ją jakąś maścią znalezioną w chacie wiedźmy, ale jego pokryta łuskami skóra przybrała wokół rany barwę pieczarki.

– Obchodzicie się z tym łotrem jak z jajkiem! – Louis gwałtownym ruchem cisnął miecz do ognia, wzniecając deszcz iskier, które osmaliły skórę Nerrona. – Od tygodni wodzi nas za nos! Zapomniałeś już wszystko, czego nauczyłeś się jako straż przyboczna mojego ojca? – sarknął na wodnika. – On inaczej każe traktować więźniów, którym się wydaje, że są mądrzejsi od niego!

Eaumbre wzuł but na zranioną stopę.

– Przyprowadź go! – rozkazał Louis.

Wodnik podniósł się bez słowa, ale Nerron zastąpił mu drogę.

– To mój więzień!

– Ach tak? Od kiedy? – Louis wyprostował się.

Chwiał się lekko na nogach, ale arogancja malująca się na jego twarzy była iście królewska.

Eaumbre każdego wieczora przywiązywał Recklessa do jednego z kół powozu. Nerron wyobrażał sobie, jak zamienia ich miejscami i popędza konie pejczem. Wodnik minął go i pokuśtykał w stronę powozu.

Reckless wciąż był blady po zabiegu upuszczania krwi, a Sinobrody narysował mu na miękkiej skórze parę krwawych szlaczków, jednak jego twarz nadal nosiła ten sam irytujący, nieustraszony wyraz, który malował się na niej podczas zajścia z wilkami.

Wyciągnął do Nerrona związane ręce.

– Wodnik zawsze krępuje mnie tak mocno, że mi martwieją palce. Może tak zdjęlibyście mi więzy? Nie zamierzam uciekać.

– Ach, a czemuż to? – Louis otarł aksamitnym rękawem ociekające tłuszczem usta. Prawie sam pożarł dwa króliki ustrzelone przez psiarczyka. – Wiesz, co mój ojciec robi ze szpiegami Albionu?

Reckless posłał Nerronowi rozbawione spojrzenie.

„Coś takiego, szpieg? – pytał wzrokiem. – Jesteś mi coś winien, goylu".

– Ach tak, to... Zajmuję się tym dorywczo – powiedział na głos. – Właściwie to jestem łowcą skarbów tak jak goyl, a w przypadku tej misji, obawiam się, będziemy musieli zjednoczyć siły. Ty masz głowę i rękę. Ja mam serce, a jeśli ci się wydaje, że to mało, by dowieść mej niezbędności, zapytaj karłów, czy wiedzą, gdzie się znajdują zwłoki Gizmunda.

„Och, co za przebiegły skunks".

Louis potrzebował paru sekund, by pojąć, o czym mówi Reckless. Zataczał się tak bardzo, że niemal wpadł do ognia. Lelou karmił go już żabim skrzekiem trzy razy dziennie (wodnik nieraz godzinami włóczył się po okolicy, by go zdobyć), jednak wieczorem jego działanie wyraźnie słabło. Poza tym oddech księcia znowu zalatywał elfim pyłkiem.

– Chyba zapominasz, kto przed tobą stoi! – Louis bardzo się starał, by jego głos zabrzmiał groźnie.

Reckless skłonił się nieznacznie.

– Louis Lotaryński. Pracowałem dla twojego ojca, panie, ale ty pewnie mnie nie pamiętasz. Swego czasu poszukiwałem antidotum na miłosny eliksir. Twoja kuzynka była sprawczynią, a ty ofiarą. Czy nie zamieniła cię przypadkiem w żabę?

– Tę historię wymyślili wrogowie mojego ojca. – Louis z wściekłości niemal udławił się własnym językiem. – Byłem przeciwny temu, żeby zostawiać twojego przyjaciela u wiedźmy! Już ty byś przywołał Lisicę z powrotem, gdyby wodnik zaczął łamać mu palec po palcu!

– Mój panie! – odezwał się Lelou, a Nerron nie był pewien, czy w jego głosie brzmiało oburzenie, czy zachwyt.

Louis zignorował go.

– Przywołaj ją z powrotem! – wydusił z siebie. – Już! Albo rozkażę wodnikowi obciąć ci palce! Mój ojciec każe zaczynać od kciuka.

Skinął głową w stronę wodnika. Z jego łuskowatej twarzy nie można było wyczytać, co sądzi o tym rozkazie, ale dobył noża.

– Przywołać? A jak niby mam to zrobić? – zapytał Reckless. – Lisica wyprzedziła nas o mile. Jest szybsza na czterech łapach niż ty w swojej złotej karocy. Będzie na mnie czekać nieopodal Nekrogrodu. Zapytaj goyla. Jestem pewien, że kusza jest właśnie tam. I założę się

370

o serce, że beze mnie i goyla nie zrobisz w ruinach nawet kroku.

Twarz Louisa przybrała barwę zwarzonego mleka.

– Zapomnij o palcach! – fuknął na wodnika. – Poderżnij mu gardło!

Eaumbre zawahał się. W końcu jednak przystawił nóż do gardła Recklessa.

„Dosyć tego".

Nerron złapał Louisa i pociągnął za sobą.

– Nie słyszałeś?! – wysyczał. – On ma nie tylko serce! Ma również ciało Gizmunda. Jak sądzisz, panie, na co nam się zda głowa i ręka bez reszty zwłok? Zabij go, ale sam potem wyjaśnisz swojemu ojcu, dlaczego nie zdobyliśmy kuszy!

Louis wpatrywał się weń wrogo, jakby za chwilę to jemu zamierzał poobcinać palce.

„To nie będzie takie proste w przypadku goyla, książątko".

– On mnie obraził! Chcę widzieć jego trupa. I to teraz!

Wodnik przypatrywał im się, trzymając nóż na gardle Recklessa. Matka Nerrona w chwilach szczególnej potrzeby wznosiła modły do tajemniczej królowej żyjącej pod miedzianą górą i noszącej suknię z malachitu. Nerron chętnie poprosiłby ją o krztynę rozumu dla książęcego łba, ale niespodziewany ratunek przyszedł ze strony Lelou.

– Mój panie! – wyszeptał, uśmiechając się łagodząco. – Obawiam się, że goyl ma rację. Nawet twój ojciec zmuszony jest niekiedy do współpracy z wrogiem. Zawsze możesz przecież zabić Recklessa później!

Louis zmarszczył czoło (wzruszające, jak marszczy się skóra ludzi, kiedy próbują myśleć) i rzucił więźniowi ponure spojrzenie.

– No dobrze, zostaw go na razie przy życiu! – rozkazał wodnikowi. – Ale zaciśnij mu mocniej pęta.

53
JAKOŚ

Lisica nie liczyła, ile dni zajęło jej dotarcie do gór, w których leżał Nekrogród. Było ich zbyt wiele.

Zmieniała postać tylko po to, by wykraść sobie parę godzin niespokojnego snu. W ludzkiej postaci ciążyły jej wspomnienia, ale przyłapywała się na tym, że tęskniła za wiatrem na nagiej skórze. Tęskniła nawet za swym bardziej podatnym na zranienie sercem. Zwierzę, człowiek – lisica, kobieta. Nie była już pewna, kim jest bardziej. Ani kim woli być.

Zatelegrafowała do Valianta ze stacji kolejowej. Starszy pocztiarz obsługujący telegraf taksował ją tak nieufnym wzrokiem, jakby pod skradzionym ubraniem widział jej lisią suknię.

Karzeł zaproponował spotkanie w górskiej wiosce położonej niedaleko Nekrogrodu. Z ryneczku widać było ruiny: rozwalające się wieże i kopuły, mury bielejące na zboczach niczym kości. Nad martwymi ulicami zawisły ciemne chmury. Ciągnęły przez dolinę, a Lisica, przystanąwszy przed gospodą, w której umówiła się z Valiantem, czuła ich zimne cienie.

Kozie rogi nad wejściem miały odstraszać złe duchy, których obawiano się w okolicy: toggeli, leśne duchy, górskie wiedźmy... To im przypisywano winę za śmierć każdej kozy, za każdą chorobę dziecka, nawet jeśli stworzenia te zazwyczaj nie były nawet w połowie tak złośliwe, jak o nich mówiono. W tych górach strach plenił się jednak niczym chwast.

Spojrzenie, jakim szynkarz obrzucił Lisicę, kiedy wstąpiła do ciemnej izby, było tak brudne i lepkie jak jego fartuch. Była rada, że Valiant nie kazał na siebie długo czekać.

– Wyglądasz jak śmierć na chorągwi! – skonstatował, przyciągając do stołu jeden ze stołków, które karczmarz przygotował dla swych karlich gości. – Mam nadzieję, że Jakub wygląda znacznie gorzej! Pokazać ci telegramy, które ten zakłamany pies wysyłał mi cały czas? „Dotychczas żadnego tropu... powiadomię cię... ta misja może potrwać lata...". Wiesz co? Jeśli o mnie chodzi, to niech goyl przywlecze go tu na powrozie!

Zmęczenie. Czuła tak wielkie zmęczenie. Karczmarz podał herbatę, którą zamówiła, a dziecku przy sąsiednim stole przyniósł szklanicę mleka. Lisica poczuła, jak jej ręce zaczynają drżeć na widok białego płynu.

– Co, do diaska…

Valiant chwycił ją za rękę i z przerażeniem przyjrzał się jej otartym nadgarstkom. Będzie nosiła więzy Troisclerqa do końca życia – jako blizny. Łzy napłynęły jej do oczu, ale otarła je prędko. Na nic się nie zdały, tak samo jak obawa, którą żywiła o Jakuba.

„Uratujesz go. Jakoś".

Tylko jak?

Valiant podał jej chustkę z wyhaftowanymi inicjałami.

– Tylko nie mów, że się niepokoisz o Jakuba! – Karzeł pogardliwie potrząsnął głową. – Goyl nie pozwoli, by mu spadł choć włos z głowy! Jakuba nie da się zabić. Wiem, o czym mówię, w końcu sam już kopałem dla niego grób.

Wspomnienie tamtych wydarzeń bynajmniej nie rozwiało jej obaw. Jakub często wymykał się śmierci. Ale nie tym razem, szeptała jakaś jej cząstka.

„Milcz".

Dziecko przy sąsiednim stole piło mleko. Lisica najchętniej odwróciłaby wzrok, ale zmusiła się, by patrzeć. Czyżby zamierzała unikać też ciem i kwiatów?

Wiatr otworzył jedno z okien i przywiał na drewniane stoły drobinki gradu. Karczmarz zamknął je z zafrasowaną miną i wdał się w rozmowę z jakimś wieśniakiem, który narzekał na osuwającą się ziemię i potopione

375

owce i mówił o tym, jak jeden z szaleńców zamieszkujących Nekrogród nawiedził nad ranem jego zagrodę i zapowiedział koniec świata. Nazywano ich Kaznodziejami – kobiety i mężczyzn, którzy potracili rozum pośród ruin i wierzyli, że opuszczone miasto skrywa bramę do nieba. Lisica napatoczyła się na jednego z nich, wchodząc do wsi. Szpikowali sobie ubrania kawałkami blachy i odłamkami szkła, upodabniając się do cudacznych zbroi.

Chłop obrzucił Valianta posępnym wzrokiem.

– Widzisz? – wyszeptał karzeł, odpowiadając na spojrzenie uśmiechem nafaszerowanym złotymi zębami. – Winą za złą pogodę obarczają kopalnie. Gdyby te głąby pasające kozy wiedziały, jak blisko są prawdy. Odkąd natknęliśmy się na kryptę, dzieją się dziwne rzeczy, nie tylko z pogodą. W kopalniach mnożą się wypadki. Zewsząd wyłażą ci Kaznodzieje i bredzą o końcu świata, a chłopi trzymają bydło w obórkach i gadają, że Nekrogród budzi się do życia.

Lisica pogładziła zmaltretowane nadgarstki.

– Dokąd zabrałeś ciało?

Valiant obronnym gestem podniósł ręce. Były drobne jak ręce dziecka, a mimo to wystarczająco silne, by zginać żelazo.

– Nie tak prędko! Jakub jest dla mnie jak brat, ale musimy podjąć renegocjacje. Przez to, że ten cymbał dał się pojmać, będą dodatkowe koszty!

– Jak brat? Sprzedałbyś go za srebrny paznokieć chochlika! – syknęła Lisica. – Nie zdziwiłabym się, gdybyś skumał się z goylem, jeśli tylko zapłaciłby ci więcej!

Na te słowa na twarzy karła wykwitł uśmieszek zadowolenia. Każdą sugestię co do własnej przebiegłości traktował jak komplement.

– Powinniśmy omówić to wszystko w jakimś mniej publicznym miejscu – wymruczał. – Mój szofer czeka przed drzwiami. Szofer… – mrugnął znacząco do Lisicy – fantastyczne słowo, nieprawdaż? Brzmi znacznie bardziej nowocześnie niż „woźnica".

Kiedy wyszli na ulicę, niewiele brakowało, a wiatr zwiałby karłowi z głowy śmiesznie wysoki kapelusz. Mury domów przycupniętych w cieniu gór pociemniały od deszczu, a szofer, który zatroskany wycierał krople deszczu z ciemnozielonego lakieru monstrualnego automobilu stojącego przed gospodą, oczywiście był człowiekiem. Bezkonny pojazd wyglądał na wiejskiej ulicy jeszcze bardziej obco niż te, które Lisica widywała w Wenie.

– Robi wrażenie, prawda? – dopominał się pochwał Valiant, podczas gdy szofer podbiegł do nich z parasolem. – Jestem obywatelem przyszłości! Prędkość wprawdzie jest rozczarowująca, ale spojrzenia, jakie się zbiera po drodze, wynagradzają to z nawiązką.

Szofer przytrzymał jej parasol nad głową, mimo że wiatr prawie wyrywał mu go z ręki, po czym pomógł karłowi wdrapać się na zbyt wysoki schodek.

– Cokolwiek jest przyczyną tej pogody – szepnął do niej Valiant, kiedy dygocąc z zimna, usiadła obok niego na brązowej skórzanej kanapie – ten ziąb ułatwia utrzymanie bezgłowego króla w świeżości.

54
TEN SAM CECH

Bastard przychodził co noc, zawsze gdy przejmował wachtę, a inni pogrążali się we śnie. Dawał Jakubowi coś do jedzenia, a czasami przynosił nawet trochę wina pozostawionego przez księcia.

„Jak przeszedłeś przez labirynt? W jaki sposób Chanute przeżył pieczary trolli? Czy znalazłeś kiedykolwiek jedną z tych świec, których światło przywołuje żelaznego człowieka?".

Pierwszej nocy Jakub odpowiadał milczeniem albo kłamstwami. Drugiej mu się to znudziło, więc każde pytanie kwitował pytaniem: „Jak zdobyłeś rękę? Skąd wiedziałeś, gdzie się na mnie przyczaić, by odebrać mi głowę?

Gdzie znaleźć jaszczurki, z których skóry wyrabiacie kuloodporne kamizelki?". Byli z tego samego cechu.

Bastard oczywiście przetrząsnął mu kieszenie, a Jakub po raz pierwszy był rad, że złota chustka przestała działać w sposób niezawodny, widząc, jak goyl pociera ją w palcach. Nerron. To tylko imię, jak u wszystkich goyli. W ich języku oznaczało „czarny". Kto mu nadał takie imię? Matka, by zanegować malachit przecinający żyłkami jego skórę, czy Onyksowie, zazwyczaj topiący swoje bękarty? Nerron obejrzał także wizytówkę Earlkinga, ale w jego palcach pokazywała tylko wydrukowane nazwisko.

Nerron chwycił długopis, który Jakub nosił przy sobie, bo łatwiej mu się nim pisało niż piórem czy staroświecką obsadką, używanymi w świecie za lustrem.

– Do czego to służy?

– To zaczarowany atrament.

Jakub wsunął do ust kawałek mięsa, które przyniósł mu goyl. Wodnik wbrew rozkazowi Louisa poluzował Jakubowi więzy. Wychodziło na to, że tylko Żuk pozostał ślepo oddany księciu. Mimo to lepiej było nie lekceważyć Louisa. Cechowała go ta sama chytrość co jego ojca, mimo że bezspornie nawet w połowie nie dorównywał mu mądrością.

– Zaczarowany atrament? – Bastard wsunął sobie długopis do kieszeni. – Nigdy o czymś takim nie słyszałem.

– Wszystko, co nim napiszesz, kiedyś się spełni.

Całkiem zgrabne kłamstwo. Podobno gdzieś na wschodzie można było znaleźć gęsie pióro mające dokładnie te właściwości.

– Kiedyś?

Jakub wzruszył ramionami i otarł tłuszcz ze skrępowanych palców.

– To zależy od życzenia. Tydzień, dwa...

Miał nadzieję, że do tego momentu ich drogi się rozejdą. Byli w podróży od czterech dni. Wiedźma powinna już uporać się z wyleczeniem Donersmarka, o ile go nie zabiła albo nie zamieniła w owada, co oznaczałoby jego pewną śmierć, nawet bez jej udziału.

Niemal co noc zatrzymywali się w jakiejś grocie. Goyl znajdował je wszędzie, a Jakub był mu za to wdzięczny. Noce były nadal tak chłodne, że marzł nawet pod derką, którą przynosił mu Bastard. Ręka ćmiła go jeszcze po cięciu wiedźmy, a rany zadane nożem Troisclerqa piekły, ale sen zakłócała mu tylko niepewność, czy Lisicy nie grozi niebezpieczeństwo. Nieustannie widział przed sobą jej umęczoną twarz.

„Wymagasz od niej zbyt wiele, Jakubie".

Zbyt wiele. Jakże często strach był jedynym podarunkiem, jaki dla niej miał, przeżywany razem i pokonywany razem, ale nadal tylko strach, nic więcej. W stajni pożeraczki dzieci wszystko to uległo zapomnieniu. Chciał ją tylko chronić. Jednak to ona, jak niezliczone razy przedtem, była tą, która musiała pomóc jemu.

– Nie pragniesz czasem skrycie, byśmy byli tylko my dwaj? – Goyl zniżył głos, mimo że pozostała trójka zdawała się twardo spać. – Bez księcia, bez Żuka, bez wodnika, nawet bez Lisicy... tylko ty i ja, przeciwko sobie.

– Książę może okazać się użyteczny.

– Do czego?

– Jest spokrewniony z Gizmundem. A co, jeśli potrzebna będzie krew Rzeźnika Czarownic płynąca w żyłach jego potomka, by dostać się do zamku? W końcu spodziewał się przybycia swoich dzieci...

– Tak, też już o tym myślałem. – Bastard popatrzył na nietoperze poruszające się u sklepienia groty. – Ale perspektywa wleczenia ze sobą tego arystokratycznego głąba, aż do samego końca, sprawia, że budzi się we mnie nienawiść. Nie. Zawsze jest jakiś inny sposób.

Jakub zamknął oczy. Miał dość oglądania twarzy goyla przypominającej mu nefrytową skórę brata. Nawet jaskinia, w której siedzieli, wyglądała jak tamta, w której pokłócił się z Willem.

Ból przyszedł tak niespodziewanie, że z trudem powstrzymał krzyk, który wyrwał mu się z gardła.

„Szlag by to".

Przycisnął spętane ręce do piersi.

„To minie. To minie".

Który to już raz?

„Przypomnij sobie, Jakubie!". Piąty. To był piąty raz. Jeszcze jedno ugryzienie. Niewiele już zostało mu z serca.

– Co się dzieje? – Bastard wpatrywał się z niepokojem w jego wykrzywioną bólem twarz. – Czy to Louis czymś cię napoił?

Jakub roześmiałby się, gdyby mógł. Podejrzenie to wcale nie było od rzeczy. Dynastia lotaryńska pielęgnowała długie tradycje trucicielskie.

Bastard oderwał mu ręce od piersi i rozdarł koszulę. Ćma była już tak czarna jak onyks na skórze Nerrona, a czerwień okalająca pokryte trupimi czaszkami skrzydełka wyglądała jak świeża krew. Nerron cofnął się, jakby w obawie, że się zarazi.

Wyczerpany Jakub oparł się o ścianę groty. Ból zelżał, jednak Jakub podejrzewał, że on sam przedstawiał sobą żałosny widok. Czy tak to sobie wyobrażała Czerwona Nimfa, zdradzając mu imię swej siostry? Całowana przez niego, snuła wizje przyszłości? Że będzie się wił jak ranne zwierzę i bólem zapłaci za jej cierpienie? Z tą różnicą, że złamane serce nie przyniesie jej śmierci.

„Ona nie ma serca, Jakubie".

Nerron wylał przyniesione wino i napełnił kubek brązowym płynem.

– Pij powoli – poinstruował go, a potem wcisnął kubek w skrępowane ręce więźnia. – Nie jestem pewien, czy wasze żołądki tolerują wódkę goyli.

Trunek smakował jak posłodzona lawa. Bastard zakorkował butelkę.

– Muszę pilnować, żeby Louis nie znalazł flaszki. Jej zawartość by go zabiła, a jego ojciec zgładziłby mnie za to niechybnie. To była Czarna Nimfa, dobrze się domyślam? Cały czas się zastanawiałem, jak zdołałeś swojego brata sprzątnąć jej sprzed nosa. – Schował flaszkę z powrotem do sakwy. – Trzeci strzał... A zatem szukasz kuszy dla siebie. A jeśli ta historia to bajka?

– Wypróbowałem już wszystkie inne sposoby.

Jakub zmusił się do wypicia jeszcze jednego łyku tego piekielnego trunku. Rozgrzewał ciało lepiej niż najcieplejsza derka.

– A jabłko? Studnia?

– Też.

– A co z krwią dżina? Tego północnego. Wprawdzie to niebezpieczne, ale...

– Nie działa.

Bastard potrząsnął głową.

– Wasze matki was nie ostrzegają, że od nimf lepiej się trzymać z daleka?

– Moja matka nie miała pojęcia o nimfach.

Jakub zignorował ciekawość w złotych oczach. Co się z nim działo? Zamierzał opowiedzieć goylowi historię swojego życia? Jeszcze tylko jedno ugryzienie. Może umrze, zanim zobaczy Lisicę. Zawsze myślał, że ona znajdzie się u jego boku, kiedy będzie umierał. Nie Will, nie Nimfa. Tylko Lisica.

Nerron wstał.

– Mam nadzieję, że nie jesteś tak naiwny, by sądzić, że z dobroci serca oddam ci kuszę.

Jakub zasłonił koszulą odcisk ćmy.

– Jeszcze jej nie znalazłeś.

Goyl uśmiechnął się. Jego spojrzenie mówiło: „Ale ją znajdę. I to przed tobą. A ciebie czeka śmierć".

– Jakiej kolejnej rzeczy byś szukał? Gdybyś nie musiał uciekać przed śmiercią?

„No właśnie, jakiej, Jakubie?". Odpowiedź zaskoczyła jego samego.

– Klepsydry.

Bastard potarł popękaną skórę.

– Nie musiałbyś obawiać się mojej konkurencji. A który moment jest szczególnie wart, by go zatrzymać?

Jakub w zamyśleniu pogładził skalną ścianę, jakby szukał w pamięci chwili, która była tego warta.

– A co ty najbardziej chciałbyś znaleźć? – odpowiedział pytaniem.

Jego pierś nadal była bez czucia. Goyl przyglądał mu się bez słowa.

– Drzwi – powiedział w końcu. – Chciałbym znaleźć drzwi do innego świata.

Jakub stłumił uśmiech.

– Naprawdę? Co ci się nie podoba w tym świecie? I dlaczego inny świat miałby być lepszy?

Bastard wzruszył ramionami i wbił wzrok w żyłkowaną rękę.

– To wina mojej matki. Opowiadała mi zbyt dużo roz‑
maitych historii. Światy, które w nich opisywała, wszystkie
bez wyjątku były lepsze.

Gdzieś za nimi rozległo się chrapanie Louisa. Z każ‑
dym dniem robił się coraz bardziej humorzasty i poryw‑
czy. To był jeden ze skutków ubocznych żabiego skrzeku,
jak się dowiedział kiedyś Jakub od Almy. Innym była ma‑
nia prześladowcza. Jedno i drugie nie wydawało się żadną
nową cechą królewskiego syna.

– Nie wymagam wiele! – ciągnął Nerron. – Świat byłby
lepszy bez książąt. I bez klanu Onyksów. Nie tęskniłbym
też za chochlikami… i chciałbym znaleźć tam głębokie,
przez nikogo niezamieszkane jaskinie… – Odwrócił się. –
Każdy o czymś marzy, prawda?

55
NIE TEN PLAN

I tu niby ma się pojawić jakiś zamek? – spytał Louis i wyrwał Nerronowi z ręki lunetę. Po chwili skierował obiektyw na ruiny Nekrogrodu. Ledwie je było widać zza gęstych chmur przetaczających się nad górami.

– Zamek stał na wzniesieniu nad miastem. – Lelou strząsnął kulki gradu z rzednących włosów. – Na końcu ulicy, przy której znajdowały się kojce smoków.

Oczywiście. Żuk potrafił pewnie naszkicować dokładny plan miasta.

Psiarczyk przyprowadził Recklessa. Związał mu ręce na plecach i na rozkaz księcia dodatkowo owinął pętlę wokół szyi. Louis nadal miał za złe więźniowi, że ten zakwestionował jego talent łowcy skarbów.

– Zamknij go w powozie! – polecił i potarł zaczerwienione oczy.

Psiarczyk wykonywał jego rozkazy o wiele bardziej gorliwie niż wodnik. Nie przepuścił żadnej okazji, by potraktować więźnia gorzej od psa. Tu kopniak, tam kuksaniec w żebra, uderzenie kolbą sztucera. Teraz też tak brutalnie pchnął go w stronę powozu, że Reckless, uderzywszy twarzą o ścianę karocy, zalał się krwią. Louis napawał się tym widokiem.

– A ty co? – fuknął na psiarczyka Nerron. – Potrzebujemy go żywego. Ile razy mam ci to tłumaczyć?

Książę uśmiechnął się, szczerząc zielone od żabiego skrzeku zęby.

– Nie musisz niczego tłumaczyć, goylu – wycedził. – Mam dość twoich tłumaczeń, i to od dawna.

Nerron poczuł na plecach lufę pistoletu. Sądząc po miejscu, w którym wbiła mu się w kręgosłup, broń wymierzył w niego Lelou.

– Powtarzałem to ojcu po stokroć! Wszystkie goyle powinno się prażyć na ogniu, aż im popęka kamienna skóra. Ale stary dziadyga was się po prostu boi! – Louis skrzywił usta w pogardzie. – Lelou twierdzi, że każdej nocy siedziałeś razem z Recklessem. Jesteś dla niego podejrzanie miły, ale ja nie dam się okpić. Jaki jest wasz plan? Chcecie razem przefrymarczyć kuszę Albionowi i podzielić się zyskiem po połowie?

Psiarczyk szarpnięciem odciągnął Nerronowi ręce do tyłu, a Młokos wycelował pistolet w wodnika. Młokos tępotą dorównywał wprawdzie swej sile, ale był zdumiewająco dobrym strzelcem.

Louis obrzucił Nerrona spojrzeniem, z którego wyzierała pycha arystokraty połączona z krnąbrnością siedemnastolatka, który uważa się za nieśmiertelnego. Niebezpieczna mieszanka.

– Znajdę tę kuszę dla ojca – oświadczył, podczas gdy psiarczyk tak mocno krępował Nerronowi ręce, jakby chciał przeciąć powrozem kamienną skórę – a Albion przestanie się wreszcie zachowywać, jak gdyby należał do niego świat. Najpierw jednak zajmiemy się goylami.

Och, jakże wszystko potoczyłoby się łatwiej, gdyby od razu w Wenie zlikwidował księcia i Lelou.

„Twoja awersja do zabijania zaczyna się robić uciążliwa, Nerronie".

– Kto to uknuł? – zapytał, smakując na języku własną wściekłość. – Lelou?

Żuk uśmiechnął się, mile połechtany.

– O nie, nie. To od początku do końca był plan jego książęcej mości. – Obdarzył Louisa nerwowym uśmiechem. – Nie ma wielkiego doświadczenia w kwestii poszukiwań skarbów, ale słusznie zwrócił uwagę na fakt, że szukamy broni jego przodka. Ja tylko zasugerowałem, żebyśmy wstrzymali się z zabiciem ciebie i Recklessa, w końcu...

– ...w końcu musimy wycisnąć z was wszystko, co wiecie. – Psiarczyk obnażył zęby, które były żółte jak u jego podopiecznych. – O Zaginionym Zamku... o kuszy. O wszystkim tym... Książę jest zdania, że to ja mam się tym zająć. – Uśmiechnął się poddańczo do Louisa i ukłonił niezdarnie. – Właściwie to wodnik jest ekspertem w tej dziedzinie – dodał – ale książę jest zdania, i słusznie, że nie można ufać łuskowatym gębom, tak samo jak kamiennym.

– No dobrze już, dobrze. Po co im to wszystko mówisz? – Louis wciągnął do nosa szczyptę elfiego pyłku. Jego zapas w książęcej sakwie zdawał się niewyczerpany. – Najpierw odbierzemy Lisicy serce. Zamknijcie goyla w powozie razem z Recklessem.

Wodnika musiała krępować cała trójka. Przywiązali go do koła, tak jak wcześniej Recklessa, a potem psiarczyk zawlókł Nerrona do karocy.

– Książę ma rację, goylu! – szepnął do niego, zanim zatrzasnął za nim drzwi. – Powinno się was wszystkich upiec na ogniu. Nastaną dobre czasy, kiedy on będzie królem.

– Sprowadźcie konie! – dobiegł Nerrona bełkotliwy głos Louisa.

Reckless leżał na jednej z ławek, z twarzą spuchniętą po zderzeniu z bokiem powozu.

– Nie taki był plan, prawda? – odezwał się.

56
GNIEW OLBRZYMIELA

Nadchodzili. Lisica odsunęła się od parkanu postawionego przez wieśniaków, żeby bydło nie pałętało się po zaklętych ruinach. Wiatr hulający na wymarłych ulicach siekł ją po twarzy gradem i drobinkami lodu. Zguba. Wszystko wokół zdawało się emanować zgubą w mroku nocy.

Mężczyźni nadjeżdżający na koniach w stronę opuszczonej wieży strażniczej byli tymi samymi, których Lisica widziała za stajnią wiedźmy, ale kiedy się zbliżyli, spostrzegła, że nie ma z nimi goyla. I Jakuba też nie.

– Spokojnie! – wyszeptał Valiant. – To nic nie znaczy. Nic a nic.

Ale Lisica poczuła, jak żelazne pęta ściskają jej serce. Nie było go z nimi. Zabili go.

„Nie, Lisico".

Było ich czterech. Wszyscy dobrze uzbrojeni. Wodnika również z nimi nie było, za to wzięli ze sobą psy gończe. Lisica poczuła ulgę, że nie ma na sobie sierści. Jeden z jeźdźców był jeszcze bardzo młody, drugi niewiele wyższy od Valianta. W trzecim rozpoznała Louisa Lotaryńskiego, którego widywała na obrazach – zazwyczaj stał u boku swojego ojca. Na malowidłach wyglądał znacznie lepiej. Kiedy w odległości paru kroków od niej ściągnął wodze, Lisica poczuła od niego woń elfiego pyłku i żabiego skrzeku.

– To ty jesteś Lisicą.

Było to na wpół pytanie, na wpół stwierdzenie. Głos Louisa był tak samo nieprzyjemny jak jego twarz.

– Czy ten karzeł to jedyne wsparcie, jakie zdołałaś wezwać na pomoc?

Człowiek z psami zaśmiał się szczekliwie. Valiant obdarzył Louisa wyrozumiałym uśmiechem. Błogosławieństwem i przekleństwem wszystkich karłów było to, że ze względu na wzrost nigdy ich nie doceniano.

– Evenaugh Valiant. Z kim mam przyjemność?

Louis zachwiał się w siodle i spod kurtki wyłoniła się wysadzana szlachetnymi kamieniami rękojeść szabli.

– Louis Philippe Charles Roland, książę koronny Lotaryngii.

– Imponujące! – skomentował Valiant. – My, karły, jesteśmy demokratami. Mam nadzieję, że nie weźmiesz tego do siebie. Poza tym – powiódł wzrokiem po całej grupce – w gruncie rzeczy byliśmy umówieni z goylem.

Psy nie odrywały ślepiów od Lisicy. Nie dawały się zwieść wyglądem tak łatwo jak ludzie.

– Gdzie jest Jakub?

Obiecała karłowi, że to jemu pozostawi negocjacje, ale miała dość czekania. Książę przypatrywał jej się z mieszaniną obrzydzenia i pożądania, dobrze znaną każdej zmiennokształtnej.

– Gdzie jest serce? – naskoczył na nią. – Założę się, że chowasz je pod ubraniem tak samo jak sierść.

Psy wyszczerzyły zęby, a Louis dał znak psiarczykowi. Valiant obrócił się ku wieży strażniczej i wydał z siebie przenikliwy gwizd.

Dwie nieforemne postacie oderwały się od pogrążonej w cieniu tylnej strony wieży. Grad przywierał do ubrań olbrzymieli spoglądających na Louisa z góry, a ich spojrzeniom daleko było do przychylności. W żadnym innym zakątku świata nie występowało więcej olbrzymów niż w Lotaryngii i nigdzie indziej nie polowano na nie z większym zapałem. Koślawy miał całą kolekcję ich głów i chętnie się nią przechwalał przy okazji rozmaitych uroczystości państwowych.

– Przyznaję, zostałem uprzedzony – odezwał się Valiant, podczas gdy Louis zmagał się ze spłoszonym koniem.

– Miałem wątpliwą przyjemność prowadzenia interesów z twoim ojcem, książę. Z jakiego powodu syn miałby zasługiwać na większe zaufanie?

Większy z olbrzymieli prychnął z dezaprobatą, na co jeden z koni stanął dęba.

To psiarczyk wystrzelił pierwszy. Może obawiał się o psy, które tak zajadle obszczekiwały olbrzymiela, że ten ociężale postąpił w ich stronę. Kula trafiła go prosto w szerokie czoło. Upadając, pogrzebał pod swoim ciałem strzelca i jego psy.

Drugi olbrzymiel zaryczał z wściekłości. Porwał księcia z siodła i potrząsnął nim jak szmacianą lalką, drugą pięścią ślepo bijąc wokół siebie. Młokosa zabił jednym uderzeniem. Lisica usłyszała, jak pęka mu kręgosłup. Valiant zdołał się uratować, uskakując w bok, ona zaś wycofała się pomiędzy spłoszone konie. Rozwścieczony olbrzymiel tak długo miażdżył stopą strzelbę, która zabiła jego towarzysza, aż metalowe szczątki przykleiły mu się do podeszwy jak suchy liść. Potem padł na kolana przy jego nieruchomym ciele i szlochając, ocierał krew z przebitego kulą czoła.

Zemsta olbrzymieli nie bez powodu była przysłowiowa.

Louis leżał bez ruchu na zdeptanej ziemi, podobnie jak parobek o twarzy dziecka. Tylko Żuk pełzł na czworakach w kierunku swego pana i z przerażeniem wpatrywał się w jego woskową twarz. Tuż za nim Valiant dźwigał się na nogi, przeklinając wszystkie olbrzymiele.

U pasa księcia były przytroczone dwa ludziworki. Lisica odczepiła je, zanim zdołał dopaść ich karzeł, a potem przystawiła pistolet do głowy Żuka.

– Gdzie jest wasz więzień?

Louis poruszył się. Żuk odetchnął z ulgą i pogłaskał go pajączkowatymi palcami po twarzy.

– Powóz – wyjąkał.

W oczach miał łzy. Lisica nie była pewna, czy to łzy strachu, czy wściekłości.

Schwytała jednego z koni i zignorowała wołania Valianta. Znalezienie tropu było dziecinnie łatwe. Był tak wyraźny, jakby zostawiło go stado krów. Jednak czarne chmury zasnuwające niebo sprawiły, że nawet ona z trudem dostrzegła ukryty pod świerkami powóz. Wodnik siedział przywiązany do koła. Dobrze. Zapach jego pokrytej łuskami skóry przypominał Lisicy wilgotne jamy, w których razem z Jakubem szukała porwanych dziewcząt. Na jej widok zaczął szarpać wściekle więzami, ale Lisica minęła go obojętnie.

Drżącymi rękami otworzyła drzwi karocy. Ledwie dostrzegła w mroku Bastarda. Tylko jego oczy połyskiwały w ciemności jak monety. Na twarzy Jakuba zauważyła smugi krwi, ale poza tym chyba nie miał żadnych obrażeń. Lisica przecięła mu pęta. Chwiejnie wysiadł z karocy. Lisica widywała już u niego ten rodzaj zmęczenia.

– Ile? – spytała.

Przetarł dłonią poharataną twarz, próbując przywołać na nią uśmiech.

– Tak się cieszę, że cię widzę. Gdzie jest Valiant?

– Ile razy cię ugryzła, Jakubie? Odpowiedz mi!

Chwycił ją za rękę zimnymi palcami.

„To chłodna noc, Lisico, to nic nie znaczy".

Ale wydało jej się, że widzi na jego twarzy śmierć.

– Zostało jeszcze jedno.

Tylko jedno.

„Oddychaj, Lisico".

Wyciągnęła z sakwy obydwa ludziworki odebrane Louisowi. Podała Jakubowi skórzaną sakiewkę, w której nosiła serce. Tym razem jego uśmiech był mniej zmęczony.

– Ty też wyglądasz na wyczerpaną. – Jakub pogłaskał ją po twarzy. – To dobrze, że zbliża się koniec, prawda? Taki lub inny.

Wpakował worki do kieszeni płaszcza i zajrzał do powozu. Lisica usłyszała, jak mówi:

– Szukaj dalej. Drzwi do innego świata istnieją. Po tamtej stronie nie ma Onyksów, nie ma chochlików, lecz książęta owszem, są. Ale tylko nieliczni noszą na głowach korony.

– Uwolnij mnie! – odparł goyl chrapliwie. – Rozstrzygnijmy raz na zawsze, który z nas jest lepszy!

Jakub cofnął się.

– Kiedy indziej – rzucił. – Tym razem nie mogę sobie pozwolić na przegraną.

– Już dawno byś przegrał, gdyby Lisica nieustannie nie ratowała ci tyłka! – Goyl niemal dławił się wściekłością.

– Zgadza się – przyznał Jakub. – Ale to nic nowego.

I zatrzasnął drzwi powozu.

57
GŁOWA. RĘKA. SERCE

Olbrzymiel przykrył zwłoki swojego towarzysza kamieniami. U stóp zmarłego ułożył w rządku, niczym ofiarę, pozostałe zwłoki: kuchcika, psiarczyka i oba psy. Przy murach wieży leżeli związani i zakneblowani ci, którzy przeżyli gniew olbrzymiela: Louis i Żuk. Valiant krążył wokół nich w tę i z powrotem i nie wyglądał na zbyt uszczęśliwionego.

– Popatrz tylko! – zawołał w stronę Jakuba. – W co ty mnie znowu wpakowałeś? Książę koronny Lotaryngii! Na szczęście żyje, ale Koślawego raczej możemy już skreślić z listy chętnych do nabycia kuszy. Nie wystarczy, że uczyniłeś sobie wroga z cesarzowej?

Jakub poczuł, jak Lisica raz jeszcze obejmuje go mocniej ramieniem, a potem zsunął się z grzbietu konia. Jej ciepło ogrzało go niczym obietnica. Wszystko będzie dobrze. Zignorował utyskiwania Valianta i podszedł do ogrodzenia, za którym rozciągały się ruiny. Nekrogród. To nie było miejsce, które kiedykolwiek pragnął zobaczyć z bliska. Nawet Chanute trzymał się jak najdalej stąd. Jakubowi wydało się, że słyszy głosy, jakiś melodyjny zaśpiew przerywany chrapliwymi okrzykami. Może szaleńcy mieszkający pośród ruin wyczuwali, że nadchodzi szczególna noc. Podobno wystarczyło dotknąć powalonych murów, by popaść w obłęd. Miasto liczyło niegdyś tysiące mieszkańców. Widział schody i mosty, zrujnowane kościoły, domy i wieże o pustych oczodołach okien, okolonych błędnymi ognikami, leżące w gruzach pałace, gdzie w ruinach gnieździły się ziębomory, jedyne ptaki, którym dobrze było w takich miejscach. Jeśli zamek rzeczywiście powstanie z gruzów, czeka ich daleka droga, a on czuł, jak z każdym oddechem wycieka z niego życie.

– Słyszałem, że goyl jeszcze żyje. – Valiant podszedł do niego. – Dlaczego go nie zastrzeliłeś? Konkurencja ożywia interesy?

– Mnie tam się nie spieszy do strzelania, w przeciwieństwie do ciebie, nie pamiętasz? – Jakub obejrzał się na wieżę.

Lisica stała wyczekująco przy wejściu.

– Sprowadziłeś już zwłoki?

– A i owszem. – Valiant westchnął. – Mam nadzieję, że potrafisz ogarnąć, jakie to było trudne! Olbrzymiela trzymającego wartę w krypcie musiałem przekupić rocznym zapasem elfiego pyłku, a kolejnych dwóch nająć do przeniesienia trumny. Musiałem odstawić przed Radą Karłów mistrzowską szopkę, by ich przekonać, że jestem oburzony zniknięciem zwłok tak samo jak oni, oraz zaniedbałem inne interesy, by tu przybyć. Chcę tej kuszy! I chcę zarobić na niej majątek! Mam zamiar osobiście wyruszyć do Albionu, gdy tylko ją znajdziesz. W końcu Wilfried Mors jest naszym najbardziej prawdopodobnym kupcem, nie uważasz?

– Jasne – zgodził się Jakub.

Valiant na szczęście nie miał pojęcia o obietnicy danej Robertowi Dunbarowi. Jeśli kusza naprawdę uratuje mu życie, będzie musiał się pilnować, żeby karzeł go nie zastrzelił.

Wieża była pusta, nie licząc paru rdzewiejących pik i szczątków kozy, która zdechła w środku. Ciało Rzeźnika Czarownic leżało w skromnej drewnianej trumnie, z rodzaju tych, w których karły chowały górników ginących w wypadkach w kopalni. Lisica pomogła Jakubowi podnieść wieko. W zwyczajnej trumnie szaty bezgłowego nieboszczyka wyglądały na jeszcze bardziej kosztowne.

Lisica wbiła w niego wzrok. To były długie poszukiwania. Wspólnie dotarli aż tutaj. Tak jak sobie obiecali w zamku Valianta. Ta wspólnota od ponad sześciu lat określała życie ich obojga. Niewiele miał wspomnień z czasów, których nie dzielił z Lisicą. Jego drugi cień... przez te lata stała się kimś o wiele ważniejszym. Nic nie uświadomiło mu tego dobitniej niż ostatnie miesiące. Była jego częścią, złączona z nim nierozerwalnie. Głową, ręką, sercem.

– Na co czekasz?

Valiant ze zniecierpliwienia stanął na czubkach swoich robionych na zamówienie trzewików. Miały nie tylko wysokie obcasy, również podeszwa dodawała mu wzrostu. Karli szewcy wykazywali niezwykłą zręczność w podwyższaniu swych klientów o parę centymetrów.

Jakub najpierw wyciągnął z sakwy łudziworek z ręką. Kiedy dotknął martwej tkanki, nie poczuł prawie nic. Podobnie było z głową i na moment ogarnął go niepokój, że zaklęcie Gizmunda utraciło moc.

„Zaraz się o tym przekonasz, Jakubie".

Do paznokci przywarły resztki złota, ale nie były pokryte pleśnią jak u innych czarowników. Może Gizmund znalazł jakiś sposób, by ochronić się przed tym nieprzyjemnym ubocznym działaniem zaklęcia. Regularne zażywanie wiedźmiej krwi miało fatalne skutki. Pustoszyło mózg i wywoływało silne halucynacje. Wszyscy czarownicy prędzej czy później popadali w obłęd. Gizmund, jeśli dać wiarę archiwom, już na długo przed śmiercią przestał ufać najbardziej oddanym rycerzom i na oślep dokonywał egzekucji wrogów i przyjaciół, skazując ich na głodową śmierć w złotych klatkach umieszczonych na murach zamku.

Ręka na południu. Jakub pochylił się nad ciałem. Ręka była sztywna i zimna, ale połączyła się z kikutem, jakby składał do kupy makabryczną marionetkę. Wiatr, który wpadł do środka przez okna wieży, był wilgotny i zimny jak śnieg. Zachwiał płomieniem kaganka, który Lisica trzymała nad trumną.

Jakub otworzył skórzaną sakiewkę zawierającą wisior z sercem i zdjął z ciała całun, odsłaniając zalakowany złotem otwór w piersi zmarłego. Czarne serce noszone przez wnuczkę Hipolita Ramee na białej szyi. Jakub poczuł tylko lekkie ciepło, kiedy odczepił klejnot od łańcuszka, jakby kamień cieszył się z jego dotyku.

Serce na wschodzie. Wpasowało się gładko w złoty otwór, jakby w piersi Gizmunda jeszcze za czasów jego życia bił kamień. Przypuszczalnie tak właśnie było.

Głowę goyl zostawił w worku, w którym nosił ją Jakub. Głowa na zachodzie. Twarz była nieruchoma i tak samo bez życia jak ręka. Ale gdy tylko Jakub osadził głowę na szyi, pozłacane wargi poruszyły się.

Rzężenie, które wydobyło się z otwartych ust, zabrzmiało jak ostatni oddech umierającego. Różowa skóra nieboszczyka poszarzała, a jego twarz zaczęła się rozsypywać, jakby ktoś stworzył ją ze złotego piasku. Szyja, ręce, całe ciało rozkładało się w oczach. Nawet szata butwiała błyskawicznie, aż w końcu całą trumnę wypełnił brudno-szary pył zmieszany z odrobiną złota.

– Co, do licha...

Valiant wpatrywał się z przerażeniem w zawartość trum-ny, Jakub natomiast odetchnął z ulgą. Zaklęcie Rzeźnika Czarownic miało jeszcze swą moc. I odleciało na poszuki-wanie nowego schronienia jak ptak wypuszczony z klatki. Lisica stała już przy oknie ze wzrokiem wbitym w ruiny. Nad Nekrogrodem z nocy wyłonił się cień. Przyjmował formę bardzo powoli, ponieważ to, co się rodziło z mro-ku, było potężne. Baszty, blanki, mury. Początkowo by-ły przezroczyste jak brudne szkło, jednak stopniowo za-mieniały się w kamień, blady jak pył wypełniający trumnę.

Zamek rosnący w ciemności jak kamienny oset nie zo-stał zbudowany, by urzekać pięknem. Jego cel był inny – miał budzić lęk. Na najeżonych blankami murach nawet z oddali można było dostrzec klatki, w których Gizmund głodził na śmierć przyjaciół i wrogów, a nieco niżej Jakub zobaczył Żelazną Bramę. Jeśli powtarzane od lat opowie-ści były prawdziwe, to brama ożywała, by zabijać, gdy tyl-ko jakiś wróg żądał wpuszczenia za mury. Łowca skarbów, który zamierzał ukraść kuszę Gizmunda, z pewnością nie zaliczał się do przyjaciół.

„Najpierw musisz dotrzeć do bramy, Jakubie".

Olbrzymiel nadal układał kamienie na zwłokach towa-rzysza. Im wyższa była ich sterta, tym bardziej znacząca stawała się osoba zmarłego. Każdy przyjaciel lub krewny odwiedzający mogiłę olbrzymiela kładł na nim kolejny kamień, więc nagrobki przybierały niekiedy rozmiary niedużych pagórków.

Książę nadal był nieprzytomny. Olbrzymiel nieźle go pokiereszował, ale Louis powinien przeżyć. Jakub nie był pewien, czy to dobra, czy zła wiadomość. Myśl o Louisie, który zasiada pewnego dnia na tronie, nie należała do uspokajających.

– Jego ojciec nakarmi wami psy! – lamentował Lelou piskliwym głosem. – Każe przyrządzić sobie wasze serca na śniadanie...

– ...a z naszej skóry będzie skręcał sobie papierosy. Wiem. – Jakub wyciągnął nóż i pochylił się nad Louisem.

Lelou przyglądał mu się w niemym przerażeniu, jakby połknął język.

– Jaka szkoda, że nie może pójść z nami – odezwał się Jakub, odcinając Louisowi kilka płowych kosmyków. – Jestem pewien, że Żelazna Brama powitałaby go znacznie przyjaźniej niż mnie.

– Co to ma znaczyć? – zapytał Valiant. – Zamierzasz sprzedać te włosy dziewkom, które wielbią jego wizerunek i marzą o zostaniu królową Lotaryngii?

Jakub nic nie odpowiedział. Nigdy nie czuł większej wdzięczności dla Almy, która nauczyła go rzeczy, jakich żadna czarownica nigdy nie zdradzała człowiekowi. Pewnego razu wyrwała mu włos i owinęła go sobie wokół chudego palca.

„To, co tu mam, powie mi o tobie więcej niż twoja krew – rzekła. – Każdy pojedynczy włos zdradza, kim jesteś i skąd pochodzisz. Wy, ludzie, zostawiacie włosy w grzebieniach i szczotkach, nie pojmując, że zaledwie parę ich kosmyków pozwoli obcemu na kradzież pokaźnej części waszej osoby. Włosy, które zostawiasz na posadzce u fryzjera, wystarczą czarownicy, by w ciągu paru godzin stworzyć twojego sobowtóra".

Do stworzenia sobowtóra odcięte kosmyki nie wystarczą. Ale może dzięki nim brama weźmie go za dalekiego potomka Gizmunda. Nie zaszkodzi spróbować.

– Nie macie prawa! – Głos Lelou drżał z gniewu. – Łowcy skarbów? Jesteście śmierdzącymi złodziejami! Kusza należy do potomków Gizmunda!

Jakub wyprostował się.

– Tak, ale dlaczego jego dzieci nigdy po nią nie przyszły? Jak myślisz, Lelou? – Schował włosy Louisa do jednego z pustych ludziworków. – Może nigdy nie zapuściły się do jego krypty. Jak to wytłumaczysz? Tym, że Rzeźnik Czarownic był złym ojcem, a pod koniec życia zwariował? A może to prawda, że kazał zamordować ich matkę, wskutek czego dzieci odwróciły się od niego na zawsze? No, chyba że za bardzo były zajęte toczeniem wojen przeciwko sobie.

Arsene Lelou zacisnął bezbarwne usta. Jednak zgodnie z oczekiwaniami nie potrafił się powstrzymać, by nie popisać się posiadaną wiedzą.

– Sądziły, że ich ojciec chce je zabić! – rzucił przez nos. – To dlatego nigdy nie przybyły do krypty. Dlatego też nigdy nie kazały szukać kuszy. Były pewne, że Gizmund znajdzie sposób, by je zlikwidować.

Valiant chrząknął z niedowierzaniem.

– A niby dlaczego miałby to robić? Potrzebował przecież spadkobierców.

Lelou szyderczo przewrócił oczami.

– Rzeźnik Czarownic był obłąkany. Nie chciał widzieć nikogo na swym tronie, nawet własnych dzieci. Chciał, żeby świat zaczynał i kończył się na nim!

Lisica podeszła do Jakuba.

– Powinniśmy ruszać – ponagliła go cicho.

Tak, powinni, ale Jakub nadal rozmyślał nad słowami Lelou. Może to wcale nie był taki dobry pomysł, żeby zabierać ze sobą włosy Louisa. Pociągnął Lisicę za sobą.

Za ich plecami Lelou przytaczał każdą straszną historię o zamku i o Nekrogrodzie, jaką kiedykolwiek napisano. Jakub znał je wszystkie bez wyjątku. Wyjął z kieszeni łańcuszek, który nosiła wnuczka złotnika, a przed nią być może córka Gizmunda.

– Przyniosę ci odpowiedni wisiorek – obiecał, zawieszając łańcuszek na szyi Lisicy. – Najpiękniejszy, jaki znajdę w zamku Gizmunda. Ale pozwól mi pójść samemu. Proszę! To zbyt niebezpieczne. Wrócę razem z kuszą. Obiecuję.

W odpowiedzi Lisica położyła mu rękę na sercu zakrywanym przez ćmę nimfy.

– Co może być gorszego od domu Sinobrodego? – zapytała. – Albo od czekania na ciebie?

Na znak Valianta olbrzymiel zrobił wyrwę w ogrodzeniu. Karzeł podał Jakubowi dwie świece.

– Nie było łatwo je zdobyć – oświadczył. – Twój dług wobec mnie rośnie. Czekam tutaj na was. Mam dość po tym, co przeżyłem w krypcie. Tylko niech wam nie przychodzą do głowy głupie pomysły! Znajdę was, jeśli spróbujecie mnie oszukać, a pamiętaj, że potrafię być bardziej nieprzyjemny od Koślawego.

– Pamiętam – skwitował Jakub.

I podążył za Lisicą przez rozwalony płot.

58
PRZEWAGA

Blada krew wodnika spływała mu po palcach, kiedy przecinał Nerronowi więzy. Zdarł sobie z rąk wszystkie łuski, by się uwolnić. Strzępy jego oliwkowozielonego ciała przywarły z pewnością i do koła powozu, ale Eaumbre nawet się nie skrzywił.

Rzecz jasna, odebrali im broń.

„Zostałeś nabity w butelkę przez księcia głupszego od każdej chabety, na której kiedykolwiek jechałeś, Nerronie".

Zamek był widoczny z daleka. To oznaczało, że karzeł sprowadził zwłoki Gizmunda. Nerronowi zrobiło się niedobrze z wściekłości, kiedy skierował lunetę na wieżę strażniczą, przy której miała się odbyć wymiana. Dostrzegł stos usypanych kamieni, podejrzanie wyglądający na mogiłę olbrzymiela, a obok niego kilka trupów.

Nie widział, kim byli nieżywi, ale olbrzymiela pochylającego się nad nimi nie sposób było przeoczyć. Był wyjątkowo potężnym okazem. Co, do kata Koślawego, się tam wydarzyło?

– Widzisz Louisa? – usłyszał Nerron, rad, że nienawiść w głosie wodnika nie była skierowana do niego.

Potrząsnął głową.

– Chcę usłyszeć trzask pękającego kręgosłupa księcia... – wyszeptał Eaumbre. – Albo zgnieść mu szyję, aż jego głupawa gęba przybierze odcień nieba.

Niektóre wodniki całymi latami ścigały tych, którzy ich obrazili lub oszukali. Eaumbre był wobec Louisa bardzo cierpliwy.

Nerron nie dbał o to, czy książę żyje. Interesowało go jedynie, czy wśród trupów jest Reckless. Informacja ta nie była jednak warta tego, by zadzierać z olbrzymielem. Schował lunetę za pas.

Eaumbre przeszywał wzrokiem ruiny i zamek wieńczący szczyt góry niczym kamienna korona.

– Rzeźnik Czarownic miał więcej skarbów, nie tylko kuszę, prawda?

– Przypuszczalnie tak.

Wodnik pogładził pokiereszowane ręce.

– Jeśli Louis tam jest, należy do mnie – wyszeptał.

– A jeśli nie?

Eaumbre wyszczerzył zęby.

– To mam nadzieję, że znajdę wystarczająco dużo złota, by się pocieszyć.

59
NEKROGRÓD

Z wietrzałe fasady, popękane filary, łuki bram, schody prowadzące donikąd – nawet truchło Nekrogrodu dowodziło, jak okazałe musiało być niegdyś to miasto. Ulica, którą maszerowali, wiła się stromo pośród rozwalających się domów. Zalegająca wokół cisza była czarna jak bezksiężycowa noc. Pierwszą twarz Jakub wziął za ozdobę, spuściznę jakiegoś niezwykle utalentowanego kamieniarza. Tymczasem twarze wpatrywały się w nich zewsząd – blade relikty przeszłości zastygłe w murach. Twarze kobiet, mężczyzn, dzieci.

Opowiadane historie były prawdziwe. Gizmund pociągnął za sobą w śmierć całe miasto.

413

„Chciał, żeby świat zatrzymał się w chwili jego śmierci! Żeby zaczynał i kończył się na nim!".

Mądry Żuczek.

Rzeźnik Czarownic uwięził ich wszystkich w murach domów. Co ich zabiło? Jego ostatnie tchnienie? Czy zmarł z klątwą na ustach? Jakubowi wydawało się, że słyszy ich głosy niesione wiatrem hulającym po pustych ulicach. Wicher wzdychał i pojękiwał, gnał przed sobą martwe liście i wyszarpywał zwietrzałe kamienie z murów bielejących latami jak kości. Chmary błędnych ogników nakrapiały mury plamkami światła, a pojedyncze ziębomory wydziobywały coś z zapałem spomiędzy popękanej kostki brukowej. Poza tym na opustoszałych ulicach, obrębionych twarzami zmarłych, nie poruszało się nic.

Przedarli się przez ruiny powalonej wieży, kiedy zza szczątków pomnika wytoczył się jakiś człowiek. Jakub odrąbał mu rękę, zanim tamten zdążył zatopić swą zardzewiałą kosę w plecach Lisicy. Jego odzienie było naszpikowane odłamkami szkła i metalu – był to jeden z Kaznodziejów. Spoglądał pustym wzrokiem, przypominając uwiecznionych na murach zmarłych. Sześciu kolejnych czekało pod łukiem bramy, której popękany marmur czcił zwycięstwa Gizmunda nad Albionem i Lotaryngią. Walczyli tak zaciekle, jakby bronili żywego miasta, ale na szczęście ich broń była stara, a oni sami słabi z wycieńczenia. Jakub zabił trzech, a Lisica zastrzeliła kolejnego, ratując Jakuba przed pchnięciem na zaklęte mury. Reszta uciekła, ale jeden po paru krokach przystanął i wypowiedział klątwę w narzeczu, jakim mówiono w tych górach. Nie przestawał wrzeszczeć, aż Lisica oddała ostrzegawczy strzał pod jego nogi. Klątwa była zabobonem zrodzonym z bezsilnego strachu przed prawdziwym zaklęciem, ale wrzaski ściągały coraz więcej obdartych postaci. Wyłaniały się z każdego zakamarka ruin. Niektóre tylko stały i wpatrywały się w nich albo rzucały kamieniami. Inne zagradzały im chwiejnie drogę, uzbrojone w motyki lub szpadle, ukradzione jakiemuś wieśniakowi.

Musieli zabić kolejnych czterech Kaznodziejów, zanim ci zostawili ich w spokoju, jednak Jakub był pewien, że u stóp zamku napotkają ich jeszcze więcej. Nowocześni rycerze Gizmunda… Zastanawiał się, czy to magia gnieżdżąca się w ruinach kazała im strzec grodu, czy też do tego przeklętego miejsca wabiła ich obawa przed własną śmiertelnością, połączona z nadzieją, że znajdą tu drzwi, przez które zdołają umknąć przed nieuniknionym końcem.

„Nie inaczej niż nadzieja, która sprowadza tutaj ciebie, Jakubie".

Zbliżali się do zamku nieznośnie powoli. Drogę nieustannie zagradzały gruzy, zawalone mosty, zrujnowane schody… Poczuł się, jakby znowu błądził po labiryncie. Tym razem jednak miał ze sobą Lisicę, a strach przed śmiercią był niczym w porównaniu z lękiem o nią, jaki trawił go w labiryncie Sinobrodego.

Otaczające ich ruiny wznosiły się coraz wyżej w nocne niebo. Niektóre miały ściany przypominające wykonane z kamienia kraty. Kojce dla smoków. Znajdowały się bezpośrednio u stóp zamku. Ulica ciągnęła się coraz bardziej stromo w górę, a Jakub odczuwał coraz większe wyczerpanie po krótkich potyczkach z Kaznodziejami.

„Umierasz, Jakubie".

Słowa te nic już dla niego nie znaczyły. Zbyt często słyszał je w swojej głowie.

Minęli kolejny kojec. Z murów zamiast twarzy spoglądały ogromne paszcze, karbowane karki, skrzydła i najeżone kolcami ogony. Wieść głosiła, że Gizmund trzymał setki smoków, by używać ich do walki w prowadzonych przez siebie wojnach. Zamiast skały, którą się żywiły, rzucał im na pożarcie wieśniaków i wrogich jeńców, wiedźmy, trolle i karły. Doprowadzało je to do szaleństwa, jak karmione mięsem krowy.

Ostatni kojec. Bruk przy nim był poznaczony bliznami po ogromnych pazurach. Schody, którymi kończyła się ulica, były jeszcze szersze od tych, które prowadziły do krypty Gizmunda. Te wspinały się ku górze i były tak wysokie, że na ich stopniach można było ustawić całą armię.

„Sto stopni do Żelaznej Bramy, a za nią sto rodzajów śmierci" – Jakub nie pamiętał, gdzie przeczytał te słowa. Był tak wycieńczony, że ledwie pamiętał, jak tu się dostał. Przy każdym kroku pierś przeszywał mu ból, ale Lisica maszerowała u jego boku.

Plac wieńczący schody był pokryty śniegiem, a chmury wisiały nad nim tak nisko, że zamkowe baszty tonęły w tumanie. Na szarych murach wisiały złote klatki, przez które nadal przeświecały szczątki więźniów Gizmunda. Cały zamek wyglądał, jakby został zaklęty ledwie wczoraj, a nie wieki temu. Żelazna Brama przyciągała wzrok niczym pieczęć. Żelazo połyskiwało jak napierśnik króla. Jakub nie zauważył nigdzie żadnego zamka ani skobla, ujrzał tylko girlandę z czaszek oraz herb, widziany już w krypcie.

Okryte łachmanami ciała leżące przed bramą były nieco świeższe niż smętne szczątki w klatkach. Niektórzy z nieboszczyków mieli zwęglone dłonie, a ręce poparzone po łokcie. Inni poznaczeni byli straszliwymi ranami po ugryzieniach. Kaznodzieje wierzyli, że objawia im się brama do nieba, ale zamiast tego pukali do wrót czarownika.

Jakub poczuł uderzenie tego samego mroku, który poznał już w krypcie, jak pięść zamierzającą się do ciosu. A dysponował jedynie garstką książęcych włosów oraz wiedzą o tym świecie zebraną przez dwanaście lat szukania skarbów. Lisica uprzątnęła z drogi jedno z ciał.

„Masz jeszcze ją, Jakubie".

Kiedy tylko Lisica podeszła bliżej, brama rozżarzyła się jak metal pod dymnikiem kowala. Jakub wyjął z sakwy łudziworek z włosami Louisa. Jedyna nadzieja w tym, że brama przepuści ich, biorąc za przyjaciół.

„Słaba to nadzieja, Jakubie".

Do worka przyczepiła się wizytówka Earlkinga.

Nie potrzebujesz włosów księcia.

Lisica zajrzała mu przez ramię. Zielony atrament pisał dalej.

Musisz się pospieszyć, przyjacielu.
Trzeba było zastrzelić goyla.
Kusza jest już tak blisko.

Przyjacielu. To słowo nigdy nie brzmiało bardziej fałszywie. Jakub popatrzył w stronę Żelaznej Bramy. Czerwona Nimfa też była bardzo uczynna. Wyrzucił wizytówkę i wyjął z worka książęce włosy.

Na schodach pojawił się jeszcze jeden Kaznodzieja. Lisica wycelowała w niego pistolet, jednak on truchtał dalej, aż napotkał zwłoki. Jego brudny płaszcz był tak gęsto najeżony metalem i szkłem, że naprawdę przypominał zbroję. Brama do nieba. Lisica powaliła go, kiedy tak stał i wpatrywał się z niedowierzaniem w trupy. Zbyt długo tu już przebywali. Jeszcze parę godzin i sami zaczną przystrajać sobie ubrania szkłem i blachą.

Jakub postąpił krok w kierunku bramy. Była tak wysoka, że zmieściłby się pod nią olbrzymiel niosący go na barana. Większość dawnych zamków miała bramy dostosowane do rozmiarów olbrzymów. Paru z nich służyło i Gizmundowi.

Jakub wsunął rękę do worka z włosami. Jego palce będą pachnieć książęcą wodą po goleniu. Niezbyt przyjemna wizja. Zacisnął pięść na jasnopopielatych kosmykach. Louis był odległym krewnym Gizmunda, zatem jego włosy będą zaledwie czymś w rodzaju hasła wyszeptanego pod nosem, jednak to była ich jedyna nadzieja, że nie zostaną wzięci za wrogów.

Jakub nie zdziwiłby się, gdyby brama stopiła mu skórę na palcach. Słyszał opowieści o żelaznych potworach, w które zamieniały się wrota, a leżące przy nich ciała wyglądały, jakby właśnie z nimi się spotkały. Jednak gdy tylko wyciągnął rękę, metalowe płaszczyzny pękły jak skórka przejrzałego owocu. Brama podzieliła się na dwa skrzydła, a na nich zakwitły żelazne pąki, które natychmiast przemieniły się w wilcze łby. Jakub poczuł wiatr owiewający rozżarzony metal, podczas gdy spiczaste pyski najeżyły się zębami. Jeszcze chwila i cała brama na powrót połyskiwała chłodną szarością.

„Nie potrzebujesz włosów księcia".

Co to było? Kłamstwo zmierzające do zabicia go jak tych leżących wokół obdartusów? A niech tam... Wymienił spojrzenia z Lisicą. Radość łowów. Czy to ona wiązała ich mocniej niż cokolwiek innego?

Uśmiechnęła się do niego. Bez śladu lęku. Jednak Jakub nadal widział biały strach, który dał jej do wypicia w komorze Sinobrodego. W ciągu ostatnich miesięcy oboje nauczyli się, gdzie przebiegały granice ich odwagi.

Zacisnął obie dłonie na gałkach w kształcie wilczych łbów. Spodziewał się, że zużyje resztki sił, by pchnąć ciężkie wierzeje, ale wrota rozwarły się bez najmniejszego oporu, do akompaniamentu przypominającego chrapliwe westchnienie, jakie wyrwało się z pozłacanych ust Gizmunda.

Powietrze, które tchnęło im w twarz, było lodowate, a ciemność zalegająca za bramą tak doskonała, że Jakub przez parę kroków czuł się jak ślepiec. Lisica chwyciła go za ramię, aż wreszcie i jego oczy przyzwyczaiły się do mroku. Sala, w której stali, była pusta, nie licząc kolumn podpierających sklepienie i gubiących się gdzieś nad nimi w czerni. Wysokie ściany odbijały echo ich kroków jak trzepot zabłąkanych ptaków.

Lisica rozglądała się wokół, gdy nagle ciszę przerwało kwilenie dziecka. Płacz zmieszał się z krzykiem kobiety i głosami sprzeczających się mężczyzn.

– Stój! – wyszeptała do Jakuba.

Głosy cichły, jakby się oddalały, ale potrwa jeszcze wiele godzin, zanim umilkną na dobre. Kroki martwych. To było zaklęcie czarnych wiedźm. Każdy krok budził do życia przeszłość: ożywiał słowa, które zostały wypowiedziane, wyszeptane lub wykrzyczane w tym zamku. I nie tylko słowa. Także ból, wściekłość, zwątpienie, szaleństwo. Każde uczucie przybierze konkretną formę. Ciemność, która ich otaczała, była utkana z posępnych nici. Musieli zachować całkowitą ciszę albo się nimi uduszą.

Jakub rozpoznał w mroku trzy korytarze. O ile dobrze widział, niczym się od siebie nie różniły. Wyjął z torby trzy bladożółte świece otrzymane od Valianta. Razem z Lisicą używali już podobnych w innych miejscach, w których musieli się rozdzielić. Gdy tylko jedna z nich gasła, gasła też i druga. Lisica wydobyła zapałki. Bez słowa wzięła od niego płonącą świecę. Głosy wzmogły się, gdy tylko na posadzce zabrzmiał odgłos ich kroków. Większość czarownic, którym Gizmund skradł krew i czarodziejską moc, została zamordowana w lochach tego zamku. Wrzaski kobiet stały się tak głośne, że Lisica z wyraźnym trudem posuwała się naprzód. Ostatni raz spojrzała na Jakuba, zanim światło jej świecy zagubiło się w jednym z korytarzy. Wybrała środkowy.

„Lewy czy prawy, Jakubie?".

Skierował się na lewo.

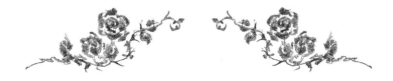

60
WŁAŚCIWA SKÓRA

Jeden z Kaznodziejów miał świeżą ranę od miecza. Nerron zastrzelił go, zanim jego brudne palce zdążyły pomazać mu skórę obłędem. Jeden z nich dotknął wodnika, ale zdawało się to nie mieć na niego wpływu. Może był odporny na ludzkie szaleństwo. Nawet Eaumbre prędko się domyślił, że śladów, którymi podążali, nie pozostawił Louis, mimo to wodnik nie zawrócił. Zamek wznoszący się nad ruinami był zbyt nęcącym celem.

Przypominał Nerronowi te twierdze, które klan Kamienia Księżycowego wzniósł wieki temu dla obrony przed Onyksami. Kamien wykorzystywał je natomiast jako więzienia, ponieważ sięgały wyjątkowo głęboko pod ziemię.

Szaleńcy w łachmanach byli jedynym zagrożeniem, z jakim spotkali się na opustoszałych ulicach, a do większości z nich wodnik strzelał jak do rzutków. Wydawało się, że zaklęcie Rzeźnika Czarownic przez wieki zwietrzało tak samo jak miasto, którym władał. Wodnika wyprowadzały z równowagi kamienne twarze spoglądające ze ścian, ale Nerron pozostawał na nie obojętny – jego zdaniem dowodziły jedynie podobieństwa miękkoskórych do przedstawicieli jego rasy.

Kiedy dotarli do schodów prowadzących do zamku, znaleźli na zaśnieżonych stopniach ślady Recklessa i Lisicy, przypominające wypalone plamy. Śnieg padał coraz gęściej. Lodowate drobinki kłuły kamienną skórę Nerrona. Nienawidził zimna i przez chwilę tak mocno zatęsknił za ciepłym łonem ziemi, że prawie go zemdliło. Wodnik za to bez słowa natarł śniegiem suchą skórę, zanim rozpoczął wspinaczkę po schodach.

Widok czekający ich na ich końcu dowodził, że historie opowiadane o Zaginionym Zamku i Żelaznej Bramie nie powstały w fantazji poety. Zwęglone i zagryzione ciała sprawiały, że oto stały się rzeczywistością. Nerron nie znalazł pośród trupów ani Recklessa, ani Lisicy.

Gdzie oni byli? Ślady na pokrytym śniegiem placu dopuszczały tylko jedną odpowiedź: jego rywal znajdował się już w zamku.

„Do ciężkiej cholery. Jakim cudem?".

Żelazo rozżarzyło się, gdy tylko Nerron zbliżył się do wrót. Eaumbre odciągnął go, kiedy metal przybrał kształt paszczy. Paszcza i pazury. Brama ożyła. Karbowane karki prężyły się, łuskowate łapska, czerwone niczym lawa, jeżyły się żelaznymi szponami. Wodnik, cofając się, potknął się o martwe ciała.

Gizmund nie spodziewał się przybycia łowcy skarbów o kamiennej skórze. Za jego czasów goyle przebywający na powierzchni ziemi byli zaledwie ponurą bajką.

Nerrona chroniła przed pazurami koszula z jaszczurczej skóry, taka sama jaka uratowała Kamiena i Hentcaua podczas Krwawego Wesela. Nefrytowa maczeta, którą kazał oszlifować specjalnie po to, by rozprawiła się z Żelazną Bramą, cięła szyje i łapy, jakby rodzone przez bramę Gizmunda monstra były z gorącego wosku. Nerron uderzał i ciął, aż jego ubranie zesztywniało od zastygającego żelaza. Recklessa nie było pośród martwych, a zatem był jakiś sposób, by dostać się do środka! Rozpłatał łeb, zanim przynależna doń paszcza zamknęła się na jego czaszce, odciął łapy najeżone tuzinem ostrych jak igły szponów. Recklessa nie było pośród trupów. Był sposób!

Ramiona zaczynały mu ciążyć, kiedy wodnik przyszedł mu wreszcie z odsieczą. Gorące żelazo parzyło mu skórę, ale radził sobie całkiem nieźle. Już wkrótce brodzili po kolana w poszatkowanym metalu. W uszach dudniły im własne zdyszane oddechy.

„Recklessa nie ma pośród trupów, Nerronie! Do cholery, jest jakiś sposób".

I rzeczywiście: nagle żelazo z powrotem stało się żelazem, a brama uformowała się we fryz z czaszek. Na wciąż żarzącym się metalu pojawił się herb Gizmunda, a wierzeje podzieliła ledwie widoczna szczelina.

Dotyk gorącego metalu był bolesny mimo kamiennej skóry. Bolał tak bardzo, że Nerron czuł, jakby topiły mu się kości. Ból niewiele jednak znaczył dla goyli i Nerron wreszcie zmusił się, by wsunąć palce w szczelinę. Otwór, który udało mu się poszerzyć, z trudem wystarczył, by się przezeń przecisnąć. Kiedy wodnik dołączył do niego, cuchnął smażonym mięsem, a brama zamknęła się z odgłosem przypominającym głuche uderzenie dzwonu.

Chłód, który ich otoczył, wyrwał z ust wodnika jęk ulgi. Nawet Nerron był wdzięczny za ukojenie, jakie dawał jego poparzonej skórze. W otaczającej ich jak czarne kocie futro ciemności zwietrzył magię czarownika. Gdy rozległy się głosy, Eaumbre spojrzał na niego z przestrachem, ale Nerron tylko się uśmiechnął. Zaklęcie kroków. Znał pewnego łowcę skarbów, którego to zaklęcie doprowadziło do szaleństwa, kiedy błąkał się po obrzuconym klątwą zamczysku, jednak nic nie pozostawiało lepszego tropu. Raz obudzone głosy rozbrzmiewały przez wiele godzin. Wystarczyło podążyć ich śladem.

– Zostaniesz tutaj i będziesz pilnował bramy! – polecił wodnikowi.

Może Reckless wracał już z kuszą. Eaumbre pokręcił głową.

– Nie, dziękuję! – wyszeptał. – Wystarczająco długo pilnowałem najróżniejszych drzwi. Czy wszystko, co znajdę, jest moje?

– O ile nie będzie to kusza.

Pokryta łuskami twarz wykrzywiła się w pogardliwym uśmiechu.

– Jasne. Zapomniałem. Niepotrzebna ci kusza – szepnął Nerron. – Ale niechybnie znajdziesz tu skarby, które będziesz mógł złożyć u stóp jakiejś dziewczyny. Jestem pewien, że wystarczy ich dla więcej niż tuzina.

Sześcioro oczu spoglądało nań lodowato.

– Darzymy miłością tylko jedną. Przez całe życie.

– Jasne. Tyle że one nie żyją zbyt długo, otoczone waszą opieką.

Nerron wszedł w pierwszy korytarz i nasłuchiwał. Nic. Ale z kolejnych dwóch dobiegały głosy zmarłych. Najwyraźniej Reckless i Lisica się rozdzielili. Wszak ktoś, komu w piersi gnieździła się śmierć, nie miał czasu do stracenia.

Wodnik bez słowa zniknął w pierwszym korytarzu. Nerron ruszył na lewo.

61

U CELU

Jakub bywał już w wielu zaklętych zamkach. Każde drzwi mogły oznaczać niebezpieczeństwo, każdy korytarz mógł być pułapką. Schody znikały nagle. Ściany się otwierały. Ale nie tutaj. Tutaj korytarze, sale i dziedzińce były otwarte. Zamek Gizmunda wciągał go jak otwór gębowy zwierza, w którego kamiennych wnętrznościach przeszłość kisiła się jak niestrawna trucizna.

Konie grzebały kopytami w pustych stajniach. Broń pobrzękiwała na wymarłych podwórcach, nad którymi ciemne chmury zakrywały gwiazdy. Z niezamieszkanych komnat dobiegały dziecięce głosiki. Skądś dochodziło warczenie niewidzialnych psów. A w ponurych korytarzach nieprzerwanie odbijały się echem krzyki strachu i bólu... Jakub miał wrażenie, że szaleństwo Gizmunda przywiera mu do skóry niczym brud.

Napotykał pomieszczenia po strop wypełnione skarbami, zbrojownie ze zbrojami i mieczami tak kosztownymi, że nawet jeden by wystarczył, żeby wyremontować zamek Valianta, ale Jakub nie zaszczycił ich nawet spojrzeniem. Gdzie jest kusza?

Zastanawiał się, czy powinien był wybrać inny korytarz, i nieustannie zerkał na świecę, ale jej płomień palił się równo. Lisica miała tak samo mało szczęścia jak on.

„Musisz się pospieszyć, przyjacielu. Trzeba było zastrzelić goyla".

Z dziesięć razy oglądał się do tyłu, bo wydawało mu się, że słyszy za sobą kroki, ale to tylko podążały za nim obudzone duchy. Może na tym polegało zaklęcie Gizmunda: że będą w nieskończoność błądzić po zamku, aż zatopią się w jego przeszłości i staną się jednym z upiorów, których głosy teraz ich prześladowały.

Kolejne drzwi. Otwarte jak wszystkie inne. Sala rozpościerająca się za nimi musiała być niegdyś salą audiencyjną. Posadzka była wytarta niezliczonymi obcasami, a sadza ze zgasłych pochodni przywarła do zwietrzałych tynków. W powietrzu niczym gryzący dym unosiły się gniew, rozpacz, nienawiść. Głosy szeptały i szeleściły, tłumione lękiem.

„Dalej, Jakubie".

Na wrotach na drugim końcu sali widniał herb Gizmunda. Przeszedł przez nie – i wciągnął głęboko powietrze w płuca. Był u celu.

Sala tronowa Gizmunda nie zaklinała głosami przeszłości. Jakub słyszał teraz wyłącznie echo swych kroków, ale podobnie jak w krypcie, obrazy z utraconego świata ożywały tu na ścianach i sklepieniu. Chmary błędnych ogników wysysały z ciemności kolory. Pola bitew, zamki, olbrzymy, smoki, armia karłów, zatopiona flota, tętniące życiem miasto, które teraz, za oknami, pogrążało się w ruinie. Freski namalowane były z takim artyzmem, że Jakub na parę sekund zapomniał, po co tu przybył. Malowidło ścienne po lewej stronie sprawiło, że przystanął. Zgraja rycerzy z dobytymi mieczami wlewała się przez srebrny portal. Ich rycerskie tuniki były białe jak u rycerzy Gizmunda, ozdobione czerwonym mieczem, ale nad nim widniał czerwony krzyż... Gdzie już to widział?

„Kawalerowie mieczowi, Jakubie".

Zakon rycerski z jego świata, rozwiązany ponad osiemset lat temu, przez długie lata nękający ogromne części północnej Europy... Przyjrzał się łukowi bramy. Był pokryty srebrnym kwieciem. Jakub zawsze się zastanawiał, czy istniało tylko jedno lustro. Najwyraźniej odpowiedź na to pytanie brzmiała: nie.

Rozejrzał się wokół. Pośrodku sali stał tron. Do kamiennego siedziska prowadziły wąskie schodki. Podłokietniki i oparcie wyściełane były złotymi poduszkami. Wizerunek

Gizmunda patrzył na niego z góry pustym spojrzeniem. Jakub poszukał wzrokiem lustra. I znalazł je, w najodleglejszym rogu sali. Było ogromne, niemal dwa razy takie jak tremo w pokoju ojca. Szklana tafla była tak samo ciemna, a jego krawędzie zdobiły nie róże, ale lilie, identyczne jak portal na fresku.

Obok lustra stał szkielet dzierżący w kościstych palcach złoty zegar. W tym świecie za czasów Gizmunda nie było jeszcze mechanicznych czasomierzy. W innym – owszem.

„Jakubie!".

Ból w piersi przypomniał mu, po co tu przyszedł. Odwrócił się plecami do lustra i podszedł do tronu. Siedząca na nim postać otulona była płaszczem czarownika z kociego futra, ale jednocześnie wyposażona w atrybuty Gizmunda – wojowniczego króla. Przyłbica zakrywająca twarz wodza miała kształt otwartej wilczej paszczy. Spod płaszcza wystawała długa do kolan kolczuga i biała tunika z czerwonym mieczem. Jakże często oglądał okalające je srebrne obramowanie, nie zdając sobie sprawy, co widzi. Teraz nie potrafił odeprzeć myśli, że to rama lustra. Gizmund siedział z szeroko rozstawionymi nogami, jak mężczyzna, który zawładnął światem bez reszty. Przybywszy najpierw z innego. U stóp schodków stał nieduży zydel. Na złotej poduszce leżała kusza.

Jakub zdmuchnął świecę.

Płyty posadzki, po której stąpał, tworzyły kolistą mozaikę przedstawiającą herb Gizmunda. Zydel z kuszą stał tuż nad głową wilka w koronie.

Jakub znajdował się zaledwie parę kroków od niego, gdy ćma wgryzła mu się w serce. Padł na kolana. Nie widział, nie słyszał i nie czuł niczego poza bólem. Ból jak kwasem wyżerał mu z pamięci ostatnią literę. Czarna Nimfa odzyskała imię. Ćma odpadła od piersi. Wyłuskała włochaty korpus z jego ciała, zrzucając krwawy kokon, i zatrzepotała skrzydełkami. Jakub usłyszał własny krzyk, który rozszedł się echem po sali tronowej, wijąc się na herbie Gizmunda, a ćma odleciała z furkotem, z powrotem do swej pani, unosząc ze sobą jej imię i jego życie. Pozostawiła po sobie tylko krwawy odcisk. Jakub leżał i czekał, aż jego serce przestanie bić. A ono galopowało nierównym rytmem, kurczowo trzymając się tej resztki życia, która się jeszcze tliła w jego ciele.

„Wstań, Jakubie".

Nie wiedział jak. Chciał tylko, by ból ustał, by te łowy wreszcie się skończyły. I żeby była przy nim Lisica.

„Wstań, Jakubie. Dla niej".

Czuł na zdrętwiałej z bólu skórze zimno posadzki przenikające przez ubranie.

„Wstań".

62
ZGAŚNIĘCIE

Głosy były przerażające. Sprzeczały się. Wrzeszczały. Płakały. Czekały za każdymi drzwiami, a Lisica błąkała się od komnaty do komnaty, od sali do sali, znajdowała złoto i srebro – przypadkowo nagromadzone łupy ze splądrowanych miast, kufry wypełnione kosztownymi szatami, złote talerze na pustych stołach, które przywodziły wspomnienia o jadalni Sinobrodego, łoża pod krwistoczerwonymi baldachimami, meble uginające się pod skorupą klejnotów... Płomień świecy wyławiał je z mroku niczym nierealne obrazy, a cały ten przepych szeptał nieustannie o szaleństwie Gizmunda. Cały zamek był jednym wielkim upiorem. Wszystkie te głosy, ten wypełniający wnętrza mroczny głód. Całe to martwe życie, które nie chciało umrzeć.

Drżący płomyk oświetlił gabinet wypełniony księgami i mapami, ze stojącym globusem. Na podłodze leżała skóra czarnego lawa, a wzór arrasu na ścianie zdradzał, że był latającym dywanem.

Świeca zgasła.

Serce zabiło jej szybciej. Znalazł ją. Jakub znalazł kuszę. Zmieniła postać. Jako lisica dobiegnie do niego szybciej. Jakub przeżyje. Wszystko będzie dobrze.

63
PUŁAPKA

„N a nogi, Jakubie".
Ból odpływał, ale jego serce wciąż tłukło się nie-
równo, jakby każde uderzenie było ostatnim.

„Trudno, Jakubie. Tylko parę kroków. Bierz kuszę. Lisica zaraz tu będzie".

Naprawdę zdołał dźwignąć się na nogi. A jeśli Lisica
przybędzie za późno?

„Chcesz sam puścić strzałę w swoją pierś, Jakubie?".

Wizja ta wydała mu się niemal komiczna.

Z bliska figura na tronie wyglądała tak prawdziwie,
jakby Gizmund kazał wykonać ją z krwi i kości. Martwe
oczy przenikały go na wskroś, kiedy zbliżył się do zydla.

„Dobry Boże".

Jego nogi potykały się niemal tak samo jak serce.

– Nie ułatwiasz sobie konania. – Bastard oderwał się bezgłośnie od cienia, tak samo jak wtedy w krypcie.

„Gdzie się podziały twoje uszy, Jakubie?".

Najstarszy błąd świata: zapomnieć o ostrożności, kiedy skarb był w zasięgu ręki. Umrze jak żółtodziób.

Bastard, zbliżając się do niego, oglądał malowidła na ścianach. Jakub sięgnął po broń, ale śmierć spowalniała jego ruchy i goyl wycelował w niego pistolet, zanim zdążył dobyć jej zza pasa.

– Nie zmuszaj mnie do skrócenia twych ostatnich minut – powiedział Nerron, celując w głowę Jakuba. – Kto wie? Może została ci nawet godzina. Jak otworzyłeś bramę? To przeklęte żelazo poparzyło mi ręce.

– Nie mam pojęcia. – Kusza była tak blisko, że wystarczyło wyciągnąć rękę, ale Jakub wiedział, że goyl był gotów wystrzelić. Nauczył się czytać w pociętym żyłkami obliczu. Przypominało mu twarz brata. – Kto cię uwolnił?

– Wodnik. Dobrze czułem, że pozostawienie go przy życiu może okazać się użyteczne. Mimo że w ciągu ostatnich tygodni z tuzin razy miałem ochotę skręcić mu ten jego łuskowaty kark. – Nerron rozejrzał się wokół. – Gdzie jest Lisica?

„Wyciągnij pistolet, Jakubie. Spróbuj chociaż. Co masz do stracenia?".

Być może tliło się już w nim zbyt mało życia.

Nerron zatrzymał się tuż obok niego.

– Jest piękna, a ja nie mówię tego pochopnie o ludzkich kobietach. Jak myślisz, pozwoli, bym ją pocieszył? W końcu poszła też z Sinobrodym. Tak, Jakub chciał go zastrzelić.

– Jestem pewien, że wszystkie gazety wydrukują nekrologi po śmierci wielkiego Jakuba Recklessa. – Nerron zrobił krok w stronę kuszy, cały czas trzymając Jakuba na muszce. – Może nawet przyjdą do mnie, by dowiedzieć się, jak to było, kiedy wydawałeś ostatnie tchnienie. Obiecuję, że opowiem o tobie w pochlebny sposób.

Jakub przejechał dłonią po krwawym śladzie ćmy na koszuli. Był tak blisko. Jego ręka drżała.

– Komu ją sprzedasz?

– Jestem pewien, że cię to zaskoczy.

Nerron sięgnął po kuszę.

„Klik".

Tykanie rozległo się w tej samej sekundzie, w której goyl uniósł kuszę z zydelka. Bastard nie zwracał na nie uwagi. Nie zorientował się nawet, kiedy zbliżył się do brzegu okręgu – i zderzył z niewidzialną ścianą. Miotane przez niego przekleństwa wprawiłyby w osłupienie nawet karła. Próbował przekroczyć granicę mozaiki w innym miejscu, ale kamienie go nie przepuściły.

Słabe to pocieszenie, że goyl był tak samo ślepy jak on, ale Jakub miał na swoje usprawiedliwienie, że lęk przed śmiercią bynajmniej nie dodawał bystrości umysłu.

To była pułapka. Od samego początku. Wpadli w nią już wtedy, kiedy przeczytali w krypcie inskrypcje. Kimkolwiek był zmarły, którego ciało tam znaleźli, na pewno nie był Rzeźnikiem Czarownic.

„Paznokcie powinny wzbudzić twoje podejrzenia, Jakubie! Ani śladu rozkładu! Gdzie miałeś rozum?".

Spojrzał w kierunku figury na tronie. Rzeźnik Czarownic siedział przed nimi, a pułapka, którą zastawił, jednak się zatrzasnęła, i to po ośmiuset latach.

Bastard cisnął zydel o otaczającą ich niewidzialną ścianę, roztrzaskując go na drzazgi.

– Cholera! Co nas zdradziło?

Jakub opadł na kolana.

– Nic – odparł. – On nas bierze za swoje dzieci. I na tym polega problem.

Wyciągnął worek z włosami Louisa i odrzucił go od siebie jak najdalej, choć na to było już za późno.

– Pułapka była przeznaczona dla nich, tyle że one były sprytniejsze od nas. To zaklęcie czasu.

Wiedźmy, miotając zaklęcie czasu, korzystały z klepsydr, ale Gizmund zastosował zegar zabrany z innego świata.

„Widziałeś go, Jakubie! Gdzie miałeś rozum?", Magiczny krąg i zegar. Więcej nie trzeba.

– Zaklęcie czasu… – Goyl wbił szpony w niewidzialną ścianę. Odgłos, jaki przy tym wydał, przypominał drapanie o szkło. – Pierwsze słyszę. Jak ono działa?

– Z każdą minutą starzejemy się o rok – wyjaśnił Jakub, dodając w duchu, że jednak dane mu będzie zostać dziadkiem.

Czarownice zabijały w ten sposób najbardziej znienawidzonych wrogów, jednak Rzeźnikowi Czarownic nie chodziło o zemstę.

„Mogłeś wpaść na to już w krypcie, Jakubie!".

– Kto zamknie w kręgu własne dzieci – ciągnął chrapliwie – wchłonie lata odbierane im przez zaklęcie. W ten sposób miotający zaklęcie odzyskuje dane dzieciom życie... Im go więcej, tym lepiej. Gizmund nie chciał odrodzić się jako starzec. Usiłował więc zwabić tu całą trójkę.

– Odrodzić się? – Bastard wpatrywał się z niedowierzaniem w wizerunek Gizmunda.

– Tak. To nie jest posąg. To jego zwłoki. Rzeźnik Czarownic chciał powstać z martwych, nawet kosztem życia dzieci.

„Tik-tak".

Tykanie zegara dzieliło ciszę na kawałki. Jakub czuł, jak jego ciało wysycha z każdą sekundą.

– Niewykluczone, że z Louisem by to zadziałało – zastanawiał się na głos. – Z nas jednak nie będzie miał żadnego pożytku. Ale nas czar zabije i tak.

A Lisica nie zdoła ich uwolnić. Krąg mógł złamać tylko Gizmund. Jakub nie wiedział, czego pragnął bardziej: by ich znalazła, kiedy jeszcze będą przy życiu, czy też dopiero wtedy, kiedy skonają.

– Słyszałeś, Rzeźniku? – wrzasnął Nerron na trupa na tronie. – Schwytałeś nie tych, co potrzeba! Wypuść nas! Twoje dzieci były mądrzejsze od nas, a teraz są już tak samo martwe jak ty!

„Z każdą minutą rok więcej".

Bastard osunął się na kolana. Oddychał tak samo ciężko jak Jakub, ale po goylu nie będzie widać działania zaklęcia. Skóra goyli się nie starzeje.

– Powiedz to! – wydusił z siebie. – Przyznaj, że wygrałem!

Jakub zamknął oczy. Nie, nie chciał, żeby Lisica znalazła go w tym stanie. Wolał, żeby nigdy go nie znalazła i żeby nic z tych rzeczy nigdy się nie wydarzyło. Tylko od czego to się zaczęło? Od tego, że przeszedł przez lustro. Gdyby tego nie zrobił, nigdy by jej nie spotkał, a ona skonałaby w sidłach. Podniósł dłoń. Przypominała rękę starca. Nie chciał, żeby Lisica znalazła go w tym stanie.

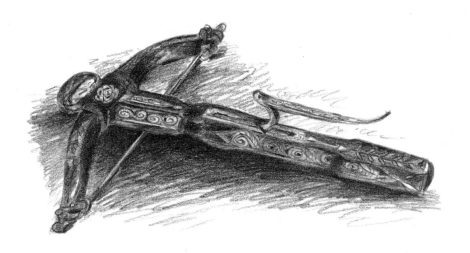

64
ŻYCIE I ŚMIERĆ

L isica niczego nie pojmowała. To, co widziała, było zbyt przerażające. Jakub leżał na ziemi, a obok niego goyl. Zmieniła postać w biegu. Leżącą między nimi kuszę spostrzegła dopiero wtedy, gdy podbiegła bliżej. Jakub. Chcąc przypaść do niego, wpadła na niewidzialną ścianę. Powietrze, które go otaczało, było ze szkła. Lisica dostrzegła mozaikę trzymającą jego i goyla w sidłach kamiennego kręgu. To był magiczny krąg, ale co z nimi robił? Bastard sprawiał wrażenie niezmienionego, choć oddychał płytko jak w agonii. Za to twarz Jakuba zapadła się tak, że ledwie ją poznała. Opinająca ją skóra przypominała pergamin, a jego włosy pobielały jak śnieg. Nie poruszył się, gdy zawołała go po imieniu, ale jego wymizerowane ciało drgnęło spazmatycznie, kiedy ciszę przecięło tykanie.

Zaklęcie kradnące lata, które sprawiało, że ludzie więdli jak liście. Rozejrzała się z rozpaczą. Tykanie dochodziło z końca sali.

Klepsydry wiedźm bezgłośnie rabowały czas ich ofiarom. W jakiś sposób pasowało to do okrucieństwa Rzeźnika Czarownic, że odbierał Jakubowi resztki życia za pomocą terkoczącego mechanizmu. Lisica, biegnąc w stronę zegara, słyszała dźwięk przesuwających się wskazówek.

Złoty cyferblat został złożony w ręce szkieletu. Lisica spróbowała cofnąć wskazówki, ale stawiły opór. W końcu zaprzestała wysiłków ze strachu, że jeśli zegar się uszkodzi, Jakub nigdy nie odzyska ukradzionych lat. Wznosiła błagania do drzemiącego w sobie zwierzęcia, do wszystkiego, co kiedykolwiek dawało jej siłę, ale wskazówki przesuwały się dalej.

„Błagam!".

Wyjęła zegar z rąk kościotrupa, ale nawet nożem nie udało jej się otworzyć obudowy. Lustro wiszące obok ukazywało rozpacz na jej twarzy. Było tak ogromne, że łowiło swą ciemną taflą niemal całą salę.

Przez sekundę nie pojmowała, co w nim właśnie zobaczyła. Postać siedząca na tronie poruszyła się. Ręce osłonięte rękawicami zacisnęły się na podłokietnikach, a usta z rzężeniem chwytały powietrze. Gizmund odwrócił głowę. Lisica schowała się za filarem, zanim zdążył na nią spojrzeć. Skryte pod przyłbicą oblicze z trudem można było rozpoznać, ale przypomniała sobie pozłacany konterfekt patrzący na nią z wierzei krypty. Kim był nieboszczyk w sarkofagu? Sobowtórem, którego Gizmund stworzył za pomocą czarów? Nasączoną czarną magią, bezduszną powłoką, która zastąpiła go w trumnie, żeby pomylono zwłoki z jego własnymi?

Rzeźnik Czarownic chwiejnie dźwignął się na nogi, ale zegar, który Lisica trzymała w rękach, nadal tykał.

„Dobrze, Lisico, to znaczy, że nadal znajduje życie, które król może zrabować".

Gizmund rozejrzał się wokół. Wsparł się o tron i wymacał ręką oparty o niego miecz. Jego ręce drżały. Oczywiście. Życie, które kradł, wyciekało z umierającego mężczyzny... Lisica, dobywając noża, żałowała, że nie trzyma w ręku szabli Jakuba. Sztylet przeciwko mieczowi. Nie. Wsunęła go z powrotem za pas i sięgnęła po pistolet.

Rzeźnik Czarownic nie był ani Sinobrodym, ani Krawcem z Czarnego Lasu. Był człowiekiem.

Chwiejnie zszedł po schodkach prowadzących z tronu. Oddychając oddechem Jakuba, z sercem bijącym jego rytmem. Pociągnął za sobą pelerynę z kociego futra. W ręku trzymał miecz.

„Tylko on może przełamać krąg, Lisico".

Potem będzie musiała go zabić. I liczyć na to, że w ten sposób Jakub odzyska skradzione przez Gizmunda życie.

Przyczaiła się za kolumną, a on znowu się rozejrzał. Zapragnęła swego lisiego futra.

„Jeszcze nie teraz".

W zwierzęcej postaci nie zdoła go zabić.

Jego chód był niepewny jak chód lunatyka. Na ostatnim stopniu zatrzymał się i wbił wzrok w mężczyzn uwięzionych w jego magicznym kręgu. Tylko dwóch mężczyzn. Obcych. Lisica niemal wyczuwała węchem jego rozczarowanie. Ciało musiał mu trawić głód życia. Szukał czegoś wzrokiem.

„Nie, nie ma ich tutaj".

Co czuł? Czy szaleństwo dopuszczało choć cień tęsknoty za dziećmi mimo chęci zabicia ich? Czy zastawił pułapkę także po to, by je do siebie zwabić, nawet jeśli miały przybyć nie z miłości, ale gnane żądzą władzy? To uczucie z pewnością było mu mniej obce.

Rzeźnik Czarownic zdjął hełm. Nadal poruszał się znośnie powoli, jakby jego ciało wzbraniało się przed zbudzeniem. Włosy, które wysypały się spod hełmu, były siwe, twarz pomarszczona i blada. Gizmund. Guismond... W Lotaryngii jego imię wymawiało się inaczej. Ale jego przydomki wszędzie były takie same: Okrutny, Chciwy. Wielkiego też nie pominięto.

Zapomniał o kręgu. Wpadł na barierę, pomacał pomarszczonymi dłońmi niewidzialną ścianę... i przypomniał sobie.

„No dalej! Twoje ofiary są już zbyt słabe, by ci umknąć, a przecież na pewno chcesz odzyskać swą kuszę".

Słowa niemal bezgłośnie wymknęły mu się z ust. Czarodziejskie zaklęcie.

Dźwięk, z jakim magiczny krąg pękł, przypominał brzęk rozbijanego szkła. Gizmund z wyciągniętym mieczem zbliżył się do Jakuba i goyla. Jedynym odgłosem, który docierał do Lisicy, było pobrzękiwanie kolczugi. I wytężony oddech Gizmunda. I tykanie zegara. Jakub się nie ruszał. Leżał tak spokojnie. A jeśli już nie żył?

„Nie, Lisico. Zegar nadal tyka".

Zanim wyszła z ukrycia, położyła się za filarem na podłodze. Gizmund właśnie schylał się po kuszę. Lisica postrzeliła go w ramię trzymające miecz. Tak, nadal był tylko człowiekiem. Krzyk, jaki z siebie wydał, przypominał wrzaski odbijające się echem po zamkowych korytarzach. Ani żywe, ani martwe. Człowiek, który chciał zabić własne dzieci, by nie zginąć pogrążony we własnym mroku. Rzeźnik Czarownic odwrócił się do niej i wbił wzrok w broń, która go zraniła. Kolejna kula utkwiła w jego kolczudze.

„Musisz lepiej celować, Lisico!".

Zdrową ręką podniósł wysoko miecz, jednocześnie poruszając ustami. Zmieniła postać, zanim zdążyło ją trafić zaklęcie. Po zwierzęciu czar tylko prześlizgiwał się mroźnym tchnieniem. Puściła się pędem w jego stronę.

„Prędko, Lisico".

Zbyt prędko, by jego ciało, które wciąż bardziej należało do śmierci niż do życia, zdążyło zareagować. Gizmund zamachnął się na nią mieczem, ale zabrakło mu sił, a Lisica podziękowała nimfie za śmierć, którą tamta zasiała Jakubowi na piersi. Wbiła zęby w cuchnącą rozkładem tkankę. Odskoczyła, kiedy Gizmund padł na kolana, i znowu zmieniła postać. Lisica i kobieta, jedność na wieki. Jedna była niczym bez drugiej.

Rzeźnik Czarownic przejechał dłonią po twarzy, która zaczęła więdnąć. Cisnął w Lisicę mieczem, ale jego atak był tak słaby, że mogła odeprzeć go nożem, i zanim wypowiedział kolejne zaklęcie, wbiła mu klingę w nieosłoniętą niczym szyję. Krew, która popłynęła z rany i kapała na białą tunikę, zamieniała się w pył, a dłonie czepiające się jej płaszcza uschły, zanim palce zdążyły się na nim zacisnąć.

Lisica odstąpiła od trupa. Jego twarz była zastygła, jakby wyrzeźbiona z drewna, a oczy spoglądały pustym, szklanym wzrokiem. Starzec, nic więcej. Mimo to wydawało jej się, że nadal wyczuwa jego obecność w otaczających ją murach i w ciemności wypełniającej salę. Chciała stąd odejść. Opuściła nóż i nadstawiła uszu.

Zegar milczał. A Jakub zaczął się poruszać. Jego włosy odzyskały ciemną barwę, a twarz stała się tą twarzą, którą kochała. Obok niego stał Bastard i trzymał w ręku kuszę.

Nie.

Dobyła pistoletu, ale całą amunicję zużyła na Rzeźnika Czarownic. Bastard uśmiechnął się.

– Nigdy nie ufaj lisom. Jakże często słyszałem te słowa od matki. Są chytre i chowając się pod ziemią, nie znają strachu, tak samo jak ty, Nerronie. Ciekawe, co by powiedziała na to, że jeden z nich uratuje mi skórę?

– Oddaj kuszę! – Lisica chwyciła za nóż. Do ostrza przywarła pylista krew Gizmunda. – Gdyby nie ja, już byś nie żył!

– I co z tego?

Wokół jej szyi zacisnęło się pokryte łuską ramię.

– Powiadają, że zmiennokształtni znają się na czarach – wyszeptał do niej wodnik. – Udowodnij to, Lisico!

Na szyi zwieszało mu się kilkanaście złotych łańcuchów, ramiona okrywało futro z jednorożca, a rybie palce zdobiły brylantowe pierścionki. Lisica usiłowała mu się wyrwać, ale wodniki są silne.

Jakub uczynił wysiłek, by wstać. Jego koszulę plamiła krew znacząca odcisk ćmy. Ostatnie ugryzienie.

„Za późno, Lisico. Gdzieś ty była?".

65
TRZECI STRZAŁ

Lisica... Jakub słyszał jej głos i czuł jej dłonie. Śmierć w jego ciele walczyła z życiem i śmierć była silniejsza. Rozchodziła się po nim, mimo że jego skóra nie była już skórą starca. Jeszcze nie zapłacił do końca ceny, jakiej zażądała nimfa.

„Zostaw. Już po wszystkim".

– Nie! – Lisica chwyciła go za ramiona. – Jakubie.

Otworzył oczy.

Bastard stał zaledwie parę kroków dalej.

– Rzeźnik Czarownic kochającym ojcem... – Pogłaskał ręką inkrustowane złotem łuczysko. – Bzdura. Nigdy nie wierzyłem w tę bajkę o trzecim strzale.

Bełt spoczywający na cięciwie był czarny jak skóra goyla. Nerron skinął w stronę wodnika.

– Pozbądź się jej.

Lisica usiłowała dobyć noża, ale wodnik wytrącił go jej brutalnie z ręki, a Jakub był zbyt słaby, żeby unieść rękę w jej obronie. Czuł, jak z każdym oddechem ulatuje z niego życie. Co się stanie z Lisicą? To była jedyna rzecz, o jakiej myślał, kiedy twarz Bastarda rozmywała mu się przed oczami. Co z nią zrobią? Czy wodnik zaciągnie ją do jakiejś sadzawki, czy zostanie zastrzelona przez goyla? Nie, ona ucieknie. Jakimś cudem...

– Spójrz na łuczysko. Jest tak, jak myślałem. Zostało wykonane z drewna olchowego. Wiesz, co to oznacza? – Głos Bastarda dobiegał z bardzo daleka. – Nie. Wy o tym zapomnieliście. Ale goyle pamiętają. One mieszkały jeszcze głębiej pod ziemią niż my, w pałacach ze srebra. Lud olch, zwany też olchowymi elfami. Nieśmiertelne... podstępne... niezrównane w tworzeniu magicznej broni. Nimfy zniszczyły większą część ich oręża, ale podobno gdzieś w Katalonii ostał się jeden miecz, który wyszedł spod rąk olchowych elfów. Drzemiąca w tej broni magia jest zawsze taka sama: wrogom jej właściciela przynosi śmierć, a jego krewniakom daje życie. Podejrzewałem, że kusza może być bronią ludu olch, odkąd po raz pierwszy usłyszałem historię o trzecim strzale. – Goyl pogładził ręką czerwonawe drewno. – Kto wie... Może Gizmund nawet chciał zabić swego syna. Na pewno już wtedy był szalony, w końcu od wielu lat pijał krew czarownic. Ale kusza na to nie pozwoliła.

Podszedł do Jakuba.

– W jaki sposób otworzył bramę? – zapytał Lisicę. – To było łatwe, prawda? Po prostu go wpuściła.

Lisica nie odpowiedziała.

Bastard napiął cięciwę.

– Wytłumaczył mi to. Zaklęcie czasu oddaje życie tylko wtedy, gdy w pułapkę wpadnie ktoś z rodziny. Ja raczej się nie liczę, mimo to Gizmund wyglądał na dość żywotnego. A to oznacza...

Jakub nie dosłyszał słów goyla. Jego serce biło zbyt głośno, oddech był ciężki... ostatnie drgawki ciała wzbraniającego się oddać życie.

– Dlatego brama go wpuściła. Dlatego był ode mnie szybszy! – Chrapliwy głos zabrzmiał tak głośno, jakby Nerron chciał przekonać sam siebie, że jest prawomocnym właścicielem kuszy. Sam się na tym przyłapał i jego następne słowa zabrzmiały już chłodno i szyderczo jak zwykle. – Taaa, kto by pomyślał – ciągnął. – W żyłach Jakuba Recklessa płynie krew Rzeźnika Czarownic.

Jakub roześmiałby się, gdyby pozwalały mu na to siły.

– ...brednie... – nawet to jedno słowo z trudem wydobyło mu się z ust.

– Czyżby? – Nerron cofnął się i podniósł kuszę.

– Pozwól mi wystrzelić! Proszę! – Wypełniony rozpaczą głos Lisicy przeciął szum w głowie Jakuba.

– Nie. – Nerron przymierzył się do strzału. – Jak inaczej udowodnimy, że nie chodzi o miłość?

Wodnik zdławił dłonią krzyk Lisicy. A goyl wystrzelił. Wystrzelił celnie. Bełt wbił się Jakubowi dokładnie w to miejsce, w którym ćma poplamiła mu krwią koszulę. Ból zatrzymał mu serce i zdusił oddech.

„Martwy. Jesteś martwy, Jakubie".

Ale przecież słyszał swe serce. Biło mocno i równo. Już dawno nie uderzało tak miarowo.

Otworzył oczy i zacisnął palce na wystającej z piersi lotce. Serce bolało przy każdym uderzeniu, ale wciąż biło. A rana przestała krwawić.

Mocniej zacisnął palce na lotce. Pierś miał odrętwiałą. Jednym ruchem wyszarpnął bełt. Ból nawet w połowie nie był tak silny jak ugryzienia ćmy, a grot był tak czysty, jakby wyciągnął go z drewna, a nie z ciała.

Bastard podszedł bliżej i odebrał mu bełt.

– Puść ją – rozkazał wodnikowi.

Lisica, dygocząc, osunęła się na kolana przy Jakubie. Trzęsła się z wściekłości, ze strachu, z wyczerpania. Chciał ją stąd zabrać, daleko od komnat Sinobrodych i zaklętych zamków.

Wpatrywała się w niego z niedowierzaniem, kiedy się wyprostował. Skóra na jego piersi była nieskazitelna. Zagoiła się nawet rana pozostawiona przez ćmę. Czuł się tak młodo jak tego dnia, kiedy po raz pierwszy udał się na poszukiwanie skarbów z Chanutem.

Bastard zmierzył go szyderczym wzrokiem.

– To by była niezła historyjka dla brukowców: w żyłach Jakuba Recklessa płynie krew Rzeźnika Czarownic. Naciągnął łudziworek na kuszę i w ślad za nią włożył do środka bełt. Jakub popatrzył na lustro. Może Bastard miał rację. Nawet jeśli nie do końca było tak, jak myślał.

– Nadal chcesz sprzedać kuszę Koślawemu czy też może Louis zaprzepaścił szanse swego ojca?

„Mów, Jakubie. Graj na zwłokę".

Złożył obietnicę Dunbarowi. Lisica spojrzała na niego. Ich dwoje na dwóch tamtych.

– Czego zażądasz w zamian? Zamku? Medalu? Tytułu? – Jakub ponownie spojrzał na lustro.

Lisica też je zauważyła. A co, jeśli się mylił? Zawsze warto spróbować.

– Ujmijmy to w ten sposób… – Bastard włożył łudziworek do sakwy. – Ty dostałeś, czego chciałeś. Ja też dostanę to, czego chcę.

– A jeśli złożę ci lepszą ofertę? Lepszą niż wszystko, cokolwiek może zaproponować ci Wilfried z Albionu albo książęta ze wschodu?

– Co to niby miałoby być? Mam pałac pełen skarbów.

– Skarby! – Jakub wzruszył lekceważąco ramionami. – Nie musisz mydlić mi oczu. Nie zależy ci na nich, tak samo jak mnie.

Bastard nie spuszczał z niego oczu. Goyle twierdzili, że potrafią czytać w ludzkich twarzach jak w otwartych księgach.

– Do czego zmierzasz?

– Że Kaznodzieje mają rację.

Wąskie usta rozciągnęły się w szyderczym uśmieszku.

– Brama do niebios...

– Nie nazywałbym tego niebiosami. – Jakub czuł, jak odzyskane życie odurza go jak narkotyk. Przechytrzył śmierć, dlaczego nie miałby przechytrzyć i Bastarda? – Myślę, że masz rację, jeśli chodzi o krew – dodał. – Ale to nie ma nic wspólnego z pokrewieństwem. Gizmund i ja pochodzimy z tego samego miejsca.

Wodnik chrząknął ze zniecierpliwieniem. Z pewnością widział już oczyma wyobraźni dziewczynę, której w jakiejś mokrej norze złoży u stóp skarby Gizmunda. Będzie odgadywał każde jej życzenie, ale nie pozwoli jej odejść.

– Wkrótce tu będą! – wyszeptał Eaumbre. – Karły... Ludzie Koślawego... Każdy szanujący się łowca skarbów... Wszyscy tu przybędą, ale jeszcze mamy czas, by wywieźć stąd większość kosztowności!

– W takim razie na co czekasz? – zripostował Bastard. – Bierz, co chcesz, i znikaj. Wszystko należy do ciebie!

Wodnik taksował Jakuba sześciorgiem oczu, zdając się dokładnie wiedzieć, ilu takich jak on dopadł już i pozbawił łupu, razem z Lisicą.

– Na twoim miejscu bym im nie ufał – wyszeptał cicho do Nerrona.

Potem odwrócił się i już bez słowa ruszył ku drzwiom prowadzącym do sali audiencyjnej.

Nerron nie odzywał się, dopóki nie umilkły kroki wodnika. Obrzucił wzrokiem wiszące wokół malowidła. Zatrzymał spojrzenie na srebrnym portalu, z którego wylewały się hordy rycerzy Gizmunda, a Jakub na moment dojrzał na pociętej żyłkami twarzy coś na kształt dziecięcej tęsknoty. Prawie pożałował, że nie będzie mógł dać goylowi tego, o czym ten marzył. Ale Dunbar miał rację. Niektóre rzeczy nigdy nie powinny zostać znalezione, a jeśli już, to kolejna kryjówka powinna być lepsza od poprzedniej.

Jakub przestąpił nad zwłokami Gizmunda. Skąd się brało to nowe życie, które buzowało mu w żyłach? Czy jakąś jego część zaszczepił Rzeźnik Czarownic? Niezbyt przyjemna myśl.

– Jestem pewien, że znasz je wszystkie tak samo dobrze jak ja – zaczął, podchodząc do lustra. – Opowieści o pochodzeniu Gizmunda. Że był królewskim bękartem, dzieckiem wiedźmy, synem złotowłosego diabła... Tylko nikt nigdy nie wpadł na to, że on przybył z innego świata.

Zatrzymał się przed lustrem.

– Oto one – oświadczył. – Drzwi, których szukasz.

Ciemne oblicze Nerrona zlało się z czarną taflą, kiedy stanął obok. Jakub widział, że goyl chciał mu wierzyć. Nauczył się czytać z poznaczonej żyłkami twarzy.

– Udowodnij mu, Lisico – rzucił.

Oczywiście wiedziała, co zamierzał. Nie było trudno zgadnąć. Ale ona cofnęła się, odstępując od lustra.

– Nie. Ty to zrób – powiedziała.

Strach w jej głosie nie był udawany i Jakub przez chwilę zaniepokoił się, że nie zamierzała dołączyć do niego. Ale Lisica tak samo jak on złożyła obietnicę Dunbarowi.

Spojrzenie Nerrona napotkało jego własne, odbijające się w ciemnym szkle. Najlepszy…

Jakub nie miałby nic przeciwko temu, by użyczyć mu tego określenia. Szkoda tylko, że Bastard pragnął również i kuszy.

– No, ruszaj – ponaglił go Nerron. – Udowodnij mi to.

Nie zauważył, że Lisica stanęła tuż przy nim. Widział tylko lustro.

Jakub przyłożył rękę do tafli.

66
CHWILA

„Jedna chwila". Jakub zniknął, a Bastard zapomniał, kim i gdzie jest. I co ma w sakwie. Tylko na jedną chwilę. Ale to wystarczyło Lisicy. Aż nadto.

Zanim zdążył ją złapać, stanęła przed lustrem z workiem w ręku. Okrzyk wściekłości, jaki z siebie wydał, niemal ją ogłuszył, kiedy przyłożyła dłoń do tafli.

A potem wszystko zniknęło. Goyl. Zaklęty zamek. Jej cały świat.

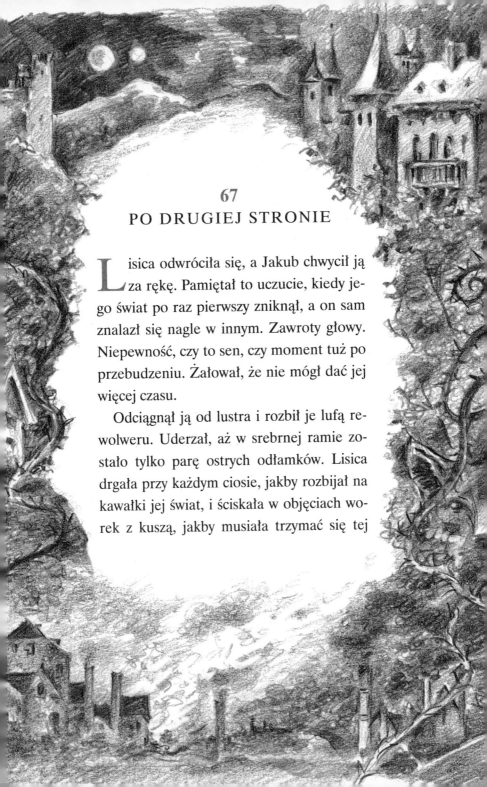

67

PO DRUGIEJ STRONIE

Lisica odwróciła się, a Jakub chwycił ją za rękę. Pamiętał to uczucie, kiedy jego świat po raz pierwszy zniknął, a on sam znalazł się nagle w innym. Zawroty głowy. Niepewność, czy to sen, czy moment tuż po przebudzeniu. Żałował, że nie mógł dać jej więcej czasu.

Odciągnął ją od lustra i rozbił je lufą rewolweru. Uderzał, aż w srebrnej ramie zostało tylko parę ostrych odłamków. Lisica drgała przy każdym ciosie, jakby rozbijał na kawałki jej świat, i ściskała w objęciach worek z kuszą, jakby musiała trzymać się tej ostatniej rzeczy, która ją z nim łączyła. Jakub dziwił się, że czar ludziworka nadal działa.

– Gdzie jesteśmy? – wyszeptała.

No właśnie, gdzie? Wokół było tak ciemno, że Jakub z trudem dostrzegał przed oczami własną rękę. Potknął się o jakiś kabel i kiedy po omacku poszukał czegoś, czego się mógł przytrzymać, jego dłoń zanurzyła się w ciężkim aksamicie.

– Kto tu jest? – rozległy się czyjeś słowa po polsku.

Reflektor, który rozbłysnął nad ich głowami, był tak silny, że Lisica przycisnęła ręce do oczu. Odłamki szkła pękały pod jej butami, kiedy się cofnęła i zaplątała w czarnej kotarze. Jakub ujął ją za rękę i przyciągnął do siebie.

Scena. Stół, lampa, dwa krzesła, a pomiędzy nimi lustro. Rekwizyty. Nic więcej. Jak ono się tu dostało? Czyżby od lat stało schowane pośród zakurzonych teatralnych rekwizytów…? Czy ktoś skorzystał z niego, odkąd Rzeźnik Czarownic przeszedł przez nie wraz ze swoimi rycerzami, czy zachowało swą tajemnicę? Jak Gizmund wszedł w jego posiadanie? Tyle pytań… Takich samych, jakie krążyły wokół innego lustra. Skąd się wzięły? Ile ich było? I kto je stworzył? Jakub długo szukał odpowiedzi, ale jedyną wskazówką, jaką znalazł, była luźna kartka papieru tkwiąca w książce jego ojca.

Rozbłysły dwa kolejne jupitery. W mroku gubiły się rzędy czerwonych foteli. To był duży teatr.

– Rozbiliście lustro! – zawołał po polsku mężczyzna, który zbliżył się do nich, utykając.

Na widok krwawej plamy po ćmie na koszuli Jakuba z przerażeniem stanął jak wryty.

Jakub wsunął rękę do kieszeni, jednocześnie posyłając mężczyźnie najgrzeczniejszy z uśmiechów.

– Przykro mi. Zapłacę za nie. – Jego polski nie pozwalał na obszerniejsze wyjaśnienia.

Jakub kilka lat temu robił interesy z pewnym handlarzem antyków z Warszawy, ale od tamtej pory minęło sporo czasu.

Na szczęście miał jeszcze przy sobie jednego w miarę porządnego talara, ale mężczyzna wpatrywał się w monetę tak podejrzliwie, jakby Jakub chciał zapłacić mu jednym z rekwizytów.

„Lepiej się stąd zabieraj, Jakubie".

Złapał Lisicę za rękę i poprowadził ją w stronę schodów. Nadal czuł się jak nowo narodzony.

Minęli garderoby, kolejne schody, ciemne foyer i rząd przeszklonych drzwi. Znalazł jedne, które nie były zamknięte na klucz. Powietrze, które buchnęło im w twarze, było przesycone zapachami i odgłosami jego świata.

Lisica wpatrywała się z niedowierzaniem w czteropasmową ulicę. Oświetlające ją latarnie dawały o wiele więcej światła niż te w jej świecie. Obok przejechał samochód. Światła na skrzyżowaniu zabarwiły jezdnię na czerwono, a po drugiej stronie ulicy nocne niebo przecinał wieżowiec.

Jakub odebrał od niej worek i przytulił ją.

– Wkrótce wrócimy – wyszeptał do niej. – Obiecuję. Chcę tylko sprawdzić, co z Willem, i znaleźć dobrą kryjówkę dla kuszy.

Pokiwała głową i zarzuciła mu ramiona na szyję. Było po wszystkim. I wszystko było w porządku.

68
CZERWONA

Jakub żył.

Ćma odeszła, a on nadal żył. Jak? Czerwona Nimfa ryczała z wściekłości, a jej krzyk niósł się po wodzie, która ją zrodziła.

Dotąd nic nie mogło złamać najpotężniejszej klątwy nimf. Dla każdego śmiertelnika oznaczała pewną śmierć. Wymazywała go, jakby nigdy nie istniał. Nic innego nie przyniesie jej ukojenia. Chciała, by jedynym wspomnieniem, jakie po nim zachowa, było jego konanie. Ale on żył.

Jezioro pociemniało jak nocne niebo, a woda ukazała jej broń, która złamała klątwę jej siostry. Jakby była spróchniałym patykiem. Czerwona Nimfa cofnęła się o krok.

Olchowe drewno. Cięciwa z giętkiego szkła. Wzór wyryty na ozdobionym złotem łuczysku. Nie. Oni odeszli. Dawno, dawno temu. Wszyscy. Zaklęci w drzewa, które dały im swą nazwę. Ani jeden nie ocalał.

Czerwona Nimfa chciała się odwrócić, ale pośród lilii coś unosiło się na powierzchni wody. Uklękła na brzegu i wyciągnęła rękę. To była wizytówka. Do białego papieru przyczepił się zwiędły liść. Nimfa z przestrachem cofnęła rękę. Zima dotychczas tylko raz zawitała na jej wyspę.

Nie. Oni odeszli. Wszyscy.

SPIS TREŚCI

Przenieś się
w inny wymiar rzeczywistości.
Odkryj książki

 oza czasem

Książki w serii
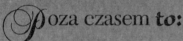 oza czasem **to:**

- bohaterki z krwi i kości
- wspaniałe historie miłosne
- przesycone magią opowieści
- fascynujące podróże w czasie